CB041094

BOM DIA, VERÔNICA

ILANA CASOY E RAPHAEL MONTES

Bom dia, Verônica

6ª reimpressão

Grafia atualizada segundo o Acordo Ortográfico da Língua Portuguesa de 1990, que entrou em vigor no Brasil em 2009.

Capa
Elisa von Randow

Foto de capa
Peter Dazeley/ Getty Images

Preparação
Gabriele Fernandes

Revisão
Adriana Bairrada
Adriana Moreira Pedro

Os personagens e as situações desta obra são reais apenas no universo da ficção; não se referem a pessoas e fatos concretos, e não emitem opinião sobre eles.

Dados Internacionais de Catalogação na Publicação (CIP)
(Câmara Brasileira do Livro, SP, Brasil)

Casoy, Ilana
Bom dia, Verônica / Ilana Casoy e Raphael Montes. — 1ª ed.
— São Paulo : Companhia das Letras, 2022.

ISBN 978-65-5921-104-3

1. Ficção policial e de mistério (Literatura brasileira) I. Montes, Raphael. II. Título.

22-115493 CDD-B869.3

Índice para catálogo sistemático:
1. Ficção policial e de mistério : Literatura brasileira B869.3

Cibele Maria Dias – Bibliotecária CRB – 8/9427

EDITORA SCHWARCZ S.A.
Rua Bandeira Paulista, 702, cj. 32
04532-002 — São Paulo — SP
Telefone: (11) 3707-3500
www.companhiadasletras.com.br
www.blogdacompanhia.com.br
facebook.com/companhiadasletras
instagram.com/companhiadasletras
twitter.com/cialetras

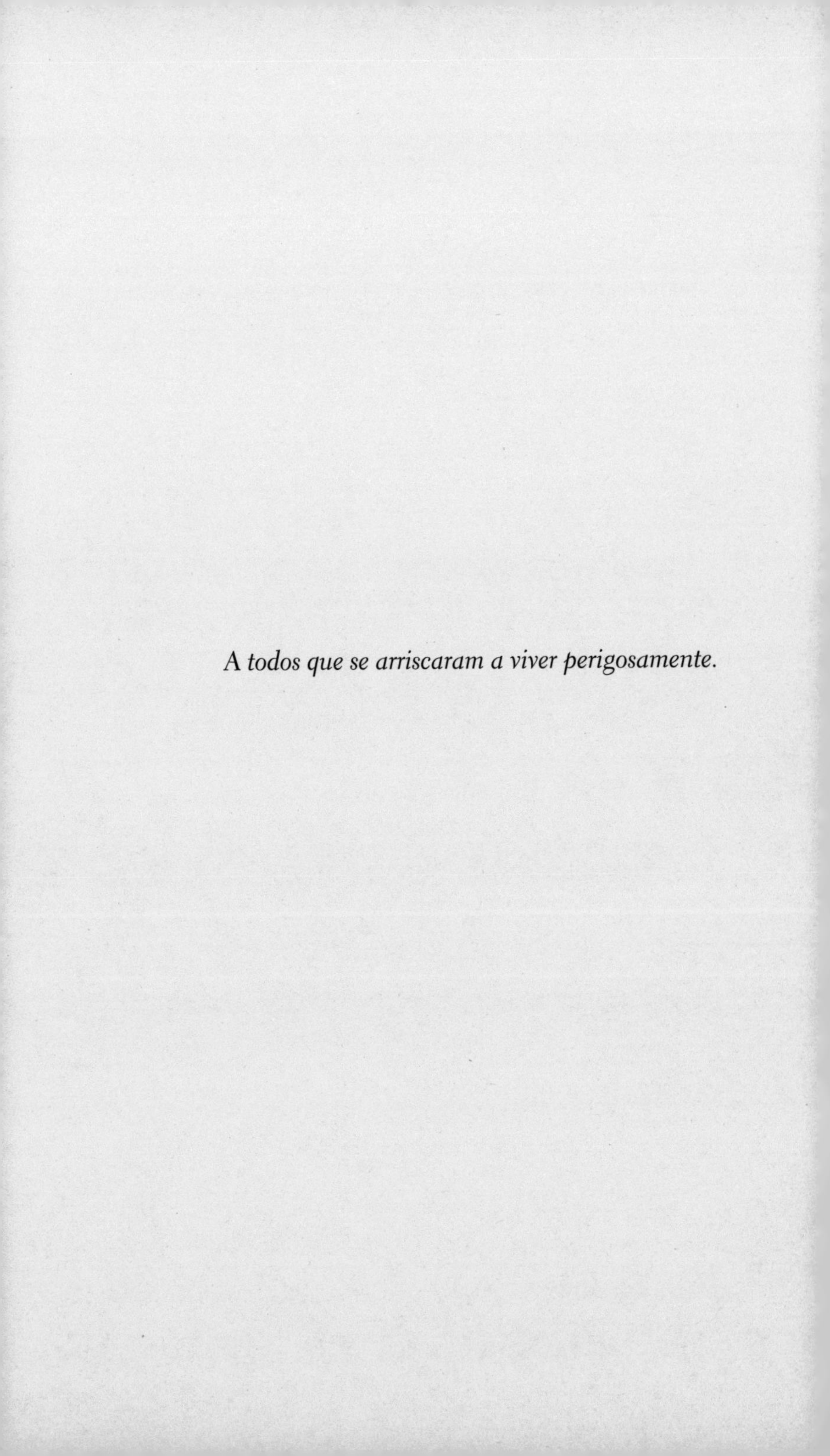

A todos que se arriscaram a viver perigosamente.

Não saiba a tua mão esquerda
o que faz a tua direita.

Mateus 6,3

1.

Era o primeiro dia do fim da minha vida. Claro que eu não sabia disso quando abri os olhos pela manhã e vi que estava atrasada. Na semana anterior, meu chefe tinha me dado um esporro pelos minutinhos que eu dormia a mais, achava um absurdo chegar depois dele. Como eu não estava a fim de ouvir a lenga-lenga do velho de novo, vesti depressa uma roupa preta qualquer, minhas pulseiras no antebraço esquerdo (até hoje, não ando sem elas) e bati a porta, sem tomar café nem nada, levando a tiracolo minha bolsa pesadíssima.

Mesmo morando a poucos quilômetros do prédio do Departamento Estadual de Homicídios e de Proteção à Pessoa (DHPP), o trânsito de São Paulo não ajudava. Cheguei à delegacia quarenta e cinco minutos depois, quase tropeçando no salto alto.

— Bom dia, Verônica — me disseram na entrada, e eu respondi com um gesto ensaiado. De manhã não gosto de falar muito, sou um pouco mal-humorada. Abri um sorriso leve, o suficiente para que não me chamassem de antipática pelas costas. Enquanto o elevador subia até o décimo primeiro andar, senti a barriga roncar e fiz as contas das calorias que poderia comer naquele dia. Poucas, bem poucas. Vai por mim: não é fácil ser uma mulher de trinta e oito anos e estar acima do peso, ao menos do peso que a sociedade julga ideal para você. Não bastasse, segunda-feira costuma ser pior, é quando bate a culpa por ter perdido a linha no fim de semana.

Joguei a bolsa na minha mesa e olhei para a sala da chefia. O velho já havia chegado, mas a porta estava fechada e as persianas, abaixadas. O recado era claro: "Não me encham". Carvana criava as regras, eu obedecia. Ele gostava do seu pequeno poder de mandar e desmandar em mim, eu gostava do meu verdadeiro poder de controlá-lo na miúda, em silêncio, sem que ele notasse.

Depois de alguns anos encostada num cargo de secretária na Polícia Civil do Estado de São Paulo, você começa a aprender as vantagens de ser invisível. As pessoas não olham para você. Elas passam apressadas pela sua mesa carregando suas pendências e seus próprios problemas, pedem o grampeador emprestado, perguntam das novidades, querem saber da sua vida sem esperar uma resposta diferente de "tudo certo", elas comentam sobre o jogo de futebol da semana passada, mas nenhuma delas — escute bem o que eu digo —, nenhuma delas realmente olha na sua cara. Você é invisível.

— Bom dia, Verônica — alguém disse, passando pela minha mesa.

Nem respondi. Estava mais preocupada em correr para a geladeira da copa. Logo na porta, dois quindins que sobraram de uma comemoração de aniversário qualquer. Resignada, escolhi uma gelatina light. Voltei à mesa, mastigando aquela coisa brochante, sabor morango, e antevendo a semana também brochante, sabor burocracia, que eu teria com as pilhas de inquéritos e despachos que me aguardavam. Pensei em checar as mensagens dos grupos de WhatsApp, mas levei tanto tempo para encontrar o celular que decidi enfrentar o caos na minha bolsa primeiro.

Meu marido costumava brincar que eu carrego toda a minha vida ali dentro; troco de bolsa, mas não troco de bagunça. Meus sonhos, meus medos e minhas vaidades fechados por um zíper. Gosto dessa imagem e agora penso que talvez ele estivesse certo: o peso da bolsa confirma que não é mesmo fácil levar a vida no braço. Ainda iam pensar que eu guardava um cadáver dentro dela.

Virei a bolsa de ponta-cabeça sobre a mesa, coloquei-a vazia no colo e dei início à "faxina".

— Bom dia, Verônica — disse a moça invisível que me oferecia café todo dia. Eu nunca soube o nome dela e tenho certeza de que ela só sabia o meu por causa da placa na mesa.

Levantei os olhos, sorri para ela e voltei à missão. Comprovantes de cartão acumulados: lixo. Panfletos: lixo. Restos de papel de bala e chiclete: lixo. Encontrei um batom cor de boca básico que procurava havia dias, arrumei as camisinhas que sempre carregava dentro da carteira. Organizei as notas de dinheiro com a cara para o mesmo lado e dei uma selecionada nos itens do nécessaire.

Não sei quanto tempo fiquei entretida naquela arrumação. Tenho a sensação de que foram poucos minutos, mas é possível que tenha sido quase meia hora. Só posso dizer que eu não estava nem um pouco atenta quando a porta da sala do Carvana abriu de repente e dela saiu uma mulher bem magra, chorando muito. Me lembro de ter olhado para o Carvana sem entender. Ele fez um sinal discreto que dizia "cuida disso pra mim". Como sempre. O velho era um escroto insensível, essa é a verdade.

A mulher se encolheu num canto perto da máquina de café, que vivia prestes a pifar. Tremia muito, de cabeça baixa, em frangalhos. A mulher também estava prestes a pifar. Quando me aproximei, ela levantou a cabeça e pude ver seu rosto mais de perto. Não tinha como perceber nada além da boca, com um ferimento horroroso. Os lábios estavam inchados, vermelhos, cobertos de pus. Depois de algum tempo, consegui abandonar a atenção na boca deformada e olhei para os olhos da mulher. Gosto de olhar nos olhos das pessoas.

Mais tarde, soube que ela se chamava Marta Campos. Mais tarde, soube tudo sobre a vida dela. Mais do que ela poderia imaginar. No entanto, naquele momento eu não sabia de nada e, ainda assim, senti uma conexão forte, uma compaixão pela mulher com a boca nojenta. Agora eu entendo o motivo. Para Marta, eu não era invisível. Naquela segunda-feira em que começou o fim da minha vida, ela foi a primeira pessoa a me dar realmente "bom-dia". Disse com os olhos, enquanto me encarava, como se estivesse diante de um espelho.

Pedi que Marta se acalmasse, garanti que tudo ficaria bem e fui depressa buscar um copo d'água na geladeira. Quando voltei, era tarde demais. Talvez eu tenha sido negligente, mas algo me diz que fiz a coisa certa. Fiquei parada segurando o copo, respeitando o desejo dela, a sina de Marta. A poucos metros de mim, ela tirou os óculos de grau e os pousou no mármore da janela. Olhou-me nos olhos uma última vez antes de subir no parapeito:

— Agora ele vai ser capaz de me amar — disse, entre um suspiro e outro.

Sem hesitar, ela abriu os braços e jogou o corpo para trás. Eu corri. Juro que corri. Mas só cheguei à janela a tempo de ver a Marta se desmontando lá embaixo, após uma queda livre de onze andares.

A máquina havia pifado de vez.

2.

— Me dá uma boa notícia, Verô! — Carvana disse assim que entrei na sala dele.

Já havia escurecido e eu me sentia exausta, suada, a roupa pinicando, o cabelo grudado na nuca e na testa. Entrar na sala do Carvana era como entrar num campo de batalha, e ele estava pronto para a guerra. Copo de uísque na mão, a garrafa pela metade sobre a mesa de trabalho, ao lado da plaquinha que dizia "Delegado Titular — dr. Wilson Carvana". Tentei não me irritar com a falta de sensibilidade dele; eu conhecia aqueles trejeitos havia anos, a postura de quem não está nem aí, devia ter me acostumado. Mas aquele não era um fim de tarde qualquer: uma mulher havia se suicidado depois de ficar mais de uma hora na sala dele e tudo o que aquele velho policial escroto tinha para pedir era uma boa notícia. Eu sabia o que ele queria escutar e disse:

— O corpo acabou de sair no rabecão. Tudo liberado, chefia.

— Finalmente! — Carvana sorriu amarelo e projetou o corpo na minha direção. — Tirou as fotos pra mim?

Concordei, entregando a papelada burocrática referente ao caso. Na primeira página, uma foto do rosto sem vida de Marta Campos, a boca purulenta esgarçada num rasgo. Ele olhou as fotos e, numa expressão de asco, jogou o fino maço de papéis sobre a mesa.

— Mulher maluca do caralho! A porra do meu celular não para de tocar. Os urubus da imprensa estão fazendo a festa! Ainda tem muita gente lá embaixo?

Estiquei o pescoço, tomada por uma pequena vertigem ao olhar pela janela. Uma boa quantidade de repórteres e curiosos se amontoava na entrada, mesmo que o corpo já tivesse sido removido.

— Relaxa, Carvana, é um caso de suicídio. A imprensa evita falar disso — disse, tentando minimizar.

— Evita nada! Esses jornalistas querem carniça. É um prato cheio! Daqui a pouco, a corregedoria também vai me pentelhar. Logo perto da minha aposentadoria! O que eu fiz pra merecer isso?

Você sempre foi um grande babaca, eu quis responder. Mas não precisava. Carvana só queria ouvir a si mesmo, falava em alto e bom som para apreciar a própria voz. Era um egocêntrico legitimado pelo sistema. E agora estava encagaçado porque o dele estava na reta.

Sem perguntar nada, ele me serviu um copo de uísque e fez questão de brindar comigo, como que comemorando o dia péssimo. Tentava desesperadamente reafirmar nossa parceria. Minha vontade era enfiar um soco na cara dele.

— A gente tem que combinar nossa versão — Carvana disse, enquanto acendia sua cigarrilha. — Vamos falar na corregedoria que a tal Marta estava fora de si, que não dizia coisa com coisa. Olha pra cara dela na foto, a boca toda fodida. De mulher maluca, basta a minha. Vamos encerrar esse assunto rapidinho. Engaveta isso, Verô!

"Engaveta" era o bordão do Carvana, a frase que ele repetia com orgulho discreto e superioridade nojenta. Nos últimos tempos, o velho fugia das investigações menos óbvias, tinha perdido a gana de buscar a verdade, só pensava no quanto ia pescar no Mato Grosso depois de aposentado, livre da jararaca da mulher dele.

Eu tinha que entrar no jogo para conseguir o que queria. Com o ego massageado, ele parava de me usar de saco de pancada e abria o bico sem perceber. O jeitinho era chamá-lo de Doc. Doc, de "doctor". O velho ficava se sentindo um personagem do *CSI: Miami*, só faltavam os óculos escuros.

— Tá tudo certo, Doc. Deixa que eu engaveto. Mas me conta o que a mulher queria contigo. Ela ficou muito tempo na sua sala, mas você nem me chamou para abrir um B.O. Fiquei curiosa.

— Ah, Verô, nem vou esticar o assunto...

Estendi minha mão para Carvana, pedindo um trago da cigarrilha. Ele sabia que eu não fumava, mas era importante que ele sentisse que eu era sua cúmplice, dividindo o mesmo fumo e as mesmas angústias. Levantei as sobrancelhas, deixando claro que uma simples negativa não iria me amansar.

— Porra, Doc, a tal Marta se matou na minha frente. Me conta qual era o problema dela. Tenho que entender pra poder te ajudar. Ela saiu chorando da sua sala.

— Mulher chora por qualquer coisa — ele disse, se refastelando na cadeira. Soltava as baforadas na minha direção. — Essa Marta queria prestar uma queixa. Era daquelas mulheres que ficaram pra titia, magricelas, malcomidas, carentes. Ela dava trela pra vagabundo na internet, nesses sites de relacionamento. Daí, parece que arrumou um malandro e achou que era o homem da vida dela. O malandro contou umas mentiras por um tempo, pediu dinheiro emprestado prometendo que devolveria, conseguiu tirar uma fortuna da madame. Eu te pergunto: o que eu tenho com isso? Ela foi obrigada a bancar o cara? Não. Bancava porque era otária, praticamente pagava pra ser chamada de "meu amor" e daí vem dar queixa na polícia e sujar a minha calçada?

A cada dia eu ficava mais surpresa com a capacidade do Carvana de ser escroto. Disfarcei e alimentei o discurso:

— E aquilo que ela tinha na boca?

— Disse que pegou essa porra do cara. Deve ser herpes, vai saber.

— Então, os dois se encontraram pessoalmente?

— Parece que só uma vez. Depois de meses conversando pela internet, o malandro topou marcar um encontro. Eles jantaram, ele comeu a baranga, ela emprestou mais grana e sei lá mais o quê e, *puft!*, o cara evaporou. No fim, a boca da mulher ainda ficou daquele jeito, toda esculhambada! Ela queria que eu encontrasse o malandro. Falei que não dava, que ele já tinha sumido e que o negócio era tocar a vida, cuidar do ferimento e deixar a história pra lá. No máximo, dava pra fazer um B.O. da grana que sumiu. Mas não fui grosso nem nada. Você me conhece, Verô, sou um cara do bem. Eu disse que entendia, que respeitava o lado dela e tudo mais. Fui o maior gentleman. Ela precisava se matar na minha delegacia?

— A mulher tava fora de si, Doc.

— Maluca de carteirinha, tô te falando. Parece que eu sou para-raios dessa gente. A mulher é um dragão, aparece um príncipe, diz tudo que ela quer ouvir e pede uma grana. Ela acha o quê? Que o cara amou a foto dela no site? O texto do perfil dela? Isso é caso pra psiquiatra, não pra polícia. Tratamento, Verô, é disso que elas precisam. E de umas boas trepadas pra sossegar o facho.

Forcei um sorriso, concordando com ele. Mais do que um soco, o velho merecia uma surra. Machista de merda. Eu sabia quanto era difícil para qualquer mulher vir até uma delegacia prestar queixa, ter que vencer a vergonha e explicar como foi feita de trouxa por um galã que lhe fez juras de amor pela internet. Só pensava em como Marta tinha se sentido ao ser recebida por Carvana, aquele tom depreciativo na voz, aquele desprezo pela dor que ela sentia. Eu entendia por que a pobre coitada tinha pulado da janela.

Agora ele vai ser capaz de me amar, ela havia dito. E tinha me encarado com aquele último olhar míope que pedia justiça. Mas a Justiça também é míope, e Carvana não estava disposto a mudar isso. Caçar gente podre sempre me deixou feliz no último volume. Foi por isso que decidi prestar concurso pra polícia anos atrás, virei escrivã e, depois do caos, acabei encostada na função de secretária. Mas isso é outra história.

Empertiguei o corpo até ficar sustentada apenas pela ponta da cadeira e encarei Carvana sabendo que o próximo passo era bastante arriscado, ainda que necessário.

— Doc, posso dar uma investigada?

Ele esbugalhou os olhos, quase se engasgou com a fumaça da cigarrilha, e antes que tivesse tempo de dizer qualquer coisa, eu continuei:

— Concordo contigo que a mulher era maluca, mas tem até quadrilha especializada em dar esses golpes. Não dá pra ignorar, pelo menos não a parte do dinheiro. A conversa da Marta tá no seu computador? Posso dar uma olhada? Você sabe que eu posso ajudar a pegar esse cara sem aparecer...

Eu tinha partido para o ataque e Carvana não estava preparado. Fora pego de surpresa. Sem dúvida, não deixaria barato. O velho fez careta, bufou e de novo cobrou a fatura que sempre me pesava.

— Verô, você não aprende mesmo! Com uma tentativa de suicídio na sua ficha, você já estaria totalmente impedida de investigar um troço desses! Qual é a tua credibilidade? Zero! Você é uma secretária, o máximo que consegui pra te manter aqui, e nem foi por você, e sim pelo meu amigo Júlio! Nada de trabalho de rua, nada de investigação. Já disse, engaveta! Deixa a notícia esfriar no tempo que esfria o cadáver!

O filho da puta ainda me deu um sorriso malicioso. Jogou aquilo na minha cara de novo! A vida é assim: você faz cem coisas certas, mas os sacanas só se lembram da coisa errada. É injusto pra caramba, e injustiça dói na alma. Senti meu peito pesar. A onda de angústia que eu conhecia bem tentava sair pelas frestas mal costuradas do meu passado. Quem pagava a conta era eu mesma, sempre amarrada àquela mesa com pilhas de papel a perder de vista.

Eu ainda ia tentar argumentar, mas o telefone do Carvana tocou antes disso. Era o delegado-geral. Foi bonito ver aquela múmia tremer na base com a ligação do superior. O velho andava de um lado para o outro, soltando pigarros ao contar suas ladainhas.

— Pois não, delegado... Que isso! Tudo sob controle, o senhor não tem com o que se preocupar. Não, nada registrado. Eu também fiquei estarrecido. Nós demos todo o apoio para a pobre mulher, delegado. Eu sei que tá na TV... A moça infelizmente não estava muito bem da cabeça. Sim, eu sei, delegado. Sim... Sim... Sim... Não. Pois não. Tô indo praí.

Ele terminou a ligação, derrotado, e me encarou como quem pede ajuda:

— O delegado-geral tá no meu pescoço. Preciso ir lá fazer política, Verô. Desliga tudo pra mim?

— Desligo.

— E promete que esquece essa história?

— Prometo.

Quando o velho saiu, eu sorri. Por dentro e por fora. Tirei do bolso meu pendrive, espetei no computador dele e fiz o backup do dia. Sem perder tempo, fui até a sala de provas. A delegacia já estava quase vazia e ninguém estranharia minha presença ali, era tranquilo. Abri com cuidado a embalagem com a bolsa de Marta Campos, largada em uma prateleira qualquer. Nem me preocupei em colocar luvas; minhas digitais seriam excluídas, já que eu trabalhava no prédio. Duvidava que alguém fosse reparar nisso. No Brasil, ninguém checa nada. A mulher se suicidou. Logo, caso encerrado.

Examinei o conteúdo da bolsa, fotografando tudo com meu celular. Graças a Deus, Marta Campos era bem mais organizada do que eu. Dentro, tinha até uma bolsinha multiúso, com tudo separado no seu devido lugar. Encontrei uma pomada Orabase (sem dúvida, para aquela terrível ferida nos lábios), chaves de carro e uma agenda pequena, tipo Moleskine. Passeei pelas páginas e vi que, em algumas delas, as anotações estavam destacadas com marca-texto. Joguei o caderninho na minha bolsa rapidamente. Ninguém ia dar falta mesmo. E havia outra chave dentro de uma bolsinha menor, um nécessaire com escova de dentes, pasta, fio dental; devia ser a chave da casa dela.

Dei uma olhada em alguns recibos de cartão de crédito, mas não achei nada que chamasse atenção. Concentrei-me no celular. Hoje, a gente guarda a vida toda nesses aparelhinhos. Para minha sorte, pessoas solitárias como Marta nem se preocupam em criar uma senha de acesso.

Uma rápida passada pelos últimos e-mails e lá estava: um recibo eletrônico da companhia de táxi, com o endereço de origem e o da delegacia. Ok, ela não veio de carro. Estranhei vários e-mails com aquele "*postmaster*" escrito no cabeçalho, típico de quando o destinatário não é encontrado. Confirmei que todos tinham sido enviados para o mesmo endereço, estudantelegal88@gmail.com. Com certeza, era o e-mail usado pelo malandro que enganou Marta. Mesmo depois de tudo, ela não deixara de enviar mensagens pro cara, ainda carregava uma ínfima esperança de que aquilo fora um mal-entendido e de que sua história de amor não tinha sido um golpe. Ela precisava desesperadamente acreditar que era real. Todos os elogios a ela, todas as mensagens de carinho. Como alguém pode mentir de modo tão cruel só para arrancar dinheiro de uma mulher iludida?

Eu queria ver mais; contudo, precisava me apressar. Alguém podia entrar ali e eu preferia não ter que explicar nada. Coloquei todas as chaves no bolso, fechei a sacola da perícia, apaguei a luz e saí. Olhei para o relógio: quase nove da noite. Sem perder tempo, dentro do elevador vazio, liguei para o meu marido e menti:

— Tigrão, deu um problema aqui na delegacia. Vou demorar mais um pouquinho. Você pega as crianças na sua mãe? Também te amo.

Quando desliguei, foi inevitável pensar em Marta: *Agora ele vai ser capaz de me amar...*

A aglomeração de repórteres continuava a fazer ponto na porta do prédio. Fui obrigada a dizer algumas palavras sobre o caso diante das câmeras, tomando o cuidado de omitir o nome de Marta, é claro. Preferi não comentar o suicídio, disse que ainda estávamos investigando e que não sossegaria até encontrar a verdade. E escapei correndo para o estacionamento. Já no meu Honda Fit preto, meu celular começou a vibrar. Era Carvana. Sem dúvida, ele queria garantir que eu tinha desligado tudo conforme ordenado, que não havia dito nenhuma besteira para a imprensa, que tinha passado uma borracha naquela história e continuava do lado dele. Dei partida no carro, deixando que o celular continuasse a vibrar. *Foda-se o Carvana!*

3.

O Waze era a salvação da minha vida. Nasci uma pessoa sem bússola; sou capaz de me perder dando a volta no quarteirão. Aquele aplicativo me levava direitinho ao destino, sem estresse. Apesar do dia horroroso, eu me sentia com sorte. Perto da casa de Marta, achei fácil uma vaga para estacionar. O problema veio depois: ela morava em uma simpática vila de São Paulo, mas com o portão principal fechado. Na sombra de uma árvore, esperei uma oportunidade. Muita gente chegando do trabalho, alguém precisaria acionar o portão eletrônico para entrar com o carro. Meus pés doíam demais. Sabe aquele dia em que você escolheu o salto errado? Se de manhã eu soubesse o quanto tudo aquilo seria cansativo, teria ido trabalhar de tênis, essa era a verdade. Cada tirinha do sapato cortava a minha pele, mas Marta merecia o esforço de descobrir o que tinha acontecido na vida dela.

Não demorou tanto para que um morador chegasse e acionasse o controle remoto. Eu já estava bem posicionada e escorreguei pra dentro da vila assim que ele passou. Logo encontrei a casa de Marta: número oito, pequena, pintada de branco e amarelo, parecia uma casinha de boneca. Por fora.

Por dentro, a história era bem diferente. Costumo dizer que o lugar que a gente mora nos identifica tanto quanto nossa impressão digital. A casa de Marta refletia bem aquela mulher trêmula e chorosa que havia se suicidado diante de mim no início do dia: estava uma bagunça. Parecia minha bolsa, só que pior. Avancei alguns passos e logo tropecei em um tapete desalinhado. Peguei meu celular, joguei a bolsa na cadeira de balanço da entrada e tirei os sapatos com alívio. Investigar descalça é bem melhor.

Fotografei tudo o que achava importante para entender a vida de Marta Campos. Debaixo da aparência de desleixo, a decoração confirmava que, até pouco tempo antes, a casa fora organizada: havia certa unidade de cores nos móveis, tapetes coloridos (ainda que encardidos) e quadros de bom gosto (todos empoeirados). Claramente, houvera um divisor de águas recente na vida dela, dois momentos sobrepostos que culminavam na contradição entre uma casa bonita, mas abandonada e uma bolsa bem organizada. Marta estaria deprimida?

Fui direto ao banheiro. Ladrilhos com musgo, ralos cheios de cabelo, toalhas úmidas. Marta vivera os últimos dias como uma espécie de zumbi. Na bancada, tintura fora da validade e recipientes de xampu e condicionador reaproveitados, cheios de água. Ela costumava ser vaidosa, mas havia deixado de cuidar de si mesma. Abri o armário e encontrei dois antidepressivos, Donaren e Cymbalta. Havia também frascos de Frontal, mas isso tudo bem: se você é uma mulher acima dos trinta e não precisa de remédios para ansiedade, então merece um troféu. Fotografei tudo e segui para o quarto.

Hesitei por um instante antes de abrir a porta e, em silêncio, pedi desculpas a Marta por invadir sua privacidade. Fui dominada pela estranha sensação de estar morta e ter uma pessoa desconhecida revirando minhas coisas. Não foi nada legal. Tive que lembrar a mim mesma que estava fazendo aquilo por uma boa causa: colocar na cadeia o filho da puta que a tinha enganado.

O quarto era de bom gosto, mas um tanto exagerado. Nas paredes, pôsteres de Elvis e Madonna. Espalhadas pelo chão e sobre a cama de casal, um monte de almofadinhas com rostos famosos: Marilyn Monroe, James Dean e a turma dos vinte e sete: Jim Morrison, Janis Joplin, Kurt Cobain, Jimi Hendrix e Amy Winehouse sorriam para mim. Todas aquelas celebridades tinham morrido de "overdose da vida". Será que o suicídio já fazia parte das fantasias de Marta? Possivelmente. Chequei as gavetas e os armários. Não havia carta de despedida, nem nada que indicasse que ela saíra de casa naquela manhã com a ideia de saltar de um prédio. Ela só queria ajuda. Mas a conversa com Carvana tinha sido letal.

Apesar de o meu corpo gritar por descanso, tentei me concentrar. Peguei um copo d'água na geladeira e aproveitei para dar uma conferida lá dentro. Muitas garrafas de coca-cola, pouca comida, um cheiro horrível de coisa estragada numa quentinha do restaurante Trattoria do Sargento, restinhos de restinhos dentro de potes grandes, sem qualquer organização. Pratos acumulados na pia, migalhas no balcão. Na despensa, mais garrafas de coca. Nada de maconha, cocaína ou álcool. Apenas refrigerante. Finalmente, um vício para Marta.

Entrei no segundo quarto da casa e notei que ele fazia as vezes de escritório. Nas prateleiras, uma mistura de livros: alguns clássicos, outros de coleção, muita coisa ruim, água com açúcar, romances de banca de jornal. Fotografei tudo para analisar melhor mais tarde. Folheei rapidamente os álbuns de família. Poucas fotos, todas antigas e com pessoas mais velhas — tios, primos, avós. Pelo visto, Marta não tinha descendentes, apenas ascendentes; uma triste realidade quando a gente vai envelhecendo.

Me sentei diante do computador, que era o que mais me interessava. Estava ligado, no modo descanso. Espetei meu pendrive e, enquanto copiava todo o conteúdo da máquina, aproveitei para examinar o histórico de acessos. Logo reparei que, até dois meses antes, Marta entrava exaustivamente no site de relacionamentos AmorIdeal.com, mas então parou. Sem dúvida, foi quando conheceu o malandro. Tentei acessar o perfil dela no site, mas não consegui: tinha sido excluído. Possivelmente, ela mesma excluíra, pensando ter encontrado o amor verdadeiro. Vivera os últimos dois meses nas nuvens, alimentada por falsos elogios. Parecia ridículo, mas era trágico e real.

Abri alguns e-mails do tal @estudantelegal88 e confirmei que era mesmo o malandro com suas mensagens de amor melosas. Ela o chamava de Pietro, mas eu tinha certeza de que o nome era falso. Num dos e-mails mais recentes, ele pedia mil e quinhentos reais na caradura para pagar uns exames médicos que tinha que fazer com urgência, sem cobertura do plano de saúde. Não é à toa que dizem que o amor é cego. Todas as mulheres veem na televisão esse tipo de golpe, mas acham que a história só se passa com as outras. Quando acontece com elas próprias, acreditam no primeiro babaca que aparece. O @estudantelegal88 era esperto, profissional, inundava a caixa de e-mails de Marta com textos apaixonados, enviados no meio da noite:

> São quatro da manhã e acordei pensando em você. =) Te conhecer no site mudou a minha vida. Vc é meu amor ideal. Eu só não digo que sou apaixonado por vc pq, se eu disser isso de novo, vc foge... mas amo vc, minha princesa! Vc é linda, faz parte dos meus sonhos... Não vejo a hora de ficarmos juntos! Pietro.

Outro e-mail enviado por ele, minutos depois:

Minha linda, continuo sem conseguir dormir. Vc não sai da minha cabeça. Como vou viver com isso agora? Sou um cara de muita sorte por ter te encontrado. Espero ser persuasivo para te conquistar de vez. Pietro.

E, às oito da manhã, mais um:

Acordei agora com um sorriso no rosto. É muito bom ser amado e amar alguém de verdade. Obrigado por me devolver a esperança de ser feliz no amor, minha linda! =)

Analisando o conteúdo das mensagens, dava para perceber que, de início, Marta era cautelosa nas respostas, mas, pouco a pouco, foi se entregando, se deixando amaciar pelos carinhos, até ficar claramente envolvida por ele — e foi aí que Pietro começou a explorá-la, pedindo dinheiro emprestado:

Minha princesa, fico até envergonhado de te pedir isso, a gente nem se conhece pessoalmente ainda, mas o que eu sinto é tão forte que acho que tenho liberdade para buscar seu auxílio num momento de urgência. Não tenho pra onde correr, é realmente sério. =(Você pode me emprestar uns quinhentos reais? Minha conta no banco está bloqueada por causa de um processo judicial da minha família e eu preciso desse dinheiro pra pagar o mês da faculdade! Prometo que te devolvo assim que tudo se acertar. Beijos do Pietro!

Meu celular começou a vibrar e levei um susto. Era meu marido de novo, pela quarta vez. Eu não podia demorar muito mais. Não queria enfrentar nenhuma DR ao chegar em casa, era só o que faltava. Paulo nunca lidou bem com o fato de ser casado com uma policial, essa era a verdade. Às vezes, quando eu contava as histórias lá da delegacia, sentia que ele me encarava como um animal selvagem. Era incapaz de entender a febre que dá num policial quando um mistério aparece; é uma adrenalina, uma sede de querer saber, de ir atrás. Eu sempre esperava ansiosa a volta dos investigadores em trabalho de campo. Agora, *eu* estava em campo.

Desliguei o computador apressada e já estava prestes a apagar a luz quando notei um quadro de cortiça pendurado atrás da porta do quarto. Ali, recheado de tachinhas e post-its, encontrei o tesouro que procurava. Entre muita papelada, folders de restaurantes e outras coisas inúteis à primeira vista, Marta parecia ter iniciado uma investigação particular para encontrar a verdadeira identidade do @estudantelegal88/ Pietro. No quadro, havia conversas de Facebook e de e-mail impressas, documentos variados, tópicos com características do malandro, além de um desenho amador de seu rosto — sinal de que Marta não guardava mesmo nenhuma foto dele. Recolhi toda a papelada para olhar mais tarde e separar o joio do trigo. Sem dúvida, ela havia levado parte do material pro Carvana, mas o escroto devia ter escondido aquilo de mim ou jogado no lixo.

Então me preparei para sair. Catei a bolsa na cadeira e guardei o celular, o pendrive e os papéis ali dentro — virou uma zona de novo. Resolvi que não iria calçar os sapatos, eu não merecia tanta tortura. Perto da porta, notei na mesinha de entrada alguns envelopes e remessas dos correios. Eu havia entrado na casa tão apressada e ansiosa por informações que ignorara a mesinha. Peguei os envelopes e analisei: contas de luz, gás e telefone, cartas-padrão de instituições de caridade pedindo auxílio financeiro e, por fim, um envelope de laboratório já aberto. Era o resultado de um exame feito na boca e na vagina de Marta: "positivo para *Defungi vermibus*". Fotografei o exame e me mandei dali.

Enquanto descia a vila rumo à saída, apertei o alarme da chave do carro de Marta para ver onde estava estacionado. Eu não entendia por que ela havia ido de táxi até a delegacia se tinha um carro. Será que não estava em condições de dirigir? A busca foi infrutífera, o veículo não estava próximo à casa nem dentro da vila. Cheguei a dar uma volta no quarteirão: nada. Intrigada, joguei o chaveiro na bolsa e entrei no meu Honda.

Antes de dar partida, chequei o celular: mais três ligações do meu marido. Aproveitei para acessar o Google e buscar mais informações sobre o *Defungi vermibus*. Em segundos, lá estava a resposta: *Defungi vermibus* é o fungo dos mortos, conhecido por só aparecer em cadáveres. Continuei a ler outros resultados, muitos eram sobre a lenda urbana do "beijo do necrófilo", aquela da menina que beija o bonitão na balada e pega um germe que só aparece em cadáver. Fiquei toda arrepiada. Bastava somar dois mais dois. Se Marta pegou essa infecção de seu affair, ela não só descobriu que ele a tinha enganado, mas também que o sujeito, o homem de sua vida, era um necrófilo.

Deitei a cabeça no volante, chorando como não chorava havia anos. Me lembrei de Marta encolhida, indefesa, ao lado da máquina pifada; de sua boca horrorosa, tomada pela infecção; de seus olhos assustados, e da sensação que eu mesma já tive de ser desacreditada, ignorada. Ser invisível era uma realidade para muita gente. Marta sabia disso. A ferida, o golpe, o exame, a lenda. Então me lembrei da frase... da frase que ela disse antes de se jogar pela janela. Tudo fazia sentido.

Agora ele vai ser capaz de me amar...

4.

Janete esfrega as mãos no avental xadrez que escolheu para usar naquele dia. Perfeitamente passado, com os babados impecáveis, quase nada respingado, de cuidadosa que é. Ela apoia as mãos sobre a pia e suspira. Tem vontade de chorar, mas não vai dar esse prazer a ele. Engole o choro. Pede calma a si mesma enquanto ouve o marido resmungar pela sala e bater o punho cerrado na mesa de jantar:

— Caralho, Janete, tô com fome, tô atrasado! Eita, mulher devagar quase parando! Tenho plantão hoje. Essa gororoba sai ou não sai?

Nem sempre foi assim. No começo do casamento, Brandão fazia de tudo para agradá-la, a cobria de mimos e gentilezas. Parecia determinado a conquistá-la e tinha bons artifícios. Pouco a pouco, foi se tornando o sol da vida dela. Era um homem exigente, ela sempre soube, mas se sentia apreciada, valorizada naquilo que fazia de melhor: cuidar do marido e da casa.

No interior, Janete tinha uma mãe doente e três irmãs, todas casadas e com filhos, mas que ficaram preocupadas quando ela, a caçula, resolveu ir morar na cidade grande com o futuro marido. Na época, Janete estava muito certa do que queria e bateu o pé, sentia uma liberdade inédita. Além disso, ela se considerava vitoriosa: teria a própria casinha em São Paulo e cuidaria de todas as necessidades do marido, que gostava dela e era carinhoso. Parecia um sonho de princesa. E, por muito tempo, foi também sua realidade.

Janete amava o marido acima de tudo. Por isso, compreendeu quando Brandão insinuou que a família dela era invasiva. A mãe ligava quase todos os dias, as irmãs uma vez por semana, sempre querendo saber da vida deles — e Janete tinha o mau hábito de contar. Parou com isso. Aos poucos também foi deixando de visitá-las, porque cuidar de Brandão ocupava muito tempo. E, quando a mãe morreu, preferiu não ir ao enterro, o que fez com que as irmãs ficassem chateadas e cortassem de vez as relações.

Janete não sentia falta delas. E Brandão precisava mesmo da esposa para manter tudo em ordem. Era um orgulho quando ele contava como haviam elogiado sua farda da Polícia Militar, sempre bem engomada, quando acertava o prato com o qual ele sonhara para o jantar, quando ele elogiava o avental novo ou suas unhas bem-feitas.

Então foi tirando da vida tudo o que pudesse ameaçar seu amor maravilhoso. Como saía pouco, não conhecia quase ninguém na cidade. Os amigos do interior foram rareando, se esquecendo dela, já que nunca mais tinha pisado em Jales. As ligações também silenciaram. Quem iria telefonar?

Brandão achava as redes sociais um lixo, coisa de gente vagabunda, e ela rapidamente apagou as contas que tinha no Facebook, no Twitter e no Instagram. Não tinha nem celular, porque isso era confusão na certa. Todos os dias, ele checava o histórico do computador e os últimos números discados pelo *redial* do telefone fixo, se dizendo preocupado com a segurança da família.

Não importava. Brandão era tudo, ela não precisava de mais nada. Hoje, já não é assim...

Janete se assusta, afastada dos pensamentos por um estrondo que vem da mesa de jantar. O marido está sentado, empunhando garfo e faca. Impaciente, martela os talheres de metal só para irritá-la.

— Esta comida de merda tá queimando!

Ao sentir o cheiro no ar, ela desperta de vez para a realidade. Tira a torta de palmito do forno, abaixa o fogo da frigideira, equilibra o galheteiro no dedo indicador, abraça a salada e vai colocando tudo sobre a toalha estampada com motivos florais. Serve o prato do marido com a salada fresca e uma fatia da torta, assim ele mata logo a fome urgente enquanto ela acaba de fritar os bifes sem gordura. Limpa a testa, ensopada de suor, com o pano de prato mesmo, enfeita os bifes com cebolas caramelizadas, apruma o corpo e se prepara para encará-lo. Então se senta à mesa, sem a menor fome. Ainda assim, come.

Silêncio absoluto, como manda a regra da casa nesse horário. Ela mastiga a comida, que sabe estar deliciosa, mas só sente um gosto arenoso. É o sabor da amargura. Na televisão, Brandão vê um programa de notícias locais. A chocante história de uma mulher que se jogou da janela de uma delegacia. Nesse momento, de um jeito torto, Janete se identifica: existem no mundo outras pessoas com a vida tão desgraçada quanto a dela. Nem na tragédia ela é especial.

Gruda os olhos e os ouvidos na reportagem. Imagina só, tirar a própria vida. Já pensou nisso antes, nos momentos de desespero, quando não conseguia dormir porque se lembrava dos gritos. Os gritos na escuridão. Mas ela não tem a coragem que a outra teve. É covarde.

— Mastiga quieta, Janete! — Ele lhe dá um tranco no ombro. — Quero ouvir o que esse filho da puta tá dizendo!

Na tela, um homem grisalho, de bigode farto e olhos cansados, está cercado por microfones de diversas emissoras, enquanto fala apressadamente sobre o caso. A legenda revela seu nome: delegado Wilson Carvana.

— Esse cara detesta a PM! Bem-feito que a mulher sujou a calçada dele! — Brandão diz, rindo. Chega a gargalhar quando a câmera foca o sangue sendo lavado diante do prédio da delegacia. — Conheço esse velho filho da puta de outros tempos... Ele que cruze meu caminho!

O marido coloca um grande pedaço de torta na boca. Janete consegue ver a raiva no semblante dele, enquanto ele mastiga de forma mal-educada. Percebe todo o ciclo de ódio: Brandão não suporta aquele delegado, mastiga a notícia, digere e, então, vomita tudo em cima dela.

— E essa torta se esmigalhando toda, hein? "Massa podre" literal, não é? E esse bife? Solou? Nem pra cozinhar você serve — diz. E enfia mais um pedaço na boca.

É o início do pesadelo. Quando o marido está assim, não importa a realidade, ele detesta tudo e qualquer coisa. É como se fosse outro homem. Janete se encolhe toda, olha para o colo, mal se mexe. O tempo a ensinou como reagir. Melhor não dizer nada e esperar. Só esperar.

A resignação dela parece irritá-lo ainda mais. Brandão continua resmungando e xingando sem parar, espalhando farelos por todos os lados. Sem aviso, ele se levanta da mesa, veste a farda, pega o coldre e a arma enquanto assovia aquela música nefasta que sabe que ela odeia: "Acalanto para Helena", de Chico Buarque.

Brandão tem esse talento: tudo em que encosta apodrece. Janete mal pode ouvir os primeiros acordes da música que sente náuseas, tem vontade de chorar. Faz as contas de quantos minutos ainda faltam para o plantão do marido. Poucos, faltam poucos. Logo, a noite será só dela. Mas Janete precisa ser forte.

Ele parece escutar os pensamentos dela, o esforço que ela faz para manter a postura, e não consegue aceitar que Janete seja resistente ao veneno dele. Antes de sair de casa, precisa deixá-la destruída, quebrada ao meio, catando os cacos da própria dignidade pelo tapete. Brandão para na soleira da porta e, enquanto amarra os sapatos, diz em tom despreocupado:

— Tá na hora de arranjar uma nova empregada, hein, passarinha?

Ela congela. Tem medo até de respirar. Volta a escuridão, voltam os gritos. As lágrimas escorrem pelo rosto contra sua vontade.

— Brandão, por favor, não me obriga a fazer isso de novo, eu imploro.

— A gente já fez e vai continuar fazendo. Estamos juntos nessa.

Ele se aproxima, curvando-se sobre a mesa, e lambe as lágrimas dela, uma por uma, como quem lambe um sorvete de chocolate. Janete se contorce, cheia de nojo. Não quer olhar nos olhos dele, mas é inevitável. São olhos verdes e bonitos, onde ela só enxerga um prazer sádico. Sabe que não deve ser impertinente, mas não resiste, precisa perguntar.

— Brandão, o que aconteceu com a última? Pelo amor de Nossa Senhora, eu não vou aguentar! Me diz o que aconteceu com a última menina.

Ele sorri, vitorioso. Queria que ela perguntasse. É a sua maneira de fazê-la se sentir inferior, impotente. Num tom baixo e mortal, Brandão separa bem as palavras:

— Não... é... da... sua... conta.

— Por favor!

Ele a estapeia. O som seco do tapa é engolido pela abertura da novela, com uma música animada e corpos dançantes. Janete sente a face direita arder, sabe que sua bochecha está vermelha e se condena por ser tão idiota. Não devia ter perguntado nada.

— Amanhã, nós vamos conseguir uma nova empregada — ele diz, indo até a porta. — Vou sair mais cedo e vai ter festa no nosso sítio! Pode se preparar, passarinha!

Janete caminha agitada pela sala. Troca de emissora em busca de notícias sobre a mulher que caiu do prédio da polícia. As matérias evitam mencionar detalhes, algumas chegam a tratar a queda como acidente, mas ela sabe que foi suicídio. Joga as palavras-chave no Google e encontra o vídeo de um programa vespertino acerca do caso. O apresentador é exagerado, repleto de trejeitos e faz a chamada para o repórter que entrevista o tal delegado que odeia PMs. Ah, se ele soubesse o que ela sabe...

Janete pega uma revistinha de palavras cruzadas e, escolhendo uma folha em branco, anota o nome dele: Wilson Carvana. Enquanto escreve, é tomada por uma centelha de coragem, uma discreta vontade de ser diferente, mas sabe que não deve. Se fosse para falar com uma delegada, talvez sentisse mais confiança. É difícil entregar sua intimidade para um homem que ela mal conhece. Melhor não.

Rendida, continua diante do computador. Assiste ao vídeo mais duas ou três vezes. Então, repara numa policial que parece cuidar de tudo na cena do crime. Presta atenção de novo. Em outro link, vê uma nova reportagem sobre o caso em que a policial reaparece e é até entrevistada, com o nome escrito embaixo: Verônica Torres. Algo em seu tom de preocupação revela a Janete que Verônica é uma mulher de bem. Ela sempre se julgou capaz de identificar a índole das pessoas só de olhá-las. Errou feio com Brandão, mas não vai errar de novo. Um começo de ânimo toma seu corpo quando digita "Verônica Torres" no Google e encontra o telefone da policial na delegacia. Apaga o histórico, bebe um copo d'água, se senta na poltrona e desliga a TV. Retira do gancho o telefone de casa, hesita. Disca depressa, antes que desista. Um toque, dois, uma mulher atende.

— Delegacia de homicídios, boa noite. Alô? Alô?

Ela tem vontade de chorar. Há tempos não escuta a voz de alguém diferente sem ser na televisão. A última pessoa foi… A última pessoa foi a menina de pele dourada. Janete não quer pensar nela. Aquilo a deixa sem chão. Respira fundo e arrisca:

— Dona Verônica?

— Não, a policial Verônica já saiu. Posso ajudar?

A decepção desmonta Janete. Ela desliga, certa de que está ficando louca. Rapidamente, faz ligações à padaria e ao açougue até apagar o telefonema do registro. Vai para o quarto, engole dois compridos, reza um pai-nosso apressado e se enfia na cama, tentando fechar os olhos. Não tem coragem. Fica mirando o teto. No quarto, todas as luzes estão acesas. Tem pavor do escuro. Olha tão fixamente para as lâmpadas brancas que pontos negros começam a pipocar em sua visão. Ela se sente tonta. Pensa nas mulheres torturadas, nos gritos de horror e na Caixa. O assobio de Brandão ainda ecoa lá dentro e a música insistente a impede de cair no sono.

Dorme, minha pequena, não vale a pena despertar…

Uma ideia não sai de sua cabeça. Se tivesse alguma piedade de si mesma, se fosse uma mulher de verdade, deveria subir num prédio bem alto e fazer como a outra. Saltar lá de cima, sem medo. Quem sabe assim encontrasse a paz.

5.

Ao chegar à garagem do prédio, retoquei a maquiagem diante do retrovisor, tomando o cuidado de esconder os olhos inchados de tanto chorar. Necrofilia, pus — era tudo o que vinha na minha cabeça. Mesmo péssima, vulnerável, eu não podia me dar ao luxo de desmoronar. Entrei em casa e vi Paulo no sofá, uma garrafa de vinho pela metade ao lado. Ele se levantou, fixando os olhos cheios de ressaca em mim, e se aproximou com o corpo curvado.

— Meu amor — disse, tocando meu braço. Queria me dar um beijo, mas virei o rosto sutilmente. Boca com boca não dava mesmo.

— Desculpa pela hora. O dia foi cheio.

— Vi tudo no noticiário. Como você está?

Seu tom era de ansiedade. Uma mulher havia se suicidado diante de mim e ele se julgava no direito de me pressionar. Eu sabia que aquela era uma chaga que eu carregaria pelo resto da vida. Como duas tatuagens, agora mais apagadas, meus pulsos ainda mostravam as marcas da minha tentativa desesperada aos vinte e quatro anos de idade. Nesse mundo de merda, cometer suicídio não deveria ser tão condenável.

— Tô bem — respondi, me desvencilhando dele.

Paulo me abraçou por trás e beijou meu cangote. Acabou por afagar meus cabelos como se eu fosse uma criança. Deixei pra lá, mas que aquilo me irritava, me irritava. Quanto mais legal ele era, mais eu ficava devendo, essa era a verdade. Paulo era o típico marido perfeito, provedor, carinhoso, fiel. Como nunca fui perfeita, não era fácil de engolir.

— E as crianças?

— Dormindo — ele disse. — Quer falar sobre o caso?

— Você sabe que não.

No minibar da sala, me servi de uma dose generosa de uísque. Paulo voltou a se sentar no sofá e ficou me observando, como se tentasse interpretar meus movimentos.

— Na minha opinião, você não devia se envolver neste caso — ele disse, por fim.

Mal ergui os olhos; quanto menos eu argumentasse, melhor.

— Só preciso de umas horinhas de sono — respondi. Forcei um sorriso e, antes que ele tivesse tempo de dizer qualquer coisa, alcancei o corredor. No quarto, engoli um comprimido de Frontal com o "caubói" que já estava pela metade.

Tentei dormir.

Mesmo antes de abrir os olhos, eu já sabia que estava encrencada. Minha boca tinha um gosto de cabo de guarda-chuva, meus olhos estavam secos, com remela. Da cama, conseguia ouvir o zum-zum-zum da família tomando o café da manhã. Sem me mover, pensei: *Merda, as compras! Esqueci completamente!*

Já podia imaginar a enxurrada de reclamações que eu enfrentaria tão logo pisasse na cozinha. Ser mãe e trabalhar em qualquer coisa séria era missão para gente organizada. Sempre invejei aquelas mulheres que fazem planilha pra tudo, lista pronta de compras, sanfona de contas a pagar... Minha lista de mercado não precisava nem ser escrita: quando eu me lembrava de sair às compras, já estava faltando absolutamente tudo, não tinha nem papel higiênico em casa.

Quando me levantei da cama, cada músculo das pernas doía. Tomei um banho frio para ver se acordava de verdade, fiz aquela maquiagem de dez minutos e parti para enfrentar a turba íntima. Mulher é que nem indígena, se pinta para a guerra que enfrenta todo dia.

— Finalmente, Verô! — Paulo disse ao me ver. Rafael beliscava nacos de um pão dormido, enquanto Lila bebia um copo de leite.

— Eu sei, me esqueci das compras.

— Tô aqui me virando com dois ovos para quatro, mas não tem manteiga, nem a Nutella das crianças... Precisa chegar a esse ponto?

— Bom dia pra vocês também. — Minha carcaça não aguentava outro round. — Você pode fazer compras no mercado, Paulo. Isso não afeta a sua masculinidade.

Rafael e Lila me olharam com olhos de filhos. Não sabiam o que tinha acontecido, mas sabiam que de manhã não era bom mexer comigo.

Me deram um beijo sem graça e saíram da mesa para escovar os dentes. Paulo aproveitou para se aproximar:

— Mal aí, Tchu! Ignorância minha cobrar você depois de ontem.

— Tudo bem.

— Promete que não vai se meter no caso dessa mulher que pulou do prédio?

— Prometo — menti, olhando nos olhos dele. Era fácil, eu já estava acostumada. — Preciso ir. Você lembra que dia é hoje?

— Claro. Mas, com tanta coisa na cabeça, achei que você ia esquecer. Se estivesse vivo, seu pai faria o quê? Oitenta e um?

— Oitenta e dois — eu disse, e dei um beijo na testa dele, perto da careca que começava a surgir. — Vou passar no cemitério pra deixar umas flores antes de ir pra delegacia.

— Fica bem.

— Vou tentar.

Fechei a porta atrás de mim e, no elevador, fiquei pensando nas tantas mentiras que havia contado ao meu marido em poucos minutos de conversa. Por um instante, me senti mal com isso, mas logo espantei o incômodo. Meu carinho por ele era verdadeiro, a família que eu havia construído com ele era verdadeira. As mentiras… bem, as mentiras só serviam para manter tudo no seu devido lugar.

Talvez já esteja na hora de falar de onde vim, quem sou e todas essas coisas que devem ser esclarecidas desde o início, mas eu estava evitando contar. Impressionante como somos o que o passado faz da gente.

Nasci uma garota simples, filha única daquelas famílias que moram no bairro de Pinheiros, bem classe média paulistana, pai policial e mãe submissa. Como quase todo mundo na região, estudava na Escola Estadual Fernão Dias Paes, bastante tradicional, reconhecida pela qualidade e pelo rigor. Tive ótima formação, sempre escrevi muito bem, então foi natural fazer faculdade de Letras na USP. Como "filha de peixe" e já formada, aos vinte e dois anos prestei concurso público para escrivã da Polícia Civil. Na minha lógica, assim eu poderia saber de mil histórias e escrever dezenas de livros, quem sabe até me tornar uma escritora famosa. Sou leonina pura, adoro ser admirada e elogiada. E sonho alto.

Não tinha a vida perfeita, mas posso dizer que era feliz, morando com meu pai herói e minha mãe superprotetora, vivendo de rolos com caras de barba cheia e ideias comunistas. Então, aconteceu.

Era uma terça-feira quente de janeiro, eu estava de férias e viajaria dali a uma semana para Miami com meus pais. Seis da manhã, ainda na cama, com preguiça, escutei as batidas firmes na porta de casa:

Bum, bum, bum, bum, bum!

No susto, fiquei de pé. Entreabri a porta do quarto para ver o que era; meu pai já estava na entrada, só de cueca, diante do olho-mágico.

— Pois não?

Apesar da cara de sono, deu pra perceber seu nervosismo.

— Delegado Júlio Torres? — falou a voz do outro lado. — Aqui é o delegado Takashiro, da Corregedoria da Polícia Civil de São Paulo. Estou mostrando meu distintivo para sua verificação. Tenho um mandado de busca e apreensão para cumprir. Abra a porta.

Meu pai esticou o pescoço e simulou voz de cansaço:

— Pode me dar uns minutinhos pra me vestir? Eu tava dormindo.

— Três minutos.

Meu pai veio na direção do meu quarto. Corri para a cama e entrei debaixo das cobertas ao mesmo tempo que ele se aproximava, com lágrimas penduradas nos olhos. Ele se sentou na cama e abraçou minha cabeça.

— O que tá acontecendo, pai?

— Calma, Pequena Flor. — Ele me chamava assim, Pequena Flor, mesmo que eu já não fosse nada pequena. — Vai ficar tudo bem. É só procedimento de rotina. Tranca a porta e espera eu chamar.

— Você me trata como criança — respondi, com firmeza. — Você vai ser preso?

Pela primeira vez na vida, senti insegurança. Meu pai, minha base, estava desmoronando, e eu desmoronava junto.

— Só me obedece, Verônica. Por favor.

Ele virou as costas e saiu como um relâmpago. Os minutos corriam. Tranquei a porta, mas reabri devagarzinho; olhava a movimentação por uma fresta. Vi quando, no quarto, ele recolheu alguns papéis da mesa e os colocou no triturador, enquanto falava com minha mãe. Eu não conseguia ouvir direito, por mais que me esticasse. Ele falava, ela retrucava. Eu tinha que escolher se ouvia ou assistia à cena. Preferi ver.

Bum, bum, bum, bum, bum! Mais batidas à porta.

Ele remexeu na gaveta e engatilhou sua automática. Desesperada, minha mãe avançou, impedindo que ele apontasse a arma para a própria cabeça. Eu recuei, fui covarde. Até hoje me condeno por isso. Tapei os ouvidos e corri para debaixo da cama, fechando os olhos com força. Acho que fiz xixi na calça quando ouvi o primeiro tiro, não lembro bem. O que aconteceu a seguir ainda é confuso pra mim. No começo eram flashes rápidos, e não sei se o vazio foi preenchido pela minha memória ou pela minha inteligência.

Sei que a polícia invadiu imediatamente a casa ao ouvir o som do tiro e, daí, vários gritos e estampidos se seguiram, como uma guerra num ambiente doméstico. Durou só um minuto, talvez dois. Então, um silêncio mortal.

Não sei quanto tempo depois, uma policial loira, de voz mansa, estendeu o braço para me alcançar.

— Vem, você não precisa ver isso — disse.

Ela escondeu meu rosto para me tirar dali. Havia um corre-corre, policiais nervosos, a sirene de uma ambulância chegando, alguém me examinando enquanto os outros se espalhavam pela casa, maca na mão, todo mundo abrindo passagem. Eu tentava olhar pelo canto do olho, sem coragem de perguntar nada.

Já à noite, quando voltei sozinha para casa, meu sobrenome estava em todos os jornais do país.

Tragédia em São Paulo. Júlio Torres, delegado do Denarc, Departamento Estadual de Prevenção e Repressão ao Narcotráfico, investigado por corrupção na Operação Cara ou Coroa, reagiu à prisão com uma tentativa de suicídio. A polícia invadiu a casa e, ao vê-lo empunhando a arma, também atirou.

Minha mãe morreu na hora, ainda servindo de escudo ao homem que amava. Meu pai sobreviveu, foi levado em estado grave para a UTI.

Ao longo da semana, o esquema milionário da "banda podre" da polícia paulistana foi destrinchado na imprensa: os policiais do Denarc apreendiam enormes carregamentos de cocaína, centenas de quilos, e ficavam com parte para vender. Havia gente da Polícia Científica envolvida, colocando nos laudos de apreensão uma quantidade menor da droga; dessa forma, ninguém desconfiava.

Era o esquema perfeito, que fora investigado por meses pela corregedoria até a fatídica terça-feira em que todos acabaram presos. Perdi meu mundo naquele dia e não sobrara ninguém para sustentá-lo. Sozinha em casa, entrei devagar no quarto dos meus pais. Exausta, impotente, me deitei na cama deles, pouco me importando com o sangue que ainda estava ali.

Ajoelhei ao lado da risca de giz que marcava o local dos corpos removidos e passei os dedos sobre o que parecia ser o desenho de um corpo só. Corri até a cozinha, pus todo material de limpeza dentro de um balde e comecei a limpar numa urgência desesperada. Esfreguei o chão, as paredes, arranquei a roupa de cama, mas nada tirava o sangue espalhado. Porra, ninguém tinha inventado uma empresa que faxinasse uma cena de crime para que os parentes não precisassem ver aquilo? Peguei a faca mais afiada na cozinha, entrei na banheira cheia de água morna e fiz como vi nos filmes. Fui ficando sonolenta, nem doeu nada.

Só acordei mais tarde, cercada por uma parafernália hospitalar. Logo entendi que não tinha conseguido morrer. Ao lado da maca, à minha espera, o delegado Carvana se apresentou como um velho amigo do meu pai e me fez uma proposta. Aceitei. Não tinha outra opção.

Dois dias depois, os jornais noticiavam a morte do delegado Júlio Torres. Houve um enterro singelo, sem velório, e ver aquele caixão descendo e sendo coberto de terra me fez finalmente ter a sensação de que o homem que eu mais admirava no mundo não voltaria.

Quando Paulo chegou à minha vida, um ano depois, eu já era uma Verônica Torres órfã de pai e mãe, secretária do delegado Carvana, e o trato estava feito. Meu marido jamais poderia saber o que eu fazia rigorosamente uma vez ao mês, fosse sob a desculpa de uma festinha do colega de trabalho, uma consulta na dermatologista ou uma investigação de última hora.

Estacionei o carro diante da casa antiga pintada de azul-bebê. Já da calçada, era possível sentir o cheiro de comida insossa, água sanitária e fraldas geriátricas. Depois de tanto tempo, a moça da recepção já deveria saber quem eu era, mas toda vez que eu me aproximava, ela não fazia qualquer sinal de me reconhecer. Por isso, na janelinha da recepção do asilo, eu me identifiquei:

— Sou a filha do dr. Júlio. Vim visitar meu pai.

Aquele lugar me deprimia. Escolhi para o meu pai o melhor dos asilos de São Paulo, mas quem pagava uma pequena fortuna mensal para mantê-lo ali era o Estado. Quando saiu do coma, os médicos disseram que ele havia sofrido um derrame, com prejuízos mentais e motores graves. Basicamente, seu cérebro tinha fritado. Desde então, vivia preso em uma cadeira de rodas, parecendo um bobo triste, babando vida afora sem emitir nenhum som, paparicado por enfermeiras que lhe alimentavam na boca e controlavam seus remédios, ainda que nada daquilo fizesse a menor diferença.

Nos primeiros anos, a corregedoria até tinha a esperança de que ele se recuperasse e ajudasse a arrebentar de vez o esquema de corrupção, entrando para o programa de proteção à testemunha, ganhando uma nova identidade e contando tudo o que sabia. Concordaram em noticiá-lo como morto para que ficasse protegido enquanto se recuperava. Carvana me encostou na função de secretária e garantiu que eu ficaria de bico calado.

— Pra mim, meu pai já morreu — jurei na época.

Mas não era fácil virar a página. Lá estava eu mais uma vez...

Avancei pelos corredores até o quarto dele. Sempre sentia um nó na garganta ao olhar para o que ele havia se tornado. Eu me lembrava do meu pai tão alto, tão forte, me erguendo do chão a cada abraço, me passando conselhos de moral e justiça quando me tornei escrivã da Polícia Civil. Aquela figura frágil, encolhida, com saliva escorrendo pelo queixo e migalhas de pão caídas pela roupa acabava comigo. Quando ele me via, reagia como a recepcionista do asilo: com indiferença. Não fazia ideia de quem eu era.

O quarto era simples, espartano, sem luxo, mas era limpo. Um cheiro inevitável de sopa estava impregnado nos móveis. Sobre a cômoda, uma TV antiga que meu pai não via. Segundo os médicos, não era possível garantir que ele tivesse retomado a consciência, o mais provável era que não entendesse mais nada, era tão vivo quanto a samambaia pendurada à porta.

— Feliz aniversário, pai — eu disse, beijando sua careca.

Não havia levado nenhum presente, claro. O que um velho em estado vegetativo podia querer? Diante dele, coloquei uma cadeira dobrável e encarei seus olhos vazios, tentando encontrar algum sinal de vida inteligente. Nada. Sempre era nada, mas eu não conseguia não tentar.

De um modo torto, aquele derrame era uma bênção, essa era a verdade. Ele sempre guardou tantos segredos. *Você era mesmo corrupto ou armaram pra cima de você?*, eu queria perguntar. *Por que reagiu à prisão? Você se sente culpado pela morte da minha mãe?* Como resposta, só silêncio e aqueles olhos vazios.

Cruzei as pernas numa postura mais confortável. Baixei a cabeça, fechei os olhos para enxergar a sequência de fatos como em um filme e contei pra ele a incrível história de Marta Campos. Eu adorava aqueles momentos, falava sem filtros nem mentiras. Era mais do que seguro, nada do que fosse dito sairia dali. Às vezes, eu achava que via no rosto dele o esboço de um sorriso, ou um olhar de aprovação, mas sabia que era só delírio meu.

Em pouco mais de quinze minutos, amaldiçoei o Carvana, amaldiçoei o sistema inteiro. Pobre Marta Campos. Como pode tudo ser tão falho? Como pode essa gente encostada, com distintivo, que não quer nada com nada? No Brasil, policial é tratado feito lixo. Faz vista grossa, se corrompe ou morre. Cansei de conhecer policial que escondia o distintivo para não ser assassinado no caminho de casa, PM que colocava a farda para secar atrás da geladeira pra ninguém ver, Civil que escondia bem a carteirinha para não levar tiro se fosse vítima de um assalto. Eu não queria ter vergonha de ser quem eu era.

Na delegacia, preenchendo relatórios e agendando entrevistas para Carvana, eu era uma morta-viva. Enquanto contava toda a história para o meu pai, uma energia tomou conta de mim e senti que algo havia mudado. Eu era forte, invencível. Então me levantei, beijei a careca dele e perguntei:

— Você acha que eu devo ir até o inferno pra pegar o cara que fez isso com Marta Campos, não acha?

Quem cala, consente.

Por experiência própria, eu já sabia que o dia seguinte a uma tragédia é tão ruim quanto o da própria tragédia. A delegacia estava um caos. Logo na chegada, me irritei com o Carvana, ali rodeado de microfones, dando entrevista para quem pedisse. Não era para engavetar o caso? Foi só ver que aquela morte podia dar alguma repercussão que o velho logo se pavoneou. Vaidade é foda. Se o Carvana abrisse a geladeira e a luz acendesse, ele já começava a dar entrevista.

Na entrada, baixei a cabeça e consegui passar despercebida. Fui direto devolver as coisas de Marta no almoxarifado. Tinha muito a fazer. Na minha mesa, uma pilha de procedimentos pendentes, papelada burocrática para preencher. Fiz valer a máxima do serviço público brasileiro: por que fazer hoje o que se pode fazer amanhã?

Depois dos bons-dias costumeiros, enquanto meu computador pré-histórico iniciava, peguei todas as anotações sobre o site de relacionamentos onde estava o perfil de Marta. A ideia de se relacionar com alguém pela internet sempre me pareceu meio doida, algo como jogar na loteria achando que vai ganhar. Nunca pus fé.

De todo modo, era impressionante quantas amigas minhas solteiras acessavam esses sites ou colocavam fotos no Tinder em busca do príncipe encantado. Pobres coitadas. Muitas já tinham entendido que príncipe encantado era coisa do passado e só queriam mesmo um pau amigo. Pelo menos nesses casos a relação era mais justa.

O layout do site AmorIdeal.com era de péssimo gosto, com coraçõezinhos multicoloridos e uma música cafona ao fundo. No centro, várias fotos de usuários perfeitos e um convite tentador: "QUER ENCONTRAR SEU AMOR IDEAL? CLIQUE AQUI". Marta havia clicado e conhecido o @estudantelegal88. Cliquei também.

O cadastro era cheio de perguntas, uma tentativa de definir o perfil e a personalidade do usuário. Eu precisava criar uma boa isca, o tipo de vítima que interessaria ao @estudantelegal88 ou qualquer que fosse o nome que ele estivesse usando agora. Tinha que ser o perfil de uma mulher culta, bem de vida, mas solitária e emocionalmente frágil.

Apelido: @moçaapaixonada. Achei bom. Ao preencher o nome, o site recomendava falar a verdade. *Você não quer começar uma relação na base de mentiras, quer?*, vinha escrito embaixo. Preenchi "Vera". Diferente, mas parecido o suficiente para não cair em contradições mais tarde. Sobrenome: "Tostes".

Para começar o interrogatório virtual, pediam uma frase de abertura, que figuraria no topo, ao lado da foto. Ali, empaquei. Que frase poderia ser atraente sem ser comprometedora? Vinicius? Melancólico demais. Borges? Intelectual demais. Sartre e Nietzsche? Blasé. Chico? Lugar-comum. Já sei! A almofada da Marta Campos, como era? Amy! *Love is a losing game*... Isso.

Católica, fala inglês, não fumante, bebe eventualmente... Criei uma Vera conservadora, bem diferente da Verônica que eu era. Estilo de vida: classe alta, mas sem exageros. Comida: italiana, francesa e caseira. Férias perfeitas: visitando monumentos famosos. Livros preferidos? Pensei um bocado, até que consultei as fotos que tirei da estante na casa de Marta: *Doutor Jivago*, *Mrs. Dalloway* e *Orgulho e preconceito*. Mergulhada na recriação da mulher iludida perfeita, tomei um susto quando o telefone tocou na minha mesa.

— Alô?

Ninguém do outro lado. Desliguei e continuei a preencher o perfil. Para os filmes favoritos, voltei às fotos tiradas na casa: *As pontes de Madison*, *Dois filhos de Francisco*, *Cinquenta tons de cinza*, *Querido John*. Tinha coberto qualquer possibilidade com esses. Programas de TV favoritos: *The Voice Brasil*, *MasterChef*, novela das seis, programas femininos do GNT. Era fácil de me atualizar sobre isso, porque assistir mesmo nunca dava. Nas poucas horas em que eu me permitia algum entretenimento, era na Netflix. Marta Campos não parecia o tipo que via Netflix, então minha Vera também não seria.

Telefone de novo. Atendi e nada. Mudo. Comecei a estranhar: já era raro o telefone tocar na minha mesa, já que todo mundo usa celular hoje em dia, agora mudo duas vezes? Na delegacia, o que não faltava era engraçadinho querendo passar trote. Bando de escrotos.

Falando em escroto, Carvana voltou para a sala dele e minha paz foi-se embora. O velho não passava quinze minutos sem me pedir alguma coisa — desde um cafezinho até um palpite para a entrevista que teria com um jornalista importante. Quando eu entrava na sala dele, a TV estava ligada, claro. Carvana não deixava de se acompanhar dando entrevista. Atender bem a vítima, investigar, nem pensar. Falar sobre o caso como se tivesse feito todo o possível? Ah, isso ele fazia. Deu no que deu. Nos intervalos, eu ia preenchendo o cadastro. Uma parte chamada "pontos de vista" era enorme, parecia que nunca ia acabar. Sinceramente, será que não tem um jeito mais fácil de arrumar namorado?

Terminada a via crucis, eles davam uma análise da sua personalidade. Equilibrada, com uma tendência para a racionalidade. Tendência de moderada a alta para inovação. Sabe valorizar o conforto que a rotina traz. Parecia convincente o bastante para atrair o filho da puta.

Faltava ainda uma foto de perfil. Tentei colocar duas em que eu aparecia de lado, em que não dava para me reconhecer de imediato. Minutos depois, a desaprovação: a foto de perfil tinha que ser clara, de frente. Merda... Se alguém me visse ali, em um site de relacionamentos, era o meu fim.

Suzana, plantonista da noite e maior fofoqueira da delegacia, se aproximou. Fechei tudo depressa, mas ela percebeu que eu estava compenetrada e passou o braço pelas minhas costas, toda interessada:

— Atendi uma ligação na sua mesa ontem de madrugada. Era uma mulher, parecia nervosa. Ela ligou de novo?

Imediatamente pensei nos telefonemas mudos. Respondi que não, agradeci o recado e liguei para a mesa do Nelson, o nerd da nossa delegacia. Pedi para ele verificar no bina central, o identificador de chamadas, se as ligações vinham do mesmo número.

— Poxa, Verô — ele disse, contrariado —, isso você sabe fazer sozinha...

— Eu sei, Nerdson do meu coração, mas é que, de quebra, eu queria que você descobrisse o dono da linha. E, se der, o endereço também.

— Tá bem abusada, hein?

— Prometo que é por uma boa causa.

— Já levo na sua mesa.

Enquanto ele pegava no pesado, voltei para a seleção de fotos. Escolhi uma antiga, de cinco anos atrás, quando eu estava mais magra e usava o cabelo curto, tingido de loiro. Dei uma desfocada básica para não ficar tão nítida, mas mesmo assim eu precisava ser muito louca para colocá-la na internet. Sem dúvida, Paulo conseguiria me reconhecer. Dane-se, se um dia meu marido descobrisse, ele teria que entender. Apertei ENTER e entrei para o mundo digital de paqueras.

Nelson apareceu meia hora depois, papel na mão, o que era bom sinal. Sim, os telefonemas vinham do mesmo número.

— E as outras infos? — pedi, usando todo meu corpo para isso.

— Verô, você sabe que pode dar encrenca... — Ele tentava valorizar o passe, tava na cara.

— Encrenca nada, consegue pra mim? — Me levantei, deixando a boca a centímetros do ouvido dele. — Você não vai se arrepender.

Vi os pelos de sua nuca se eriçarem e fiquei feliz de ainda conseguir causar esse efeito nele. As pessoas olhavam aquele nerd e não imaginavam o quanto ele era selvagem na cama. Magrinho, esquisito, mas fenomenal de desempenho. Fui com ele até a mesa, assim, para dar uma força. Fiquei por trás dele, olhando enquanto ele fuçava os arquivos das operadoras, com truques que a gente nem imaginava. Ninguém está seguro nesse planeta. Se você não quer ser invadido, o único jeito é não ter telefone nem computador. Se tiver, já era.

De vez em quando, o Nelson interrompia o procedimento e olhava para cima, roçando a cabeça na minha barriga. Eu sorria e pedia para ele continuar, mas dando aquele sorriso maroto, como quem diz, continuar isso ou aquilo? Não demorou muito e pronto: o telefone residencial estava no nome de Cláudio Antunes Brandão. Nelson disse que precisaria de mais um tempo para conseguir o endereço cadastrado. Aproveitei para voltar à minha mesa e ligar. Uma mulher atendeu:

— Alô?

— Alô, aqui é Verônica Torres, sou da polícia. Qual é o seu nome?

— Janete.

— Certo, Janete. Você me ligou para...

Ela soltou um suspiro e logo me interrompeu.

— Acho que o meu marido vai me matar. — Sua voz era firme e estranhamente calma.

— E por que ele faria isso?

— Ele gosta de matar mulher.

— Ele já matou outras?

— Já, muitas.

— Um assassino de mulheres?

— Desculpa, preciso desligar agora. — E desligou.

6.

Janete está sentada na poltrona da sala de estar há horas, já perdeu a noção do tempo. É como se o mundo existisse apenas dentro de sua cabeça. Pela janela, vê o lusco-fusco. Há nuvens escuras no céu, vai chover forte em São Paulo. Isso a aterroriza. As gotas de chuva no telhado a fazem se lembrar da Caixa, da escuridão. Além disso, Janete sabe que a noite está perto e que Brandão logo vai chegar do plantão, ávido, como tantas outras vezes.

Fica paralisada, apenas as mãos se torcendo uma na outra, como se pudesse retardar o relógio caso não se mexa muito. O ar entra com dificuldade em seus pulmões. Conta até cinco para inspirar, até cinco para expirar, em uma tentativa infantil de acalmar a mente inquieta. Tenta buscar nos recônditos da memória como tudo começou.

Quando conheceu Brandão, ela o desejou loucamente. Antes, nunca havia feito sexo até o fim, apesar de alguns namorados terem tentado com afinco, mas com ele nem teve tempo de raciocinar. A coisa pegou fogo e, ao se dar conta, ela já estava entregue.

Ansiava por cada novo encontro, fantasias tomando conta de seus pensamentos, e, como que para enlouquecê-la, Brandão a fazia esperar, implorar por mais. A relação foi ficando mais ardente e, aos poucos, ele trouxe o que chamava de "brinquedinhos" para apimentar as coisas, mostrando um mundo de luxúria que a fez entender o verdadeiro significado da palavra "pecado".

Janete estava aberta a tudo, menos a perder o marido. Então se atualizou, racionalizou cada etapa, sempre encontrando explicações convincentes para seu gosto estranho. Aceitou o próprio desejo, rendida. Não podia contar a ninguém, iam julgá-la depravada demais. E talvez fosse mesmo. Fora da cama, ela odiava Brandão com todas as forças, mas no primeiro gesto sexual, se esquecia de tudo. Era o paraíso e a perdição, ela sabia. O tesão jamais diminuíra. Era o mesmo desespero, o mesmo descontrole e, o pior, ele conhecia o poder que tinha sobre ela.

Em uma espiral de loucura, o jogo sexual cresceu, tomou proporções que Janete não queria, mas não era capaz de impedir. Depois de tanto tempo, ela sabe: é cúmplice de um facínora, agente passiva de uma maldade que se repete cada vez com mais frequência. Vive de susto em susto, mas não consegue escapar da situação. Sente vergonha, morre de culpa, planeja cada palavra que vai dizer a seguir e... aceita. Obedece. Chora, se desespera. E não reage, não pode perdê-lo, não pode simplesmente fugir e deixá-lo para trás, ele a buscaria até no fim do mundo. Não pode traí-lo. É medo misturado à paixão. E teme demais por si mesma. Meu Deus, se um dia ele fizer com ela o que imagina que faz com as outras...

Mas ela chegou ao limite. Seu pai sempre falava mesmo, a gente aguenta, aguenta, até que não aguenta mais! Só que não vai ser burra, não, cansou de dar passo errado, repentino, impulsivo. Já pagou um preço bem caro por isso. Depois de pensar tantas vezes em se matar, assistir à história da tal Marta Campos foi a gota d'água. É assim que ela também vai terminar? Não. Já que não consegue acabar com a própria vida, vai acabar com a de Brandão.

Mas, claro, não vai fazer isso sozinha. Não tem estrutura. Janete gostou do jeito daquela policial Verônica. Pelo que disse na entrevista, ela parece defender mulheres com unhas e dentes, parece uma moça sofrida, mas de coragem. Será que conseguiria um "acordo" como via nos filmes ou uma "delação premiada" como via nos noticiários? Delação premiada é só para corrupção? Acreditariam nela e manteriam segredo ou Brandão descobriria tudo antes do primeiro passo?

Já ligou duas vezes para a tal Verônica, mas na hora nenhum som saiu de sua boca, só um choro que não queria parar. Na mente de Janete, a defesa e a acusação gritam juntas: não, nunca tinha visto nenhuma menina morta. Não, nunca mais as tinha visto vivas também. Não, não sabia o que ele fazia com elas. Não, nunca encostou um dedo nelas. Sim, rezava todas as noites por perdão e pela alma das coitadas. Sim, se arrependia. Sim, se sentia uma fraca covarde. Não, não ia ligar para a polícia, ninguém ia acreditar e muito mais gente ia se machucar. Sim, ia tomar coragem e acabar com isso. Não, o medo era maior que tudo. Sim, ela não merecia continuar daquele jeito, ia denunciar, mesmo que fosse presa. Presa? Assim martela sua cabeça por horas, como um metrônomo ligado em cima do piano. Tec, tac, tec, tac... sim, não, sim, não...

É quando toca o telefone. O susto é tanto que ela corre para atender. Diz um alô quase afônico, que mal se escuta. Do outro lado, a voz feminina...

— Alô, aqui é Verônica Torres, sou da polícia. Qual é o seu nome?

— Janete.

— Certo, Janete. Você me ligou para...

Ela solta um suspiro e pensa no que dizer. É tão difícil colocar em palavras... Mas não pode desistir agora:

— Acho que o meu marido vai me matar.

— E por que ele faria isso?

— Ele gosta de matar mulher.

Como uma força do destino, a buzina do carro ressoa na frente de casa. Janete estica o pescoço na direção da janela para ter certeza: é ele! Escuta o portãozinho de ferro da entrada batendo e os passos do marido se aproximando.

— Ele já matou outras?

— Já, muitas.

— Um assassino de mulheres?

— Desculpa, preciso desligar agora.

Quase faz xixi na calça. Se Brandão descobre, ela não tem nenhuma chance. Devolve o fone ao gancho, coloca um sorriso no rosto e se adianta até a porta para recebê-lo. Alisa o vestido, tentando disfarçar o som do próprio coração, que escuta sem alento. O que ela foi dizer para a policial? Agora não tem mais volta.

Beija o rosto frio do marido e vai para a cozinha, tentando manter um andar normal, quem sabe ele se esqueceu de tudo, ela vai colocar a janta na mesa, eles vão assistir a um pouco de televisão...

— E aí, passarinha, ainda não tá pronta? Vamos perder a chegada dos ônibus que eu quero! — É o que Janete ouve já de costas para ele.

— Não quer deixar para amanhã? Parece que vai chover! E todo dia chega ônibus...

— Sem papo! Cala a boca e troca de roupa!

Estremecida, ela obedece. *Vamos, Janete, vamos,* diz a si mesma. *Agora você não pode fraquejar. Asse a batata dele sem que ele perceba! Aguenta só mais um pouquinho...*

Entram no carro como sempre. Através do para-brisa, ela vê raios cortarem o céu e trovões ribombarem. É o prenúncio da sua desgraça.

Fecha os olhos, aperta os dedos contra a palma da mão, tem até vontade de rezar, mas não reza. Nenhum santo a perdoaria pelo que ela faz naquelas noites.

Quando chegam à rodoviária do Tietê, já chove bastante. O lugar parece um mundo à parte: muita gente, uma confusão, um cheiro horrível de urina, crianças chorando, filas na frente de cada ônibus, funcionários socando malas nos compartimentos laterais, outros retirando inúmeras sacolas e entregando a quem desembarca. Ela sempre se pergunta por que as pessoas não compram uma mala maior em vez de carregar dez sacolas? Vai entender.

No meio da multidão, cruza o caminho que sabe de cor e salteado, lição aprendida desde a primeira vez, muito tempo atrás, e nunca mais esquecida. Logo vê o ônibus que procura. Com o olhar treinado, localiza o tipo de moça que interessa a Brandão: morena, roupas simples, mala enorme na mão. Espera alguns minutos para ter certeza de que ela está sem acompanhante nem ninguém que a espere. Chega a se aproximar de uma magricela, mas uma senhora com jeito de mãe aparece e abraça a garota. Droga! Não serve...

Janete começa a ficar apreensiva. Não costuma ser tão difícil. Em geral, sempre alguém assim, nesse padrão, desce do ônibus. Essas moças vêm às pencas do Norte e do Nordeste do país, procurando emprego na cidade grande. Prefere nem imaginar como Brandão vai reagir caso ela não consiga. Finalmente, outra moça desce do ônibus. Tem os olhos assustados e fica claro que está sozinha, retraída pela grandeza de São Paulo. Janete espera que ela se ajeite e chega perto, já sorrindo:

— Olá, qual é o seu nome? O meu é Glória...

A moça retribui o sorriso, um pouco sem graça, vacilante. Depois de um gesto vago, logo se rende:

— Deusamar, mas pode me chamar de Deusa.

— Então, Deusa, você já tem emprego? Tô em busca de alguém para trabalhar na minha casa, de doméstica. Me falaram que aqui na rodoviária era confiável.

Deusa nem acredita na própria sorte. Com essa chuvarada, estava morrendo de medo de nem conseguir chegar à pensão que lhe indicaram, nunca tinha visto tanta gente em um só lugar, não sabia com que dinheiro ia comer na semana que vem e... uma oferta de emprego! Seu santinho era bom demais mesmo! Ela acalma sua excitação, enquanto se lembra das palavras do padre, dos perigos de São Paulo, de como poderia se dar mal. Olha a mulher de cima a baixo, mas ela é tão simpática... Morena, magra, parece um palitinho, fala baixo e tem um sorriso lindo, sem falar nos olhos claros. Engole em seco, inquieta, mas pergunta:

— Qual o serviço? Não sei cozinhar muito bem, só o básico mesmo. Na limpeza, sou ótima.

— Deusa, eu tô na mesma situação que você, não te conheço, mas a gente olha nos olhos da pessoa e já sente no coração se é boa — Janete diz. É um texto ensaiado, que sempre funciona. — Gostei de você desde que te vi descer do ônibus pra pegar a mala, com um jeito assim decidido, uma atitude, sabe? Afinal, tantas outras moças chegando e eu te escolhi...

— Eu topo — Deusa responde, decidida. — Pode ir direto?

— Claro.

Janete vai andando na frente, seguida por Deusamar, chega a pegar uma das sacolas da moça para ajudá-la. Juntas, passam por um ponto de ônibus lotado, muita gente com guarda-chuva esperando a condução para casa, e avançam em direção a um ponto menos movimentado onde o Corsa preto está estacionado.

Janete fala sobre o salário, explica que a casa não tem muito serviço, que é casada, mas não tem filhos, o papo de sempre e, então, apresenta o marido, que espera no banco do motorista vestindo seu uniforme da PM. Percebe como Deusa se tranquiliza ao vê-lo como uma "autoridade". Janete se revolve de culpa, mas não se atreve a mudar o curso da tragédia.

Brandão sorri para a garota, do mesmo jeito que sorri quando aprova a escolha, e estende a mão para cumprimentar Deusa.

— Pode ir entrando, meu amor — ele fala para a esposa, enquanto caminha com Deusa até o porta-malas para guardar sua bagagem.

Janete se senta rapidamente no carona e abre o porta-luvas. Sabe o que está por vir. Veste a máscara de dormir para vendar os olhos. Leva as mãos aos ouvidos, tentando espantar qualquer som, mas as gotas da chuva martelam o teto do carro, como um bate-estaca em seu cérebro. Na escuridão, ela escuta quando a menina se debruça sobre o porta-malas enquanto agradece a oportunidade de emprego, escuta o barulho da pancada, um breve gemido e o porta-malas sendo fechado. Resta só o silêncio aterrador, pontuado pela chuva forte. Janete tem vontade de chorar, mas não chora. A culpa também é sua.

7.

Foi só Janete desligar que Nelson chegou à minha mesa todo se sentindo, com um papelzinho pendurado nos lábios. Eu não estava para brincadeira. Peguei o papel em um gesto brusco e li o endereço. Era uma casa no Parque do Carmo, Zona Leste.

— Que cara é essa, Verô? — Nelson perguntou, mas nem me dei ao trabalho de responder.

Desliguei o computador, deixei uma mensagem para Carvana inventando uma emergência. Juntei as coisas na bolsa, incluindo a pistola automática. Nelson ficou ali parado, esperando qualquer coisa:

— Não vai nem dizer "obrigado"?

— Você é um gênio.

— Gostoso?

— Isso, um gênio gostoso — falei, para alisar de vez o ego dele. Dei um selinho em seu pescoço. — Depois te compenso — disse e saí apressada.

No prédio do DHPP, com vinte andares e mais de mil funcionários, o elevador pode demorar horas e ainda passar direto porque está cheio. Como eu não aguentava esperar, desci pela escada mesmo. Quando entrei no carro, chovia horrores. São Paulo é assim, pode ser a terra da garoa, mas se engrossar os pingos, sai de baixo. Encrenca tudo, trava o trânsito, cada sinal é uma prece. Para piorar, eu não conhecia quase nada da Zona Leste. Em geral, o Waze me fazia sentir poderosa, me levava para todo canto, mas naquele temporal o aplicativo mostrava seus limites. A flechinha parava de virar esquinas, aparecia uma mensagem de "procurando rede" e minha vontade era de morrer.

Continuei seguindo pela radial Leste, com fé de que logo tudo voltaria ao normal. Entrei na avenida Aricanduva e, pelo rádio, os locutores anunciavam a cada minuto mais pontos de alagamento pela cidade. Nessas horas, até dava raiva de ser paulistana. Minha cabeça trabalhava sem parar. Como assim aquela tal Janete me solta essa pérola? *Acho que o meu marido vai me matar...* Sério? E ela estava calma daquele jeito? E ainda disse que ele matava mulheres? Como ela descobriu isso?

Desconfia sempre, Verô, diria o meu pai. Nunca comprei de primeira o relato da vítima chorosa que entra na delegacia dizendo que assaltaram seu carro. Pode ser só uma encenação para enganar o seguro.

Por algum motivo, porém, eu acreditava em Janete. Claro que não descartava a hipótese de ela ser uma maluca ou uma engraçadinha querendo passar trote na polícia, mas podia ser também uma mulher finalmente tomando coragem de entregar o marido cruel. Por isso, eu queria chegar rápido ao endereço, não gostara do jeito que a conversa tinha terminado. E o engarrafamento não ajudava.

Estagnada em um cruzamento, olhei para as pessoas correndo pelas marquises, um velho no carro ao lado cantava aos brados alguma música que eu não conseguia identificar. Nos prédios, luzes acesas nos apartamentos, vidas inteiras indo e vindo, e eu ali, parada, como uma observadora privilegiada. Na infância, adorava ficar com meu pai na janela de casa, observando os prédios vizinhos e seus moradores. Vigiávamos a vida alheia sem pudores, homens e mulheres chegando do trabalho, sombras passando de relance, velhinhas zapeando diante da televisão, mas nada daquilo realmente importava. Observar aquelas pessoas desconhecidas por alguns segundos era o suficiente para eu inventar a história de vida de cada uma, seus medos, seus sonhos. Eu conhecia a intimidade, a alma delas. A casa da pessoa reflete o espírito dela. Como seria a casa de um assassino de mulheres?

Se Janete estivesse falando a verdade, eu logo teria a resposta. Eu podia ser inexperiente em investigação policial — tanto tempo encostada como secretária enferruja a gente —, mas acredito que tudo no mundo é questão de energia. Minha gana de resolver o caso de Marta Campos, de pegar o escroto que a tinha enganado era tanta que foi só tomar coragem para investigar um caso e já havia me aparecido outro.

Voltei à realidade depressa quando percebi que o Waze sugeria que eu seguisse pela favela da Gleba do Pêssego, enorme e perigosa. Ser policial e cair ali era o pior pesadelo. Desobedeci ao aplicativo e a flechinha sacana voltou a se mover, indicando um novo percurso. Me embrenhei por ruas estreitas, sem asfalto, sem saneamento básico, sem luz e sem mais Deus sabe o quê. O Parque do Carmo era basicamente um bairro de conjuntos habitacionais, havia um clima fúnebre nas estruturas em forma de caixote, como se as pessoas fossem hamsters de um laboratório controlado. Conforme avançava, cheguei a uma área de casas grandes, meio antigas e decaídas, dos anos 1970 e 1980, observando as poucas janelas acesas e descortinadas naquele temporal. Vi duas mulheres discutindo em uma casa, um homem assistindo a um jogo de futebol em outra. Uma dessas casas era de um suposto assassino de mulheres. Sem dúvida, não teria uma placa na porta.

Parei o carro a duas esquinas do endereço indicado pelo aplicativo. Tirei minhas pulseiras e deixei-as sobre o banco do carona. Apesar de serem meu amuleto da sorte, elas faziam muito barulho. Desci munida apenas da pistola e de um guarda-chuva. No ar, um cheiro de lixo e lama. A umidade em São Paulo pode penetrar nos ossos da gente. Espremi os olhos, tentando enxergar adiante, mas era impossível. Não bastasse a chuva torrencial, o local era mal iluminado. Caminhei devagar, desviando das poças e tomando cuidado para o meu sapato, de salto baixo desta vez, não atolar na lama. Era só o que faltava. Fui me equilibrando e tive que chegar quase até a cerca para distinguir a casa.

Era velha como todas as outras, pintura bege descascando, uma única janela que dava para o quintal da frente. Contornei e vi mais duas janelas na lateral direita, todas apagadas. Parecia vazia. Tentei esticar os ouvidos em busca de algum ruído vindo do interior. Além disso, não conseguia ver os fundos. Como não queria ser pega de surpresa, tirei a pistola da bolsa, soltei o pente para verificar a munição e engatilhei.

Por um instante, tive a sensação de estar sendo observada. Pensei ter visto uma sombra passar pela cortina da janela da frente, mas logo espantei o pensamento. Devia ser só impressão. O portão era baixinho e não havia qualquer sinal de cachorro no quintal. Levantei a barra cheia de lama da calça e deslizei para dentro em um segundo. Deixei o guarda-chuva para trás e precisei dar uma corridinha até a porta de entrada. Arma em punho, girando o corpo em todas as direções, percorri o perímetro.

Na lateral esquerda, a primeira janela estava fechada com venezianas. Me abaixei pra lá e pra cá, procurando um ângulo que revelasse alguma coisa. Nada. Cheguei aos fundos, a porta também estava trancada. Perto do muro, canteiros perfeitamente harmonizados e coloridos. Limpei os sapatos no capacho para não deixar marcas no chão. E, ao me aproximar da última janela, dei sorte: as venezianas não estavam fechadas, só encostadas.

Espiei lá dentro, com uma visão parcial da sala de estar, apesar do breu completo. Tive que segurar a pistola só com uma das mãos para pegar o celular com a outra. Acendi a lanterna do aparelho e passei o feixe de luz lá dentro: sofá velho com motivos florais, mesinhas com abajur, estante com uma TV pequena... Ninguém ali. Até me ocorreu que um rosto apareceria de repente na janela ou que o assassino de mulheres me pegaria desprevenida por trás, mas sabia que era só influência dos filmes de terror norte-americanos. Na vida real, isso não acontecia, certo?

Havia um discreto ponto de luz próximo ao sofá, mas o ângulo não me permitia enxergar o que era. Podia ser a luz de uma secretária eletrônica, por exemplo. Ou de outro aparelho qualquer. Da janela do lado oposto, vi uma vela de sete dias, solitária, já no fim, que derretia diante da imagem de uma santa. Iluminei aquela espécie de oratório: algumas velas apagadas, uma Bíblia aberta sobre um pedestal e, no centro de tudo, a santa com uma linda coroa. Não foi difícil identificá-la sob a luz bruxuleante, com sombras esmaecidas projetadas nas paredes da casa. Era Nossa Senhora da Cabeça, com o menino Jesus em um braço, e, no outro, uma cabeça degolada.

Eu não ouvia falar nela desde a adolescência. Na época, soube dela graças a um amigo de escola, devoto da santa porque o pai tinha perdido um braço em um acidente. Na mesma hora, um arrepio desceu pela minha nuca. Em uma representação incomum, Nossa Senhora da Cabeça estava sentada em um trono de ossos. Concentrei-me o máximo que pude, divagar não ia ajudar em nada. Eu precisava entrar na casa.

Minha memória vasculhou todos os filmes a que eu tinha assistido na vida em que portas eram arrombadas sem deixar vestígio. Logo me veio o truque com o cartão de crédito. Tirei o crachá do pescoço e experimentei a flexibilidade dele. A porta da varanda era daquelas que, além do trinco, tinha uma trava de chão. Me agachei para enfiar o cartão no vão da porta, movendo-o de baixo para cima, até encontrar o ponto de virada da trava. Comecei a dobrá-lo, cuidando para que não quebrasse ao meio, e fui deslizando a trava até virar para o outro lado. Comemorei em silêncio. A porta já estava solta, só faltava fazer o mesmo no trinco.

Empurrei o cartão entre o beiral e a porta em todas as direções possíveis, escorando com o corpo para ajudar. Depois de alguns segundos, ouvi o *clic* mágico. Impressionante como a curiosidade faz o cérebro usar todo o conhecimento adquirido na vida. Eu era capaz de arrombar portas, quem diria!

Entrei pé ante pé, sem acender a luz. A decoração da casa era toda voltada para detalhes, almofadinhas com frases bordadas, arranjo no centro da mesa de jantar, plantas viçosas, bem regadas. Nada muito moderno, mas tudo bem cuidado. Um cheiro de lavanda preenchia a sala. Bandeja com bule e açucareiro de prata na mesinha de centro, usados como enfeite. Passadeiras em cima do carpete. Cafona até dizer chega, mas essa informação não ia ser útil para o perfil que eu tentava montar. Nenhum porta-retratos à vista.

Examinei o oratório de perto. Diante dele, um genuflexório que tinha escapado do meu campo de visão. Sobre a bancada, a única imagem santa era mesmo aquela. Uma família devota de Nossa Senhora da Cabeça? Examinei o trono de ossos da santa: era feito de cerâmica. A Bíblia estava aberta nos Salmos, e o noventa e um sublinhado com caneta vermelha:

> *Aquele que habita no esconderijo do Altíssimo, à sombra do Onipotente descansará. Direi do Senhor: Ele é o meu Deus, o meu refúgio, a minha fortaleza, e nele confiarei. Porque ele te livrará do laço do passarinheiro, e da peste perniciosa.*

Ele te cobrirá com as suas penas, e debaixo das suas asas te confiarás; a sua verdade será o teu escudo e broquel. Não terás medo do terror de noite nem da seta que voa de dia. Nem da peste que anda na escuridão, nem da mortandade que assola ao meio-dia. Mil cairão ao teu lado, e dez mil à tua direita, mas não chegará a ti...

Muito grande, não dava para ler tudo naquela situação. Depois eu analisaria a escolha com calma.

Com as duas mãos, levantei do trono a imagem da santa para olhar a inscrição na base e encontrei uma fenda. A santa era oca e havia um papel dobrado lá dentro. Tirei o canivete do bolso e soltei a pinça. Puxei com delicadeza, para não arranhar a pintura. Era um trabalho que exigia tranquilidade e tempo — duas coisas que eu não tinha na sala escura de uma casa desconhecida, com uma chuva incessante caindo lá fora e trovões me dando sustos. Se alguém chegasse, eu não conseguiria escutar. Teria que me esconder na pressa e só Deus sabe o que aconteceria depois.

Finalmente, pesquei o papelzinho: era uma fotografia dobrada ao meio, bem antiga, em preto e branco, tirada no que parecia ser uma aldeia indígena — havia muitas árvores, algumas ocas ao fundo. Posando para a foto, uma menina indígena, sisuda, mas linda, com olhos profundos e sem o braço esquerdo. No verso, estava escrito: "Manuara, povo kapinoru — 1955". O que significava aquilo? Fotografei a frente e o verso da foto para não esquecer.

Devolvi a santa ao lugar e abri a gavetinha do oratório, mas não encontrei nada, apenas dizeres de uma reza em papel plastificado. Sempre gostei de coisas místicas, mas precisava agir mais rápido. Nos quartos, confirmei que a casa estava mais bem cuidada por dentro que por fora. Depois de passar pelo banheiro e por um quarto praticamente vazio, cheguei ao do casal e logo abri as gavetas das mesas de cabeceira.

A da direita era claramente da esposa: abajur rendado, jarrinha com água e copo combinando, porta-retratos com um terço pendurado. Na foto, um casal de noivos sorridentes que não trazia qualquer indício de um lar problemático. No cantinho, uma pilha imensa com dezenas de revistinhas de palavras cruzadas, todas preenchidas. Na gaveta, apenas alguns papéis, um caderninho com anotações dos gastos da casa, chaves espalhadas e fotos de família bem no fundo. Pelas roupas e pelos cortes de cabelo, dava para ver que tinham sido tiradas nos anos 1990. Olhei o verso e confirmei: "Jales, 1997". Em quase todas as poses, quatro mulheres se abraçavam sorridentes, uma delas era mais velha: sem dúvida, uma mãe com suas três filhas. Qual delas seria Janete? Por que não estavam em porta-retratos? Eu anotava tudo mentalmente, porque o histórico da relação familiar dela ia corroborar ou não sua versão.

A mesinha de cabeceira do marido não tinha nenhum objeto de decoração, além de uma pequena imagem de Cosme, Damião e Doum. A gaveta estava trancada, claro. Mas consegui abrir rápido — agora já era quase especialista em abertura com crachá. Havia ali munição para uma .40 e para uma .380, um celular do tipo pré-pago, descartável, muitas *Playboys* de mulheres famosas e outras revistas pornô, digamos, mais reais. Em um envelope roxo, pequenas folhas de caderno com mensagens escritas a mão em caligrafia feminina. *Preparei aquela canjiquinha que você adora, minha vida. Ass.: Janete* ou ainda *Vida, sinto tanta saudade quando você demora a voltar do plantão. Saudade do teu beijo, do teu cheiro, do teu abraço. Ass.: Janete*. Eram recados cotidianos, sem data específica, mas todos bastante apaixonados. Aquilo não combinava em nada com uma esposa que acredita que o marido é um assassino de mulheres e que vai matá-la a qualquer momento.

No mesmo envelope, junto às mensagens, duas fotos meio antigas. A primeira, amarelada, de uma mulher bonita, que logo deduzi ser a própria Janete: morena de olhos claros, cabelo escuro, com uma sutil pinta sexy no queixo. A segunda não era muito nítida e mostrava três adolescentes abraçados e sorridentes, vestidos em roupas iguais, parecendo um uniforme.

No fundo da gaveta, uma pilha de calcinhas, algumas cor de carne, outras com coraçõezinhos e florzinhas. As calcinhas eram pobres de tudo, gastas, descoloridas e o cheiro que exalavam, trancadas naquela gaveta, era muito forte. Cheiro de usadas, muito usadas. Nada de lingeries sensuais, o que era estranho. Que fantasia teria esse cara? Janete disse que o marido matava mulheres, mas não contou se ela mesma era abusada.

Por mais que aquilo fosse coerente com a ideia que eu fazia de um assassino de mulheres, não servia de evidência. Era muito cedo para comprar a história toda. Ela podia estar exagerando para se livrar do marido, essa era a verdade. O cara podia ser só um tarado, o que é um perigo, mas nem sempre é crime. Eu mesma gostava de vendar Paulo às vezes e usar algemas, chicotes e gel esquenta-esfria comprados em um sex shop perto de casa. Depois de alguns anos de casada e dois filhos você precisa ser criativa para manter o tesão.

Vasculhei o guarda-roupa, mas não havia nada de especial. Ao olhar embaixo da cama, me apoiei na beirada e senti um relevo. Chafurdei com os dedos até encontrar o que parecia uma gaveta escondida no estrado. Abri depressa, certa de que ali ficava o tesouro. Encontrei vibradores em variados tamanhos, panos de seda, um chicote macio, velas usadas e uma caixa estranha onde estava escrito “Kit terapia de choque”, com quatro lâminas adesivas laváveis e controle com metal de ondas elétricas com fio. A coisa começava a ficar pesada. Guardei tudo de volta no lugar e tratei de ajeitar o lençol sobre a cama. Melhor não levantar suspeitas.

Passei para a cozinha. Ali também tudo estava impecável, liquidificador de roupinha, jarra de água coberta com renda, porta-pão, moringa de barro. Um perfil de Janete se desenhava na minha mente: partindo das fotos de família, do oratório, do cheiro de lavanda e dos objetos pela casa, sem dúvida, ela era uma dona de casa vinda do interior. Tinha deixado a família para trás, passava o dia sozinha, esperando o marido chegar do trabalho. Por isso, as mensagens românticas do cotidiano e as palavras cruzadas para passar o tempo.

Na área de serviço, mais uma peça do quebra-cabeça se encaixou e levei um susto. Pendurados ao lado do tanque, dois uniformes engomadíssimos da Polícia Militar. Que azar, então o marido dela era PM! Claro que eu já tinha ouvido falar que no Parque do Carmo moravam muitos policiais militares, mas a ideia simplesmente não havia me ocorrido. Isso justificava a munição e as algemas, mas não os objetos sexuais.

Naquele instante, tive certeza de que Carvana iria me matar se descobrisse aquela investigação. As Polícias Civil e Militar eram cheias de não me toques. Eu precisava sair rápido dali, já estava abusando da sorte. Dei um confere geral para ver se nada tinha me escapado, passei o trinco por onde eu entrara, chequei se não vinha ninguém e saí pela porta da frente. Ainda chovia a cântaros. Recuperei o guarda-chuva caído na grama e pulei a cerca. Sem olhar para trás, caminhei em direção ao carro. Quase desmaiei quando senti uma cutucada pelas costas.

— Tá procurando alguém?

Era uma velha com os dedos ossudos, embrulhada em um xale e segurando um guarda-chuva xadrez. Tinha cara de buldogue e logo entendi que era daquelas fofoqueiras de praça, dispostas a tudo — até a sair de casa em um temporal — para bisbilhotar os outros. Disfarcei:

— Tô. Mas bati e ninguém atendeu.

— Eu vi quando o carro saiu — respondeu, orgulhosa. — Quer falar com quem?

— Com minha prima Luzia, lá de Minas. A senhora conhece?

A velha franziu o cenho. Olhava para mim de cima a baixo.

— Aqui não mora nenhuma Luzia, não — disse, de má vontade. — O nome da que mora aí é Janete. Quer o que com ela uma hora dessa?

— Quero nada, minha senhora, já falei que estava procurando a Luzia.

A velha era uma furada. Era melhor desaparecer o quanto antes. Virei as costas e andei depressa. Entrei no carro, joguei a bolsa e o guarda-chuva no chão do carona, coloquei minhas pulseiras e dei a partida. Duas horas de trânsito para chegar ao meu prédio, toda encharcada e suja de lama. Mesmo exausta, só queria continuar com as buscas. Todo investigador deve pensar assim: cada caso é como uma caixinha. Fechada uma, é hora de abrir outra. Depois de visitar a casa de Janete, era hora de me preocupar com Marta, entrar no meu computador e checar as mensagens do AmorIdeal.com.

Abri a porta e minha vontade foi chorar ali mesmo. A mesa estava posta para dois, velas no castiçal e vinho nas taças. Meu Deus, sem brincadeira, o Paulo na vibe melosa. Só me faltava ter que arrumar energia para um jantar romântico.

— Oi, Tchu — ele disse, vindo com a garrafa na mão. Tive que abrir um sorriso.

— Oi, amor...

Paulo beijou meu pescoço, meu ombro. Saí de perto dele.

— Espera, espera, eu tô imunda e suada.

— Adoro você suada assim, Tchu, você sabe... Nada como seu cheiro de verdade.

Desesperada, vi meu marido se aproximando, cheio de desejo. Não ia dar para escapar sem levantar suspeita. Pior seria ter que discutir a relação depois.

— Ah, Tchu, também estou com saudade — amenizei. — Deixa só eu tomar uma chuveirada rapidinho e coloco uma camisola especial pra você.

Ele aceitou, mordiscando o lábio. Corri para o banheiro, entrei no chuveiro de roupa e tudo. Que delícia, a água caindo sobre o meu corpo, me relaxando. Para entrar no clima, precisava de um "esquenta". Cuidei disso até ficar no ponto certo, vesti uma camisola e segui para a sala, com o cabelo molhado mesmo.

Paulo já tinha dado conta de uma garrafa de cabernet sauvignon sozinho. Abri a segunda. Fui enrolando a conversa durante o jantar, abastecendo o copo dele com vinho e misturando o meu com água. Ele nem percebeu. Quando fomos para a cama, demos uma basicona, sem muita preliminar, porque ele estava excitadíssimo, mas completamente bêbado. Gozou sem eu ter que fazer muita ginástica e rolou para o lado, já desacordado. O Tigrão ia roncar a noite inteira e me deixar em paz. Corri para pegar o laptop.

Noventa e seis respostas pipocaram no topo do site de relacionamentos. Fiquei impressionada com o número. Noventa e seis! Mas esses homens são muito babões mesmo, viu? De modo inevitável, meu ego inflou na hora, mas voltei a focar no caso, olhando as respostas, uma por uma. Os apelidos iam do óbvio ao surreal: Aquiles, John, Avontadedeestarnoaltar, Gatocarioca1, H interessante, Viavencedor, Tony Burnet. Obviamente, nada de @estudantelegal88, nem de Pietro. O malandro devia mudar os nomes de usuário e de cadastro a cada golpe.

Comecei a deletar os que estavam longe do perfil que eu buscava. Homens com mais de quarenta anos, por exemplo, foram eliminados de cara. O @estudantelegal88 era mais novo. Pelas mensagens que escrevia para Marta, também inferi que era culto o bastante para conjugar verbos corretamente, como em "São quatro da manhã" e "Não vejo a hora de ficarmos juntos", e para usar termos complexos, como "persuasivo" e "embaraçado". Além disso, ele escrevia com frequência os termos "vc" e "pq" nas mensagens informais, mas às vezes colocava "você" e "porque". Será que essa alternância era proposital? Eu estava sofisticando demais a análise. O Carvana diria: *Simplifica, Verô, simplifica!*

Uma coluna chamada "eu valorizo" me ajudou na seleção. O @estudantelegal88 sem dúvida era alguém que gostava de "contato com a família", "pontualidade", "educação rigorosa" e "fidelidade" — um perfil interessante, com desenvoltura suficiente para interessar mulheres frágeis. Um gentleman capaz de enganar Marta Campos. Eliminei aqueles com profissões mais tradicionais e menos chamativas, como contadores e militares.

Reduzi as opções de noventa e seis para cinquenta e quatro, o que ainda era muito. Tinha de tudo: empresário, médico, filósofo, dentista, advogado, historiador. E, claro, nada me garantia que o @estudantelegal88 estivesse entre eles. Eu precisava de mais critérios de seleção para chegar ao homem certo, essa era a verdade. Ou seja, precisava conhecer melhor a vida de Marta.

Enquanto a madrugada avançava, olhei no celular as fotos tiradas na casa dela. Vi e revi as imagens, dando zooms em diversos pontos. Também folheei seu Moleskine, cheio de anotações fúteis. Alguns compromissos do dia a dia vinham sublinhados com marca-texto: horários de médico, idas à academia ou ao salão de beleza. Nenhuma menção a encontros com o malandro. Na contracapa do caderninho, encontrei um bolso discreto com um crachá de uma empresa chamada Quartilles com a foto de Marta no centro.

No site de busca, verifiquei que Quartilles era uma construtora multinacional que ficava na avenida Paulista. E o local de trabalho de Marta era fundamental para conhecer ainda mais sobre ela. Decidi que iria até lá no dia seguinte. O quadro de cortiça com sua investigação particular também me parecia uma mina de informações, mas eu gastaria horas para examinar tudo com cuidado. Mesmo muito pilhada, meu corpo não acompanhava o ritmo e implorava por descanso. Talvez amanhã.

De todo modo, com aquelas respostas do site, eu sabia que estava na cola do @estudantelegal88. Podia até sentir o cheiro do filho da puta. Deitada na cama, debaixo das cobertas ao lado do meu marido, fechei os olhos, saboreando o que faria com o malandro quando o encontrasse. Revelaria aos jornais? Não. Entregaria para a polícia? Nem pensar.

Decidi: cortaria o pau dele fora.

8.

Sentada no banco do carona, Janete não sabe para onde vai. Vendada, tem a impressão de que ficam no carro por cerca de uma hora e meia, talvez duas. Brandão não fala com ela, apenas dirige, enquanto escuta aquela batida ensurdecedora que toca repetidamente no CD player. É como um coro, na voz de mulheres, que batem os pés no chão em ritmo nervoso, acompanhadas do som de chocalhos e gritos lamurientos. Janete chega a ter arrepios.

Depois de tantas vezes, ela já se acostumou a não perguntar nada — para onde você está me levando? Que música é essa? E a moça no porta-malas? Ela sabe que não adianta. Enquanto sacoleja, emudecida, intui que já percorreram um bom caminho de asfalto e, em dias de chuva como aquele, o carro não sai da segunda ou da terceira marcha. Segue, para. Segue, para. Ela sente um enjoo se formar no estômago, de tanto vai e vem. Engole em seco e tenta se concentrar em escutar algum som, sentir algum cheiro que a ajude a identificar para onde está sendo levada.

Em certo momento, uma virada brusca à direita. O carro sacoleja no que ela presume ser uma estrada rural. A chuva cessa, e Janete tem certeza de que está cada vez mais longe da Grande São Paulo. Ouve o familiar cascalho e sente um cheiro que varia ao longo do ano — às vezes, é capim-santo; outras, jasmim. O som das cigarras é estridente na primavera e no verão. Os grilos também fazem um barulho ensurdecedor, mas incomodam menos do que a música maldita que toca sem parar.

O carro diminui a velocidade e passa por cima do que parece ser um mata-burro, parando logo em seguida. Brandão desce, e Janete ouve o ranger de uma porteira. Ela permanece vendada no banco do carona, as mãos pousadas no colo, o peito arfante. O movimento do carro confirma sua suspeita: avançam mais alguns metros e o marido volta a descer — para fechar a porteira? Ou para outra coisa? Ela não sabe o que ele faz, mas sempre demora alguns minutos para voltar.

O silêncio da noite traz o som da natureza, serena e agradável, mas logo vêm também os sons do porta-malas: Deusa lentamente recobrando a consciência, se vendo presa ali, gemendo de pânico enquanto soca a lataria, arranha o forro, chuta o banco traseiro. Janete quer muito reagir, quer ver onde está, quer salvar Deusa do terror.

Ela se enche de coragem para erguer lentamente as mãos trêmulas até a altura do rosto. Toca o próprio queixo, a nuca, os cabelos; começa a chorar. Nunca foi tão longe. Seus dedos passeiam pelo elástico da venda para dormir, o indicador corajoso puxa o tecido poucos centímetros para cima, ela consegue enxergar uma nesga de luz do painel do carro. As mãos contornam o próprio rosto, limpam a lágrima que escapou da noite e escorregou pela bochecha. Com cuidado, levanta só mais um pedacinho da venda e olha. Nem acredita, mas olha. O entorno é todo escuro, ermo, não há postes de iluminação, nem casas, nem nada.

Só vê mato e sombras de árvores. O carro está parado em um descampado. Então, para onde Brandão foi? Para onde é que ele a leva? Tem vontade de sair do carro e averiguar, mas aí já é demais. Morre de medo de apanhar. Volta à escuridão, volta a apoiar as mãos na coxa. Pacientemente, espera. Cinco, quarenta minutos, não sabe. Faz parte da tortura.

Ela finalmente escuta os passos do marido na grama úmida. Retesa o corpo, torcendo para que ele não tenha visto de longe sua ousadia. Brandão abre a porta do carona, desliga o rádio, pega a esposa pelo braço e a conduz. Ela sente o cheiro de terra molhada, suas sapatilhas grudam na lama quando os dois andam de braços dados por alguns metros do terreno irregular. Então, começam a descer uma escada de caracol. Janete dá cada passo com cuidado, com as mãos apoiadas nos ombros dele, tateando com a insegurança da cegueira forçada. Esbarra no corrimão e sente o metal frio e úmido. Durante anos, pensou que o lugar para onde eles iam era o porão de uma casa. Agora, sabe que é um bunker. Um bunker em um descampado, isso sim!

Sente o cheiro de mofo misturado ao de éter, como se entrassem em um hospital velho. Janete caminha, titubeante, guiada pelo marido, que volta a pegar seu braço. Brandão a faz sentar em uma poltrona grande, macia, giratória e manda que ela retire a venda.

Ela obedece, sem ousar se mexer muito. Só o que consegue ver é o veludo vermelho nos braços da poltrona e a parede úmida a alguns metros de distância. Pelo teto, corre um trilho de aço que ela não sabe onde começa nem onde termina. Ali, ela parece estar no meio de tudo, como se fosse o centro do palco, mas é apenas uma sensação — ela não faz ideia de qual seja o tamanho da área às suas costas e nem cogita olhar por sobre o ombro.

— A Caixa — ele diz, apontando para o objeto a poucos centímetros dos seus pés.

Janete treme, tem pavor só de olhar. Naquele instante, não suporta mais, chegou ao seu limite. Um gosto ácido sobe pela garganta, queimando tudo no caminho. Seus olhos ardem. *Tudo, menos a Caixa*, ela pensa. Tenta ganhar tempo, finge que não ouve, os olhos se mantêm fixos na parede áspera de tijolos mofados, estudando os desenhos que musgos e ervas daninhas criaram ali.

— A Caixa, passarinha — ele insiste, calmo.

Quando Brandão baixa o tom de voz, o perigo aumenta. Sem forças, ela agacha o tronco, estendendo as mãos para pegar a Caixa. Nem pesa muito. É grande, mas básica, feita de madeira, com espaço para encaixar perfeitamente a sua cabeça. Existem apenas alguns poucos furinhos nas duas faces laterais, bem na altura onde ficam os ouvidos. Janete sabe a razão daquilo: Brandão quer garantir que ela escute o ritual.

Resignada, começa a vestir o artefato de tortura mais eficiente que conhece. Abre a Caixa ao meio, passa pela própria cabeça e mergulha na escuridão total, fechando-a em volta do pescoço. Pressiona o fecho de metal que sustenta a Caixa sobre os ombros, como se engolisse seu crânio. *Clic*.

Brandão confere, puxando um pouco. Gira a cadeira cento e oitenta graus, deixando-a de costas para a parede e de frente para o que quer que seja. Janete nunca sabe o que se sucede diante dela, apenas imagina. Sem enxergar nada e ouvindo os sons assustadores, sua fantasia fica solta, sem rédeas, tatuando feridas na memória como fogo em pele de criança. Às vezes, pensa que tem sorte por não ver o que Brandão faz com as moças da rodoviária. Outras vezes... Que impotência, meu Deus, que impotência.

Um cheiro de madeira úmida invade suas narinas. É enjoativo, mas logo outro ganha destaque: velas queimando. Ela escuta fósforos sendo riscados. Conclui que Brandão acende velas pelo bunker depois de colocá-la na poltrona. Será que ali também tem um oratório? Ou o lugar não tem iluminação elétrica?

Respira fundo, tentando discernir as notas do aroma. Agora, já ligou para a polícia, já conversou com a policial Verônica. Está prestes a mudar sua vida e precisa ser muito atenta ou ninguém nunca vai conseguir encontrar aquele lugar. Ela precisa de pistas. Aspira mais forte: é querosene, tem certeza. Lampiões? Candeeiros?

O bunker começa a ficar quente. É sempre assim, um calor sobe por todos os lados, como se ela ardesse no inferno, e um cheiro de café impregna o ambiente. Nas primeiras vezes, ela mal acreditou: naquela situação, Brandão parava tudo para fazer café. Ela escuta o som do líquido sendo colocado em um recipiente depois de pronto — uma garrafa térmica? Sem dizer nada, assobiando seu acalanto cruel, ele sobe as escadas de metal. Enquanto ouve seus passos, ela gira um pouquinho a Caixa para ficar mais confortável. É difícil, o negócio é apertado no pescoço, mas Janete aprendeu que certas posições são melhores que outras. Finíssimos raios de luz entram pelos orifícios laterais da Caixa, mas não chegam a iluminar nada. Têm a espessura de alfinetes. Ela tampouco consegue enxergar através dos buracos — já tentou fazer isso e foi inútil. Por isso, fica parada, sabendo que Brandão não demora a voltar.

Escuta seus passos na escada, desta vez mais lentos e pesados, sem dúvida porque ele carrega Deusa nos braços. Ou será sua imaginação? Talvez ela venha andando, na mira de um revólver. Não, Janete escutaria os passos de duas pessoas... A não ser que ela esteja descalça. Ouve com atenção e se maldiz por isso. A curiosidade vence o medo. Ela percebe um novo detalhe a cada vez e sabe que tudo será útil quando for conversar com a polícia.

Dorme minha pequena, não vale a pena despertar, Brandão assobia. Sob a melodia de ninar, ela escuta Deusa gemer de modo abafado, soltando grunhidos. Ele a sedou? Ou Deusa está amordaçada?

Em pouco tempo, o pesadelo começa: ela urra sem parar, um grito longo e sofrido, e as correntes escorregam pelas engrenagens. O som de metal contra metal reverbera na Caixa e arranha os ouvidos de Janete. É ensurdecedor. Uma, duas, três puxadas. Ela quase enxerga a moça ser suspensa pelas correias. De cabeça para cima ou para baixo? O deslizamento de correntes dura menos de um minuto.

Então, vem a trégua. Brandão se afasta, volta a subir as escadas e, desta vez, fecha o alçapão com força. Ela não sabe se o marido as tranca ali, mas tem certeza de que leva o café consigo — o cheiro vai embora junto com ele. Deusa continua a grunhir, implora por ajuda, quer explicações, quer ter esperança. Deve estar muito bem amarrada, os metais das correntes tilintam quando ela se sacode como em uma orquestra desumana.

Janete poderia abrir o fecho, livrar-se da escuridão e olhar ao redor. Brandão não está lá e, quando sai com o café, demora para voltar. Ela não fica presa à poltrona, pode fazer o que quiser, mas não faz nada. Pensa na sua família, na falecida mãe, nas irmãs, no antigo desejo de ter filhos. Há muito desistiu desse sonho. Toma pílulas anticoncepcionais com a mesma devoção com que reza salmos todos os dias. Se imagina mãe e alvo da ira de Brandão, pendurada e torturada. Não suportaria. Desiste até de falar algumas palavras para tranquilizar Deusa, que não para de gritar.

Para Brandão, aquelas mulheres não são nada. Ele nunca conversa com elas, não vê seus olhos cheios de esperança ao descer do ônibus para a nova vida. Não escuta os fragmentos das suas histórias enquanto andam até o carro, não vê as fotografias dos filhos, muitas vezes ainda bebês, que elas mostram no celular, ansiosas para explicar que vieram a São Paulo a fim de ganhar dinheiro para eles. Janete não suportaria ter que encarar os olhos de Deusa. Para ela, é uma pessoa. Para Brandão, é descartável como lixo.

Fica ali, os braços tensos caídos na poltrona. Mil planos na cabeça, mas um coração fraco. Só pode ser medo mesmo. Gosta desta justificativa: medo. Qualquer um entenderia. Muitas vezes torce para que Brandão volte rápido e acabe logo o que tem para fazer. Em outras, reza pela demora, como se por um milagre ele pudesse mudar de ideia. Nunca aconteceu. Dentro da Caixa, vai ficando mais e mais quente, ela transpira por todos os poros e perde a noção do tempo. A simples tarefa de respirar fica mais difícil a cada minuto e a gola da sua blusa começa a encharcar. A claustrofobia que sente a faz pensar que o bunker também é uma caixa. A Caixa dentro da caixa.

É despertada por Brandão, que está de volta e remexe em algo como uma lona. Ela nem o ouviu chegando. Tilintar de metais. Uma tesoura? Bisturis sendo afiados? Facas? Cada golpe silencioso é seguido por gritos guturais de Deusa. Janete sabe que vai passar a noite toda dando forma e cor aos berros da coitada. É uma intrusa na dor dela.

Intui que está a menos de dois metros de tudo o que acontece ali e tenta se concentrar nos sons além dos gritos. O que ele usa para causar tanto sofrimento? Pela cabeça de Janete, passam alicates e pinças. É o som de um martelo, pregos contra a carne. As marteladas têm intervalos, mas não cessam. Janete pesca fatias de humilhação:

"Pelo amor de Deus, não faz isso comigo!"

"Não, de novo não!"

"Para, por favor, para!"

Escuta golpes de chicotes de látex, correntes roçando umas nas outras. Às vezes, Brandão gargalha e Janete sabe que ele ri da cara dela, pateticamente envolta na Caixa. Mais chacoalhar de metal, mais gritos. Conforme usa as ferramentas, o homem as joga no chão.

— Dorme, minha pequena — ele diz para Deusa em certo momento, e Janete o imagina acarinhando o rosto molhado dela. — Dorme que eu vou te mostrar o que é sentir prazer.

Mais uma vez o som das correntes passando pelas engrenagens, choro, palavras sufocadas. O faiscar da aproximação cruel de fios elétricos desencapados. Janete chega a se arrepiar ao imaginar como é levar choques desse tipo. Ela mesma demorou muito a se acostumar com o kit de terapia de choque que Brandão adora usar na cama, mas pelo menos aquele é feito para causar prazer.

De vez em quando, Deusa fala: "Está muito apertado!", e Janete escuta velcros e cintas de couro sendo fechados. Estão fazendo sexo? Silêncios repentinos a fazem concluir que a moça desmaia e volta à consciência. Quando acorda, logo é calada, provavelmente com máscaras de couro que já viu nas revistas eróticas que o marido coleciona. Algumas vezes, ouve som de engasgos e se lembra das mordaças que deixam uma bola enfiada na boca. A respiração de Brandão é cada vez mais forte. Ela conhece aquele ritmo lascivo, o som das estocadas, os tapas na pele nua.

Na Caixa, Janete sente ciúmes. Nem consegue respirar direito. Está suando, mas não pode se secar. A consciência vacila. De supetão, os gemidos de Deusa mudam de tom. Janete odeia esse momento, mas ele sempre chega. Como alguém pode passar tão rápido do horror ao prazer? Nas primeiras vezes, ela até duvidou, pensou que era a sua imaginação. Agora tem certeza: são gemidos de tesão. Deusa sofre, treme, mas passa a gostar. Será possível? Sem dúvida, Brandão usa as habilidades na cama para conseguir resultados assim; ela mesma sabe. É prisioneira da boca, das mãos e dos feitiços do marido.

Janete não faz ideia de quanto tempo dura, mas continua ouvindo. Fica indignada, mas também se excita. Na escuridão da Caixa, imagina o jogo sexual, quase sente as lambidas que agora são para Deusa. Se revolta consigo mesma, fere as palmas das mãos com as próprias unhas, tenta a todo custo evitar que seu corpo participe daquela orgia tétrica. Mas não tem jeito.

Ao final, Deusa regurgita uma espécie de orgasmo doloroso. Feito bicho selvagem, Brandão também urra e volta a mexer nas correntes. Janete escuta algo correndo pelos trilhos, como uma montanha-russa. A voz de Deusa gira sobre sua cabeça cada vez mais rápido. Conforme a velocidade aumenta, Brandão ri, alucinado. Janete se sente tão tonta que desmaia por um segundo. Os sons se confundem em sua cabeça, os gritos reverberam e ela não consegue distinguir o que é real do que é resquício de memória.

Logo vem o silêncio. Um silêncio incômodo, quase grosseiro depois de tanto barulho. Tem certeza de que é nesse momento que ele mata a mulher. Por que Deusa ficaria tão quieta se não tivesse sido morta? Será que foi sedada? Janete escuta o barulho de plástico sendo manuseado e um som seco que lhe remete ao pai degolando galinhas para o almoço de domingo. De certa forma, fica aliviada. Significa que o ritual está acabando.

Brandão volta a subir as escadas — sobe devagar, com certa dificuldade. Ela o imagina carregando o corpo morto de Deusa nos braços. Janete fica sozinha, mas nem se mexe. É como se uma névoa descesse sobre ela, confundindo seu raciocínio. Está exausta de sentir.

Minutos depois, o marido volta, e ela nota quando ele apoia as mãos nos braços da poltrona. Aproxima-se dela, vira a cadeira para a parede outra vez e ordena que Janete tire a Caixa da cabeça. Ela obedece, abrindo o fecho. *Clic*. Nem acredita que conseguiu outra vez. Pensou que fosse morrer. Sem querer, chora.

Brandão enfia a mão na sua calcinha e constata que ela se excitou, está molhada.

— Você não é muito diferente de mim — ele diz. — Santinha do pau oco.

Janete é dominada pela vergonha. Nem ela mesma sabe como pode se excitar naquela situação, mas acontece, fazer o quê? A escuridão da Caixa ajuda. Encara Brandão e sente muita vontade de se virar para trás e examinar o local por inteiro, ver se tem sangue no chão, ver onde ficam as ferramentas e as correntes, ver se Deusa ainda está lá, viva ou morta. O uniforme dele de PM continua impecável, sem qualquer mancha. Como o marido pode fazer aquilo tudo sem se sujar?

— Coloca a venda — ele manda.

— Cadê a moça? Você matou ela, não matou?

— Não.

Ela tenta desvendar algo na expressão dele, mas não consegue ver nada. Mais lágrimas escorrem pelo rosto dela. Brandão projeta a língua para fora e lambe cada uma. Gosta de beber lágrimas.

— Vai passar, passarinha. A gente trepa e você perdoa.

É como se ele sugasse a energia vital dela através das palavras. Humilhada, Janete recoloca a venda de dormir sobre os olhos e passa o braço pelos ombros de Brandão. Voltam juntos para o carro, ela guiada por ele, unindo o desequilíbrio mental em que se encontra ao desequilíbrio de andar sem ver onde está pisando. Sente nojo de si mesma, de Brandão, da vida. Respira o ar puro do descampado, mas não adianta. Vomita antes de entrar no carro. Três grandes golfadas que vêm das entranhas. Fica imóvel, esperando, mas foi tudo. Está vazia.

O marido liga o carro. Em pouco tempo, chegam em casa — o caminho de volta parece mais rápido. No sofá, ela tira a venda e passeia os olhos pela sala onde se sente segura, é seu ninho. Ele logo se aproxima, beija seu pescoço, enquanto aperta sua cintura, convidando-a para o quarto. Janete evita, tudo ainda é muito recente, mas acaba cedendo, em um misto de medo, espanto, subserviência e desejo.

Brandão lambe o corpo dela, suga seus arrepios, acaricia nos lugares certos, sussurra em seu ouvido e mordisca as partes de que ela mais gosta. Na cama, o monstro vai embora e ele volta a ser seu homem maravilhoso. Ela chega a esquecer tudo. Esquece a Caixa, os choques, os gritos e o horror. Naqueles momentos, Janete ama Brandão.

9.

Manhã agitada em casa. Por sorte, acordei com asas nos pés e nas mãos: fiz café rapidinho e despachei todo mundo em tempo recorde, parecia até cozinheira de programa de culinária. Desde que resolvi ajudar aquelas mulheres, eu mesma era uma nova mulher. Mandei uma mensagem para o Carvana dizendo que o Rafa tinha acordado com um febrão e que eu só conseguiria chegar à delegacia no fim da tarde. Não aguentava de ansiedade para analisar todas as coisas acumuladas no quadro de cortiça que encontrei na casa de Marta Campos.

Juntei a papelada, me sentei à mesa da sala de jantar e, de pijamas mesmo, abri o bloco de notas. Finalmente, o silêncio preenchia o apartamento e eu me sentia uma rainha. Separei os papéis em pilhas por assunto: cartões de visita, recibos e protocolos, fotografias, notas fiscais de farmácia e padaria, contas a pagar, bilhetes e anotações sem significado aparente.

Comecei pelas fotos, já que só havia duas. Em uma delas, Marta parecia bem feliz ao lado de outras duas mulheres, na sombra de um coqueiro em alguma praia por aí. Coisa de amigas, mas nada anotado atrás da foto. Na outra, Marta e um homem bonito, com traços *babyface*, roupa impecável e barba bem-feita — o tipo de homem que continua parecendo criança para sempre enquanto a mulher vai envelhecendo. De pé, ele olhava para uma Marta mais jovem, gordinha, sentada em uma poltrona de tom clássico, os dois de mãos dadas, apaixonados. Ela exibia um anel de noivado no dedo, orgulhosa. Peguei o lápis (adoro anotar tudo a lápis) e escrevi alguns pensamentos no caderninho: namorado? Marido? Morreu? Caiu fora? Eu precisava saber o que perguntar quando fosse ao trabalho dela. Era como uma jornalista preparando a pauta de um entrevistado.

A pilha de cartões não pareceu interessante. Vários eram de restaurantes: Gato Gordo, Coco Bambu, Le Vin, Trattoria do Sargento, alguns japoneses, Paris 6 Bistrô, Varanda Gourmet, pizzarias e deliveries.

Não consegui encontrar nenhum padrão especial ali, nem por endereço, já que eram espalhados pela cidade, nem pelo tipo de comida. Talvez uma queda pelo paladar francês? Enfim, nada útil.

Além desses, cartões de visita variados, desde o de um dentista, com aquele calendário de próxima consulta no verso, até o de uma administradora de imóveis e o de um agente de viagens. Será que algum daqueles contatos era do malandro? Anotei os nomes no meu bloco e segui para o tópico seguinte: uma página de internet impressa, do Detran, com a consulta aos pontos da carteira de habilitação de Marta. Nenhuma multa recente e apenas três pontos, o que me levava a uma nova série de perguntas: onde estava o carro dela? Marta havia ido de táxi à delegacia. E, naquele documento, ela possivelmente queria checar se alguém tinha levado alguma multa com seu veículo. Emprestou a alguém? Ou foi roubada?

Me ajeitei na cadeira, desconfortável. O caminho, que antes parecia fácil, começava a se revelar tortuoso. Eu esperava mais daquele quadro de cortiça, essa era a verdade. Sabia que havia ali documentos de uma investigação pessoal de Marta, feita em poucos dias, para descobrir a identidade do @estudantelegal88. Entender a lógica da caçada dela, se é que havia alguma, era meu maior desafio. Em alguns momentos, o quadro de cortiça parecia apenas um mural da casa, aquele tipo de lugar em que a gente vai grudando tudo só para tirar da frente. Eu mesma era mestra em guardar papel inútil só porque achava que um dia usaria para alguma coisa.

A próxima pilha de papéis me deu mais esperanças. Era uma coletânea de várias notícias e informações impressas sobre o golpe conhecido como "Boa noite, Cinderela", além de um resumo sobre os efeitos de substâncias como GHB, quetamina, burundanga e Rohypnol nas pessoas: cinco horas de uma boa amnésia, quando misturadas com álcool. Aquilo eu conhecia bem, as chamadas "drogas do estupro". Quase não havia estatística sobre esse crime, de tão difícil que era uma mulher dar queixa quando era vítima dele. Se Marta se identificou com esses efeitos, o @estudantelegal88 não era leigo e nem usava só o charme. De algum jeito, ele tinha acesso às drogas.

Por fim, preso ao quadro de cortiça, havia um desenho com traços nervosos, uma tentativa de retrato falado. Nenhuma característica saltava aos olhos, apesar de ser razoavelmente bem-feito. Chegava a ser parecido com o cara da fotografia, mas com certeza não era a mesma pessoa. Aquele desenho só podia ser do @estudantelegal88.

Na minha cabeça, outro mural se formava, aquele que eu acessaria para fazer perguntas no trabalho de Marta Campos. Olhei para o relógio, guardei tudo depressa, mudei de roupa e me mandei para a empresa Quartilles. Desculpa aí, Carvana, mas você teria feito a mesma coisa nos seus "bons tempos".

Peguei a avenida Paulista olhando a numeração e procurando um estacionamento com preço razoável, o que, naquela região, era quase uma tarefa para santo Expedito. Já na portaria do edifício, diante de um balcão com três recepcionistas, uma pequena fila de pessoas se identificava para subir. Atrasada, dei uma carteirada fácil, furei fila, exigindo sigilo sobre a minha chegada. Prerrogativas da polícia. A surpresa sempre foi uma ótima arma. Peguei o elevador cheio de executivos e desci no quinto andar. Logo na entrada, uma secretária bem-vestida me perguntou:

— Bom dia, a senhora tem horário marcado com quem?

Mostrei o crachá com o brasão da Polícia Civil:

— Meu nome é Verônica Torres. Estou investigando sobre Marta Campos, que trabalhava aqui. Você deve ter visto no noticiário...

Seus olhinhos brilharam na mesma hora e ela sorriu como se o assunto não fosse trágico:

— Vi, claro que vi. Que pena esse caso, né? Fiquei supermexida. Coitada... Se jogar daquele jeito! A gente insistiu muito pra ela ir à polícia, mas acho que foi pior, ela não aguentou a barra.

A moça empertigou o corpo na cadeira e pude ler o nome no crachá.

— Sabe de alguém que pode colaborar comigo, Juliana? Preciso saber um pouco mais da Marta...

Ela queria ser prestativa, sua rotina enfadonha havia subitamente se transformado em um episódio de série policial. Olhou para os lados antes de cochichar:

— A melhor pessoa é a Regina, que dividia a estação de trabalho com ela. Espera aí que eu vou interfonar.

Enquanto aguardava, observei a decoração de entrada da empresa. Chique, mas seca. Uma planta aqui, um vaso acolá, aquelas gravuras comuns e impessoais penduradas na parede. Em poucos minutos, Regina apareceu e me convidou para entrar.

O lugar quase não tinha paredes, mas era todo dividido em baias brancas. Não dava para ter muitos segredos trabalhando em um local assim, sem privacidade, sem porta para fechar. Numa dessas estações de trabalho, como eles chamavam, me sentei na cadeira que tinha sido de Marta apenas alguns dias antes. Regina puxou outra e se sentou diante de mim.

— Você é da polícia?

Ela me encarava. Era uma mulher morena, magra, de cabelos alisados presos com um elástico. Tinha os olhos cansados e a voz rouca de quem fumou a vida inteira.

— Sou, sim. Meu nome é Verônica Torres. Preciso verificar algumas informações que tenho sobre a Marta. Há quanto tempo vocês se conheciam?

— Uns sete anos. Essa empresa tem pouca rotatividade de funcionários, é quase uma grande família, apesar de que a Marta é bem tímida. Quer dizer, *era* bem tímida. Ainda não consigo falar dela no passado — disse, e os olhos se encheram d'água. Ela parecia verdadeira. — A gente não chegava a ser amiga, mas eu gostava dela, sabe?

— Entendo, querida — respondi, tentando soar compreensiva. Regina se levantou de repente:

— Vou buscar um copo d'água e um café. Você quer alguma coisa?

— Água.

Aproveitei para analisar a mesa de trabalho de Marta. Na baia, nenhuma fotografia, nenhum registro de pessoalidade, apenas um computador moderno e tubos de guardar projetos de arquitetura. Como alguém podia separar tão bem o mundo profissional do pessoal? Na minha vida, os dois viviam se esbarrando.

Recomposta, Regina voltou, se sentou e projetou o corpo para frente, apoiando os cotovelos nas pernas, enquanto bebericava o café fumegante.

— O que exatamente você quer saber?

— Queria que você me falasse sobre a Marta. Tudo o que te ocorrer, não precisa filtrar nada. Vai só dizendo, mesmo que pareça irrelevante, tá?

— Tudo bem. Mas eu não acho que sei de muita coisa...

Eu só precisava dar um empurrãozinho.

— A Marta tinha família, namorado, alguém próximo?

— Ela era muito sozinha... Filha única, foi criada no interior por uma tia-avó que morreu faz tempo. — Regina suspirou. — Aí ela veio pra São Paulo, fez faculdade de arquitetura... Conheceu o noivo em um serviço que a gente fez aqui pela empresa.

— Noivo? É este aqui?

Mostrei a foto que havia no quadro de cortiça de Marta.

— Esse mesmo. João Paulo. Estive com ele umas três ou quatro vezes. Eles namoraram por uns seis anos. Ela tava muito feliz, morando junto, queria casar, e ele vivia escapando do assunto. Um dia, enfim, o noivo contou a verdade pra ela. Todo mundo já sabia, mas ninguém comentava. Ela também devia saber, não é possível. Ele dava toda pinta.

— Ele era gay?

— Gayzíssimo. Queria um casamento de fachada, morria de medo da mãe, uma socialite que queria um filho macho. Mas filho a gente não escolhe, né? Essas famílias com sobrenome parecem que estagnaram no século passado. O coitado abriu o jogo pra Marta e ela ficou arrasada, sem chão. Disse que nunca tinha desconfiado de algo assim. Vai entender. O noivo não gostava da *coisa*. É um problema sem solução, e Marta era uma solucionadora de problemas. Ela teve até um princípio de depressão.

— Faz quanto tempo, isso?

Regina mordiscou a borda do copo enquanto pensava.

— Uns oito meses, por aí.

— E depois?

— Depois, passou. A Marta deu uma grande virada. Chorou o que tinha que chorar, levantou e sacudiu a poeira. Ela era muito inexperiente, entende o que quero dizer? Namorou um cara a faculdade inteira. Era fiel, amarrada, com sonho de casar. Depois, noivou com esse que não dava conta do recado. Você sabe que ela era gorda, né?

— Gorda? Ela estava bem magra quando foi na delegacia.

— Uma falsa magra, dona Verônica. Depois de dar a volta por cima, resolveu recuperar o tempo perdido, curtir a vida de solteira. Ela só precisava perder uns vinte quilos pra ficar em forma, mas nunca conseguia. Fez uma bariátrica dessas simples, sabe? Mudou o estilo de se vestir, ficou mais informal, mais descolada, sabe?

São irritantes essas pessoas que perguntam "sabe?" no fim de cada frase. Mantive o foco:

— Como foi o recomeço da Marta? Ela saiu com muitos caras? Era de ir em balada?

— Nada, supercareta, apesar de estar levando a sério a tentativa de se soltar mais, sabe? O pessoal solteiro aqui do escritório deu mil dicas pra ela, ajudou a baixar aplicativos no celular, desses de conhecer gente... Mostrou como funcionava a vida lá fora. Ela não se deu muito bem com o Tinder, mas logo no primeiro site de relacionamento que se inscreveu apareceu o Pietro.

— Você sabe o nome do site?

— Sim, ela me mostrou umas mensagens. Era AmorIdeal.com. Nunca fui a favor de conhecer gente pela internet, mas tenho que te dizer que essa foi a fase mais feliz da vida da Marta depois do baque. Era incrível, ela estava radiante, lindona, tinha comprado um montão de roupas, lingeries diferentes, vivia sonhando, sabe? Eles conversaram por meses.

— E se encontraram muitas vezes nesse período?

— Nada de encontros. Ele dizia que era de outra cidade. Tudo acontecia no virtual mesmo. E foi se aprofundando assim...

— Aprofundando como? Você sabe se ele pediu dinheiro pra ela?

Regina se recostou defensiva na cadeira.

— Aí já é muito pessoal, né?

— Por favor, me diz. É importante.

— Ele pedia um dinheiro de vez em quando, sim. Mas não era nada que soasse mal, sabe? Quer dizer, ele não era um garoto de programa. Pelo que sei, o Pietro era estudante, mais novo que ela, arquiteta formada, trabalhando aqui e ganhando bem. Ele fazia faculdade de filosofia e tinha uns problemas às vezes. Coisa de família. O dinheiro que ele pedia não era muito pra Marta. Não era nada que ela estranhasse no começo.

— Então, ela dava grana sem nem ter conhecido o cara pessoalmente?

Regina manteve o olhar perdido, como se só agora percebesse o absurdo da situação.

— É, aconteceu algumas vezes... — disse. — Não sei se tô conseguindo te explicar, eu também me sinto culpada por não ter percebido nada. Mas a Marta estava tão feliz... Eles ficavam horas conversando, mandando mensagens um pro outro. Parecia que já se conheciam fazia séculos, gostavam das mesmas músicas, dos mesmos filmes e livros, eram tipo almas gêmeas.

Esses estelionatários pesquisam tudo sobre as vítimas, em geral mulheres mais velhas saindo de uma situação dramática, como uma separação ou uma súbita viuvez. Eles chegam de mansinho, especialistas em colar os cacos de uma pessoa fragilizada. Mantêm conversas simultâneas com várias mulheres em diferentes estágios de conquista, para não perder tempo. No fim das contas, acabam de moer o vidro e tiram o pouco de dignidade que ainda resta nelas.

Continuei a conversa, sem pressionar Regina, que sem dúvida se fecharia caso começasse a se julgar responsável pela desgraça de Marta.

— Regina, quando ela começou a desconfiar desse Pietro?

— Não desconfiou, isso foi o pior. Ninguém nunca desconfiou. Até que um dia ele escreveu que estava na cidade e marcou um jantar com ela na sexta. A Marta foi pra lua de tanta felicidade. Se preparou toda, passou o dia no cabeleireiro, depilação, manicure, escova. Ela tava tão linda...

Regina estava acanhada, não queria parecer fofoqueira. Eu tentava a todo custo criar uma conexão com ela para que abrisse o bico.

— Ajudei a palpitar na lingerie, na roupa que ela usaria, e até eu, que sou macaca velha, me animei — continuou. — Pode acontecer um amor assim, não pode? Mas deu tudo errado...

— Errado como?

— Errado do pior jeito possível. Na segunda-feira depois do encontro, a Marta não veio trabalhar. Achei que ela tivesse esticado o fim de semana, que estava tudo perfeito, mas ela veio na terça. Coitada, chegou aqui se arrastando, nem dava pra reconhecer. Olhos inchados, ombros caídos, chorava sem parar. No começo nem queria falar do assunto, mas todo mundo que sabia estava curioso pelo último capítulo da novela dela. Escritório é assim, um acompanha a vida do outro, sabe?

— Sei — respondi, com vontade de socar a cara daquela mulher se ela usasse "sabe?" mais uma vez. — O que *você* sabe?

— Ela levou o golpe mais manjado do planeta: foi jantar com o cara, eles foram pra casa dela porque ele disse que estava hospedado em um hotel, e, a partir de certo ponto, ela não conseguia mais se lembrar de nada. Acordou na cama, nua, e várias coisas tinham sido roubadas. Laptop, dinheiro, joias...

— O carro?

— Sim, o carro também.

A essa altura, era provável que o malandro já tivesse até revendido o veículo para um desmanche qualquer no interior do país. Possivelmente, Marta não havia comentado nada disso com Carvana; caso contrário, ele não poderia escapar de fazer um boletim de ocorrência. Sem dúvida, ela contara a história pela metade, envergonhada, com medo de soar trouxa demais.

— Ele raspou tudo. Foi horrível… — Regina acrescentou. — Parece que só não levou o celular.

Pietro era mesmo esperto. Provavelmente sabia que furtar o celular era um péssimo negócio. Fácil de localizar. Preferi não dizer mais nada e esperei que Regina retomasse a conversa.

— Nos dias seguintes, ela sofreu muito. Continuava tentando falar com ele… Mandava e-mails, mensagens no Facebook, mas ele tinha excluído tudo. Sumiu do mapa de vez — disse, com um tom lamurioso. — Ela estava tão envergonhada de ter caído nesse golpe que o pessoal aqui do escritório teve que fazer tipo uma campanha pra ela procurar a polícia. Agora, nem sei se a gente fez certo…

— Claro que fizeram! Ela devia ter procurado a polícia assim que tudo aconteceu!

— A Marta não queria de jeito nenhum. Estava com tanto medo que nem queria saber do dinheiro do seguro do carro. Achava que podia investigar sozinha, foi juntando toda informação que tinha. Daí, uns cinco dias depois, apareceu aquela doença na boca… Foi nessa hora que ela chegou no fundo do poço. Quando a boca dela estourou cheia de pus.

— Você sabe que doença era essa, na boca e na vagina?

— Vagina? Eu só sabia da boca… Não sei o que era aquilo, mas era bem feio. A Marta estava esperando o resultado de um exame, mas acho que não tinha chegado ainda, tinha?

— Não sei — menti. — Você acha que ela pegou dele?

— Claro que sim, de quem poderia ser, além do Pietro? A Marta não saía com mais ninguém.

— Regina, você se lembra da data do jantar dela com o Pietro?

— Foi na sexta depois do feriado de Sete de Setembro. Faz o quê, uns dez dias?

— Onde eles foram jantar?

— Não faço ideia. Pelo que eu lembro, a Marta tinha dito que o Pietro ia fazer uma surpresa, sabe, levar ela em um lugar especial. Mas era humilhação demais eu perguntar, depois de tudo, qual era o local, não acha? De que ia adiantar?

— Talvez o restaurante tenha câmeras e a gente consiga recuperar as imagens daquela noite, as imagens desse cara que enganou a Marta.

Regina empalideceu:

— Ai, meu Deus, eu devia ter perguntado! Quer que eu veja com algumas pessoas daqui? Vai que alguém sabe. Que bobeada a minha...

— Não se preocupa — falei, sentindo que a conversa já tinha se esgotado, e me levantei para ir embora. — Vamos fazer o seguinte, vou deixar meu número de celular e se você descobrir alguma coisa, me avisa, combinado?

— Tudo bem — ela disse, pegando o papelzinho e dobrando com bastante cuidado.

Cheguei à avenida Paulista, onde carros no trânsito e pedestres apressados coloriam o caos. Andar um pouco até o estacionamento ia fazer bem e me ajudar a pensar. Mergulhei no mar de gente, só mais uma na multidão, invisível.

Entrei no carro, intrigada. Antes de girar a chave, passei os olhos pelas anotações que tinha feito. Será que a cirurgia bariátrica era um elemento do perfil das vítimas desse cara? Sem perder tempo, liguei para o Prata, um médico do IML de São Paulo com quem tive um casinho bobo uns cinco anos atrás. Como éramos os dois casados, com filhos, e o sexo não era lá essas coisas, acabamos ficando amigos. Prata era um médico incrível, superprestativo, e estava de plantão. Pedi que me enviasse o relatório de necropsia da Marta e que, se possível, ele mesmo desse uma examinada no corpo para confirmar a cirurgia bariátrica e buscar novas informações que pudessem ser úteis. Ele disse que iria ver e me retornaria.

Cheguei à delegacia incrivelmente rápido, considerando que já era quase hora do rush. Imaginei que o Carvana fosse me encher de perguntas, mas, quando entrei, ele nem estava lá. O velho sempre dava umas escapadas depois do almoço, eu tinha certeza de que era alguma amante. Voltava com cara de bobo, dava desculpas sem que eu perguntasse nada.

Fiz um lanche rápido, sem descuidar da dieta: fruta e gelatina. Me sentei à mesa e toquei o dia, tirando da frente o trabalho mais urgente. Carvana só chegou no fim da tarde, cheirando a motel barato, e perguntou pelo Rafa.

— Ainda tá mal — menti.

Tendo marcado presença, fui para casa o mais cedo que pude. Nem Paulo nem as crianças tinham voltado ainda. Que sorte! Diante das minhas descobertas, eu precisava fazer algumas modificações urgentes no perfil de Vera Tostes. No campo "profissão", escrevi "psicóloga bem-sucedida", o que devia ser suficiente para chamar a atenção de quem quer estabilidade financeira e um bom papo. Mudei "magra" para "gordinha resolvendo o assunto", com um sorrisinho na sequência.

Depois, concluí que era hora de interagir. Montei uma resposta padrão para os cinquenta e quatro homens que restavam depois da primeira triagem e enviei:

Olá, tudo bem? Obrigada pela sua mensagem. Você perguntou sobre mim, então vamos lá... Meu nome é Vera! :-) Eu me divorciei tem cinco meses, foi meio pesado, mas passou. Não tenho filhos, nem cachorro, nem papagaio! rs Trabalho como psicóloga e moro nos Jardins. Sou pra cima, livre, leve e solta. Quero começar uma vida nova ao lado de alguém legal. Será que é você? rs Me fala mais sobre a sua vida também! Fiquei curiosa. Bjoooos!

Para a minha surpresa, precisava pagar para responder — era assim que o site lucrava, alimentando a ânsia de homens e mulheres em se relacionar. Preenchi as informações do cartão de crédito e paguei. Não era caro, tudo bem tirar um pouco do meu bolso para fazer justiça. Sem dúvida, as conversas me levariam a maiores conclusões e eu poderia comparar os vícios de escrita do @estudantelegal88. Hora de aguardar o passo do inimigo.

Já era noite quando o Prata retornou minha ligação. Pediu desculpas pela demora, contou que tinha se enrolado com outra coisa e só agora conseguira um tempo para ver o que eu havia pedido. Imagina ser médico do IML em uma cidade violenta e enorme como São Paulo, mal deve dar tempo de respirar.

— Não tem problema, Pratinha. Me conta o que você conseguiu.

— Infelizmente, quase nada. O relatório do legista responsável informa fatos óbvios: que ela faleceu com a queda, que o fungo foi encontrado na boca e na vagina. E, sim, o relatório menciona uma cicatriz compatível com uma cirurgia bariátrica no abdome e as modificações internas de praxe nesses casos. Só isso.

— Você teve tempo de dar uma olhada no corpo?

— Tentei, Verô. Mas o corpo já foi retirado.

Aquilo me pegou de surpresa:

— Como é? Retirado por quem?

— Pela família, claro.

— Família? Tem certeza?

— Tenho. Tô com o formulário de remoção do cadáver em mãos. Deixa eu ver... Foi retirado ontem pelo irmão, Roberto Campos.

— A Marta não tem irmãos, Prata.

Ele deu um risinho nervoso ao telefone:

— Claro que tem, Verô. Tá aqui assinado por ele. Vou digitalizar e te mando por e-mail, ok?

Agradeci e desliguei, engolida por infinitas dúvidas. Um irmão que existia e ninguém sabia. Talvez eles não se falassem por briga de família, questões de dinheiro ou algo assim. Caso contrário, quem havia retirado o corpo de Marta? Era fácil falsificar um formulário, ninguém conferia nada. Eu mal podia lidar com a ideia de que o próprio @estudantelegal88 estivesse com o corpo dela. Tesão por cadáveres... Meu estômago se embrulhava só de pensar.

Eu queria voltar à casa de Janete, mas já era noite. Paulo e as crianças chegaram em pouco tempo, e tive que assumir o posto de mãe atenta e esposa perfeita. Meu débito com eles era enorme. Assei uma pizza e comemos enquanto Lila contava sobre seu dia na escola e no balé.

Dormi uma noite inquieta, pensando em Marta e também em Janete. A história de Marta havia mexido muito comigo, eu estava na ânsia de colocar as mãos no filho da puta do @estudantelegal88, mas a prioridade era cuidar dos vivos e não dos mortos. Janete precisava de mim.

Pouco antes de amanhecer, me levantei da cama, pé ante pé, deixei um bilhete amoroso pro Paulo e saí de casa porque a Zona Leste era muito fora de mão e eu não podia chegar atrasada pelo segundo dia seguido na delegacia. Fiquei de tocaia diante da casa, observando a movimentação pelas janelas frontais e laterais. O carro da família Brandão — um Corsa preto — estava na garagem do terreno. Não demorou muito para que ele saísse de casa com o uniforme da PM e entrasse no carro. Era um homem alto e corpulento, de cabeça raspada e pele bem morena. Estava de cara fechada.

Quando o carro dobrou a esquina, não perdi tempo, pulei a cerca sem tocar a campainha e bati na porta. Janete abriu depressa.

— Esqueceu alguma coisa, amor? — ela ia dizendo, mas se interrompeu quando viu que não era o marido. Janete era mesmo uma moça muito bonita, morena de cabelos compridos e olhos verdes. Reconheci de imediato a mulher da foto na mesinha de cabeceira de Brandão, só faltava a pinta no queixo. Seu rosto ficou tenso ao me ver. — Quem é você?

— Sou Verônica Torres, da Delegacia de Homicídios.

Ela tentou bater a porta, mas coloquei o pé no vão.

— Para com isso, Janete — falei, encarando-a nos olhos. — Quero ouvir sua história.

10.

Janete tirou as mãos da porta, largando os braços ao lado do corpo. Suspirou, virou as costas, e caminhou rendida até o sofá, onde se sentou com as mãos cruzadas sobre o colo. Fechei a porta e me aproximei devagar. Me sentei ao lado dela, com alguns centímetros de distância, em silêncio, respeitando seu tempo. Mais do que me encarar, naquele momento, Janete encarava a si mesma.

Depois de alguns minutos em que nada foi dito ou sugerido, decidi que era hora de dar o primeiro passo. Usei uma voz mansa, calculando cada palavra.

— Calma, Janete. Estou do seu lado — comecei. — Você me ligou com uma suspeita horrível sobre o seu marido, mas desligou antes de falar mais. Fiquei sem saber o que era, sem saber se você corria perigo. É por isso que eu tô aqui, fiz questão de vir verificar pessoalmente. Eu me preocupo com você. Se for verdade o que me contou... Você precisa de ajuda pra sair viva dessa situação.

— Obrigada pela preocupação, dona Verônica, mas eu não preciso de ajuda mesmo, não — ela disse, com uma firmeza surpreendente. — Acontece que eu não tenho nada pra falar. Liguei por impulso, sei lá onde eu estava com a cabeça! Foi só que fiquei desesperada, mas já passou... Vamos esquecer, faz de conta que nem te liguei, pode ser?

Ela se levantou, ajeitou em alguns centímetros o pano sobre a mesa de centro e, com o olhar, indicou que estava pronta para me levar até a porta. Ignorei e continuei sentada:

— Nós duas sabemos que isso não é verdade, Janete. Sou boa de entender mulheres, já vi muitas na mesma situação, dizendo nesse tom de voz pra esquecer o caso, jurando que estava tudo bem. E nunca estava.

Ela voltou a se sentar, distante de mim, mas agora prestando absoluta atenção.

— Eu entendo — continuei. — É a vergonha de contar, a dúvida de confiar no outro. Às vezes, parece que é melhor deixar pra lá, que vai passar. Acredita em mim, não é melhor deixar pra lá. Se o seu marido fizer realmente o que você disse que ele faz, você está em perigo, em um beco sem saída. Sei como deve ter sido difícil me ligar e contar aquilo. Muito bem, eu fui seu último recurso, mas tenho sensibilidade e não vou te deixar na mão. Respira fundo, querida. Você vai se sentir melhor depois de me contar tudo.

Janete tinha os olhos bem abertos, mas perdidos, passeando agitadamente pela sala. Naquele instante, ela criava julgamentos sobre a minha aparência, a minha voz, as minhas roupas. Mais importante, ela decidia se deveria confiar aquele segredo a uma mulher desconhecida que havia batido na porta dela. Depois de alguns segundos, tomou uma decisão:

— Não tenho mesmo nada pra contar, dona Verônica.

Seus olhos miravam o chão. Droga, eu a estava perdendo! Aquilo me desestabilizou, mas eu não desistiria tão fácil. Logo recuperei a linha de raciocínio.

— Janete, presta atenção... Sei que é difícil. Vou começar pra você, tá bom? Mulher carinhosa, casada há alguns anos. No começo, o marido era encantador, até fazer você depender totalmente dele pra tudo, sem ter pra onde correr. Um dia, você descobriu, não foi? Descobriu, e depois vai me contar como, descobriu que ele matava mulheres. Algo que nunca tinha imaginado! Isso a deixou desesperada e muito assustada... Mas, como ele é policial, você pensou que ninguém ia acreditar em você.

Ela recuou um pouco, piscando os olhos:

— Como sabe que ele é da polícia?

— Vi ele saindo agora, de uniforme, antes de bater na sua porta. Pela minha experiência, sei que existem muitos casos como o seu. O fato de ele ser policial já o torna um bom candidato pra ser um assassino sem que ninguém descubra nada.

— Você também é policial, dona Verônica. Isso faz de você uma boa candidata, não faz?

Agora, Janete usava um tom desafiador, argumentativo, o que significava que tínhamos avançado na conversa. Ela começava a revelar sua inteligência e tentava me pegar na esquina. Bom, muito bom... Ao me provocar, ela punha a cabeça para fora do buraco sem perceber. Era hora de mostrar meu conhecimento e ganhar respeito.

— Sim, Janete, também sou uma boa candidata. Apesar de que mulheres raramente são assassinas em série. Os homens são os donos desse universo. Policiais têm uma personalidade muito específica, que permite exercer um trabalho que não é pra qualquer um. São corajosos, fortes, parece que têm mais adrenalina que os outros nas veias, enfrentam o perigo todo dia. Garanto que o seu marido pode ser cheio de sentimento quando precisa te ganhar, mas vira uma pedra de gelo em uma briga contigo. Estou certa?

Janete me olhou intrigada. Estava insegura demais para dar o próximo passo, mas finalmente cogitava a possibilidade. Era um avanço. Ela abaixou os olhos e pegou a beira do avental, alisando a costura do babado. Olhei ao redor, verificando à luz do dia o que já havia visto na noite que entrei ali. A palavra que me vinha era "impecável". Todos os móveis, bibelôs e paninhos na mais perfeita ordem, como nunca minha sala de visitas chegaria a ser. Suspirei também, tomada de certa inveja. Paulo vivia enchendo a minha paciência para ser uma dona de casa melhor, ele ia amar que eu fosse a Janete. Voltei a me concentrar nela, sentada à minha frente. Em uma conversa assim, o silêncio é tão essencial quanto as perguntas — uma questão de timing.

— Janete, quando me ligou, você disse que seu marido era um assassino de mulheres. Tem certeza disso? Tudo o que você disser fica entre nós. Vamos fingir que hoje eu não estou de serviço, ok? Não precisa me chamar de dona. Sou sua amiga Verônica — falei, dando um sorriso cúmplice, para construir identificação. — Você pode me contar e talvez a gente não faça nada a respeito, nem dar queixa. Vai ser uma decisão só sua, não vou te pressionar, mas garanto que falar vai te fazer bem.

Ela meneava a cabeça, como quem cria uma lista mental de prós e contras. Continuei a descrever um perfil de assassino daquele tipo, de modo genérico, claro. A cada característica que eu dava, os meneios diminuíam e o olhar dela se prendia ao meu. Quando passei a destrinchar o perfil das esposas que descobriram que os maridos eram assassinos, Janete ficou ainda mais interessada.

Aquela era a melhor parte: exercer na prática o que eu já vira montes de colegas meus fazerem na sala de interrogatórios da delegacia. A tática é bem parecida com a das cartomantes, que interpretam os sinais corporais da cliente para saber se estão no caminho certo. Você joga um verde, espera a reação e escolhe o próximo passo; a própria pessoa te dá a resposta sem perceber.

Propositadamente, eu só usava termos vagos, que soavam para Janete como adivinhações sobre a vida dela: "mulheres abusadas", "submissão e isolamento", "sensação de perda". Ponto para mim. Fui ficando animada.

— Mulheres como você são fortes, mas muito solitárias. Eles cuidam para que vocês se afastem de todos, inclusive da família, da profissão, dos amigos em geral, de forma a terem domínio completo e não correrem riscos. A solidão e o vazio crescem e ocupam tudo. Janete, você acha mesmo que o melhor da vida é passar horas assistindo à televisão e fazendo palavras cruzadas?

— Como você sabe que eu faço palavras cruzadas? Nunca te contei isso! Ou vai querer me enganar que todas essas mulheres fazem isso também?

— Calma, querida, calma. Foi só um exemplo... — menti, tentando disfarçar o deslize. Eu e minha boca grande! Não iria me perdoar se perdesse Janete ali.

— Você está tentando me enganar.

— Não estou. Pode acreditar, falei palavras cruzadas só por falar. Não existem muitas coisas pra fazer quando se passa o dia inteiro dentro de casa. Poderia ser tricô ou crochê também, mas você é jovem demais pra isso.

Ela deu de ombros, soltou um "deixa pra lá" rápido. Vai por mim, é tiro e queda: não tem mulher que não goste de ouvir que é jovem. Janete também sorriu, mas então sua boca tremeu e as lágrimas começaram a descer pelo rosto, silenciosas. Era minha deixa para tocá-la fisicamente, forçando uma intimidade maior. Com cuidado, acolhi suas mãos nas minhas, encorajando-a a continuar. Ela baixou a cabeça e eu a abracei, compreensiva. Passei a mão por seus longos cabelos e disse:

— Coragem, menina, coragem.

Janete limpou o rosto molhado com o avental.

— Na verdade, nunca vi ele matar ninguém. Estou sempre vendada quando acontece, só consigo escutar.

— Ele venda você? Com um pano?

— Com uma máscara daquelas que a gente ganha no avião. No carro, isso. E aí ele me enfia em uma caixa de madeira.

— Como assim? Te enfia em um caixão?

— Não, não... A caixa cobre só a minha cabeça.

— Ele faz isso tudo dentro do carro?

— Não, Verônica. Isso já é quando chega lá.

— Lá onde? Janete, calma, vamos devagar. — Era a primeira vez que ela colocava a sua tragédia em palavras. Era também a primeira vez que alguém confessava uma coisa dessas para mim. — Você tá junto com ele quando ele mata?

Foi a pergunta errada. Ela irrompeu em soluços, como se sentisse uma dor lancinante. Seu corpo chacoalhava por completo.

— Você não entende, tá vendo? Não sou uma assassina! Ele me obriga, ele me obriga a fazer essas coisas! — ela gritava, sem parar.

Meu coração quase saía pela boca. *Calma, Verô, calma*, eu repetia para mim mesma. Então a abracei de novo, fazendo aquele som de acalmar — shhhh, shhhh — e balançando o corpo dela para a frente e para trás, como um bebê. Não sei quantos minutos ficamos ali, até os soluços entrecortados se espaçarem. Então a soltei e peguei suas mãos:

— Pronto. Você já me contou o pior e eu não estou te julgando... Agora, me conta tudo do começo. Sei que você não matou ninguém. Acredito em você, estou vendo o teu desespero. Me conta o que você sabe, não deixa nada de fora, por favor.

Foi como uma represa ultrapassando seu limite. Uma vez rompida a barreira, a enchente era inevitável. Janete me contou tudo: da música ensurdecedora no carro, do bunker, dos sons, dos cheiros, da Caixa, dos gritos das vítimas. Era horrível, mas me controlei mais do que nunca. Uma policial não pode se assustar com um relato, por pior que seja. Uma peça essencial do quebra-cabeça continuava sem encaixe. Tive que perguntar:

— Só não entendo de onde vêm essas meninas... Como ele consegue pegar elas?

Janete fez uma pausa e senti que aquele era um ponto muito importante. Ela franziu o cenho, cutucando as cutículas das mãos perfeitas. Seu cérebro era como um relógio de pêndulo: mentir ou não mentir?

— Sou eu... — ela disse, finalmente. — Sou eu que pego elas na rodoviária do Tietê.

Aquilo me impressionou, mas preferi não perguntar nada, pois sabia que o silêncio forçaria respostas. Janete logo me detalhou seu método de abordagem na rodoviária. O canalha não devia ser muito bom de lábia e usava a habilidade dela para conseguir as vítimas sem precisar se expor. Fui fazendo perguntas aqui, soltando expressões ali, mas se Janete estava mesmo me dizendo toda a verdade, ela não sabia a direção que o carro tomava, não sabia a localização do bunker, não sabia exatamente o que Brandão fazia com as moças.

— Não entendi, você me falou que ele mata mulheres. Mas ele solta ou mata?

— Brandão diz que dopa as meninas e larga na estrada. No dia seguinte, elas não lembram o que aconteceu. Isso pode ser verdade? Eu acho impossível, porque ele machuca muito. Sei disso pelos gritos.

— E tem certeza de que nenhuma nunca deu queixa?

— Ele diz que machuca sem deixar marcas, que aprendeu isso no serviço. Elas não têm nenhum ferimento pra provar o que aconteceu. Ele sempre está de uniforme da PM quando vai pro bunker. Elas devem ter medo de ir na polícia.

Aquela história estava muito mal contada. Se as moças eram tão torturadas como Janete escutava, sem dúvida pelo menos alguma delas teria feito denúncia, mesmo que Brandão vestisse a roupa do papa. Enquanto ela falava, foi inevitável fazer um link mental com o caso de Marta: o uso de drogas que causam amnésia.

Insisti com Janete que as meninas poderiam estar vivas por aí, que ela devia me ajudar a reunir mais provas. Um trabalho em parceria, era o que a gente precisava. Ela ficou mais tranquila, mas tudo quase desandou quando mencionei que falaria com meu chefe para ajudar na investigação.

— Não quero falar com mais ninguém, pelo amor de Deus — ela disse. — Você acha que um homem vai acreditar em mim? Ainda mais esse aí, que o Brandão falou que odeia PM. Vai dar tudo errado!

— Olha, Janete, não tenho poder pra resolver isso sozinha. Mas eu conheço o Carvana a vida toda, ele não vai ignorar um negócio desses.

As palavras saíam da minha boca, mas eu não me sentia tão segura assim. Ultimamente, o Carvana não queria nada com nada, aquele escroto. Mas eu tinha que tentar, precisava da estrutura da polícia porque a coisa era bem feia.

— Janete, por que você nunca procurou a polícia antes?

— Medo... Medo de ninguém acreditar em mim, medo de ir pra cadeia, medo do que vão dizer. Medo de morrer.

— Há quanto tempo isso acontece? Quantas mulheres você "contratou" na rodoviária?

Ela me olhou espantada, como se a pergunta a relembrasse que eu também era da polícia. Esperei que fizesse a soma mentalmente, tocando os dedos como quem faz conta. Quanto mais dedos erguia, mais difícil ficava de respirar.

— Evoluiu aos poucos. Tipo uma vez por ano, nos primeiros anos, e agora quase todo mês. Está fora de controle. Não sei desde quando Brandão faz isso, mas eu já contei onze. Não reconheço mais quem habita o corpo dele.

— Você tem certeza do número?

— Sim, eu… me lembro de cada uma delas. Às vezes, estou cozinhando ou vendo televisão e vejo o rosto das meninas. Fico cheia de vontade de chorar — ela disse, voltando a se debater. — Verônica, me ajuda, não quero ser acusada de ser cúmplice. Ele me obriga, eu juro…

Eu a acalmei como pude. Aquilo não seria nada fácil. Janete cooptava as moças, nunca estava amarrada, mas não fugia nem salvava ninguém. Será que obtinha algum prazer com o ritual? Eu até entendia que ela se visse como inocente, vítima do marido, mas se o caso fosse adiante ia ser difícil explicar. A verdade e a justiça nunca andaram de braços dados. Principalmente no Brasil.

— Como são essas meninas?

— Sempre morenas de cabelo comprido, bem magrinhas. É como ele gosta. Elas chegam nos ônibus que vêm do Norte.

Tirei meu bloco da bolsa e entreguei a ela.

— Pode me passar os nomes?

Janete concordou, escrevendo depressa em uma letra feia: Deusa, Benigna, Tainara, Nilce, Jerusa, Divina, Creuza, Vanessa, Miranda, Penha, Darcília. Impressionante ela saber tudo aquilo dc cabeça. Logo me lembrei das calcinhas na mesa de cabeceira de Brandão, com "cheiro do dia". Era um troféu bem íntimo que ele levava de cada uma. Pegando o caderno de volta, acrescentei "calcinhas?" e troquei um breve olhar com a Nossa Senhora da Cabeça no oratório, iluminada por uma vela nova, imaginando o que aquela santa já havia presenciado.

— Janete, antes de eu ir embora, uma última pergunta. Seu marido bate em você?

— Antes, ele nunca me relava um dedo, mas outro dia me deu um tapa na cara. Ele me humilha muitas vezes, mas apanhar mesmo, nunca apanhei.

— Homens assim vão aumentando a violência doméstica. Você tem que me avisar se isso acontecer, porque aí é o caso de tirar você daqui e te esconder em um abrigo. Você tem família ou amigos onde possa ficar uns tempos, caso precise?

— Tenho, mas não vejo ninguém há anos. Brandão não gosta das minhas irmãs e eu também não quero passar a vergonha de voltar pra lá nessa situação. Elas sempre me avisaram que ele não era um bom sujeito. Você acha que ele vai me matar?

— Sinceramente, não sei. Mas vamos ficar atentas, ok? Vou deixar meu telefone. Você não está mais sozinha, tem com quem falar. A gente pode tentar que você seja uma testemunha protegida. Pra não correr o risco de eu ligar quando ele está em casa, me arruma a escala de plantões dele desse mês?

Ela se levantou, abriu a gaveta do buffet da sala e tirou a escala de trabalho do marido. Fotografei com o celular e me despedi. Uma sensação estranha rondava minha cabeça: aquela podia ser a última vez que eu via Janete com vida.

11.

Horas depois, eu saía da sala do Carvana com a cabeça latejando. Necessitava urgente de uma "neusa". Duas, na verdade. Engoli os comprimidos e voltei para a minha mesa, bufando de ódio. O velho filho da puta havia ignorado solenemente tudo o que eu descobrira, mesmo eu tendo argumentado que o marido era o perfil clássico de um assassino em série e que a esposa se encaixava no protótipo da síndrome da mulher espancada.

— Não adianta, Verô, ela tem que vir na delegacia prestar queixa formal — ele dissera, enquanto mordiscava aquele bigode horroroso. Mania insuportável. — Você adora um vespeiro, hein? Vou lá me meter com mulher de PM? Se você mexe no arquivo da Polícia Militar, ainda sobra pra mim! E tem mais: essa história de assassino em série é coisa de americano. Se ela não deu queixa, engaveta!

Uma frieza misturada com indignação me dominava, era impossível ficar calma. *Watch me, Doc, it's show time*. Eu não precisava mais daquele escroto para seguir em frente. Peguei uma folha de papel em branco, dividi ao meio e comecei meu plano.

Dois casos, duas metades. Marta e Janete. Coloquei as engrenagens para rodar, elencando as principais pendências dos casos. Eu não conseguiria resolver a maior parte sem a ajuda de Nelson. Com uma caneta preta, circulei tudo o que pediria a ele:

Marta Campos

(A) investigar usuário do e-mail estudantelegal88@gmail.com.

(B) Roberto Campos, irmão de Marta, existe mesmo?
Encaminhar formulário de remoção de cadáver da prefeitura para Nelson verificar.

(C) Buscar vítimas semelhantes: B.O. do "Boa noite, Cinderela" + site AmorIdeal.com + bariátrica (?).

Janete

D) Buscar infos sobre os kapinoru (foto dentro da santa).

E) Buscar infos sobre Nossa Senhora da Cabeça.

(F) levantar ficha funcional de Cláudio Antunes Brandão. Advertências? Elogios?

(G) Verificar quantas armas estão registradas no nome dele (a .380 é uma arma fria?).

(H) Buscar vítimas semelhantes: desaparecimento? Estupro ou assassinato?
+ Meninas morenas chegando do Norte
+ lista de primeiros nomes dada por Janete para afunilar a busca.

I) Verificar com Flávia nome do proprietário do imóvel de Janete/ Brandão no Parque do Carmo.

Comecei a trabalhar no que eu conseguia resolver sozinha. Na tela do computador, abri uma tabela com estatísticas de solução de homicídios que o Carvana tinha me pedido para formatar. Quem passasse pela minha mesa, enxergaria uma funcionária exemplar fazendo seu trabalho. No celular, abri o site de busca e escrevi KAPINORU. Vários links apareceram e cliquei no primeiro: "Campanha contra o infanticídio indígena". Era um vídeo de pouco mais de três minutos, mas chocante o suficiente para eu nunca mais esquecer. Diante da câmera, um homem enterrava duas crianças vivas, enquanto o resto do grupo assistia em volta da cova sem fazer nada. Primeiro era um menino já grandinho, portador de deficiência nos pés e nas mãos. Ele era arrastado até a cova, mas não reagia nem chorava. Apenas quando sua cabeça começava a ser coberta de terra, ele implorava pela vida, mas o som logo se abafava pelo pisotear do homem sobre a sepultura. Os gritos eram tão altos que tive que baixar o volume no celular.

Uma menininha cega vinha logo depois, colocada por cima do garoto recém-enterrado. Os outros membros do grupo se agitavam, mas o carrasco seguia o procedimento como quem cumpre uma formalidade, sem pestanejar. Jogou a menina na cova e pegou a pá. Era horrível ver a terra entrando na boca dela, cobrindo seus olhos brancos, se movendo no ritmo da respiração cada vez mais lenta. E o choro, que não parava nunca. Para meu alívio, nos últimos segundos, um garoto corria à cova e desenterrava a menina, fugindo com ela no colo para algum lugar.

Então, subia o texto da campanha que os próprios indígenas estavam fazendo contra essa antiga cultura, ainda realidade em pouquíssimos povos isolados, menos de vinte, de um total de mais de trezentas etnias presentes no Brasil. Quem mantém o costume de matar as crianças indesejadas está nas regiões mais afastadas e de difícil acesso, e os motivos são os mais variados: deficiência física ou mental, escassez de alimentos, violência sexual, nascimento de gêmeos, relações incestuosas... Era uma grande discussão, cultura ou crime? Meu olhar se fixou novamente na fotografia encontrada dentro da santa: era uma criança indígena sem um braço. Quem era ela? Será que tinha morrido daquela maneira?

Na sequência, pesquisei sobre a Nossa Senhora da Cabeça. Protetora da cabeça, do cérebro, da inteligência, da sabedoria e da justiça. O primeiro milagre dela tinha sido com um soldado, pastor de ovelhas, que perdeu um braço na guerra. Ele teve uma visão da santa e, como prova da veracidade dela, seu braço foi refeito. No local da aparição, deveriam construir uma igreja para ela. Outro milagre fora salvar um injustiçado de "perder a cabeça" em uma decapitação pública no último minuto. Por isso, nas imagens da santa, cabeças são colocadas aos seus pés. Quem era devoto da santa, Brandão ou Janete? Descobrir isso podia me ajudar a entender quem era a criança na fotografia. Fechei a página e liguei para Flávia, minha cunhada, que trabalhava no 5º Registro Geral de Imóveis. Como caiu na caixa postal, deixei recado solicitando que ela descobrisse quem era o proprietário do imóvel onde Janete morava. O próximo passo era pedir a ajuda de Nelson, mas aproveitei que o Carvana tinha saído para o "almoço" e abri o e-mail dele — o velho era tão ruim de tecnologia que eu imprimia os e-mails todos os dias e colocava sobre a mesa dele para facilitar. Incrível como as pessoas que não aprenderam a lidar com a informática ficaram fora do mundo e dependentes dos outros. Fingindo ser o velho escroto, enviei um e-mail para outros delegados amigos pedindo que encaminhassem à secretária Verônica (secretariavt@polcivil.sp.gov.br) quaisquer informações de denúncias no padrão dos itens *c* e *h* da minha lista.

Saí da sala dele, confiante. Mesmo adiando ao máximo, tinha chegado a hora de falar com Nelson. Em uma coisa o Carvana estava certo, eu sempre gostei de mexer em vespeiro. O passado devia ficar no passado, mas a necessidade dita as regras. Sem levantar a cabeça, localizei o alvo no salão da delegacia.

Vasculhei a bolsa, peguei o nécessaire e o celular, esperei que ele estivesse de costas e escapei para o banheiro. Dei de cara com a Suzana, que foi logo comentando:

— E aí, Verô? Tá sumida, hein?

— Sumida nada, Suzana, tá me controlando? — O tom saiu mais ríspido do que eu esperava.

— Ih, tá virada hoje? Perguntei por perguntar, não te vi hoje de manhã por aqui!

— E queria me ver por quê? Tem mais algum recado?

— Deixa pra lá, Verô, tô sem saco pra não me toques.

Suzana saiu ventando pela porta. Melhor assim. Eu precisava de pelo menos mais cinco minutos para ficar nos trinques. Passei um antiolheiras básico, joguei um pouco de pó translúcido, retoquei uma sombra marrom nos olhos, que pareciam desmaiados, um blush para afinar o rosto e disfarçar o branco do cansaço. Faltava alguma coisa. Remexi minha bagunça até encontrar o rímel, dei uma alongada nos cílios, passei um lápis preto puxando os olhos e finalizei com um batom cor de boca. Ótimo, uma maquiagem para parecer que eu nem estava maquiada.

Joguei a cabeça pra frente, chacoalhando os cabelos, então alisei com os dedos para tirar o embaraço e me olhei no espelho uma última vez. Tilintei minhas pulseiras para soltar uma da outra, mandei um beijo pra mim mesma e saí voando, com a sorte do meu lado. Adivinha com quem esbarrei bem na porta do banheiro? Nerdson. Ele me olhou cheio de surpresa, e eu inclinei a cabeça, insinuando um convite como nos velhos tempos. Dizem que errar uma vez é humano, mas dar para o ex é burrice. Portanto, sou burra, mas por um bom motivo.

— Nerdsinho, me faz mais um favor? — perguntei, e fui logo colocando a mão na medalhinha pendurada em seu peito. — É importante...

— Só se a gente aproveitar o fim de tarde pra brincar um pouco.

A alegria enchia os olhos dele. Pisquei, simulando dúvida:

— Antes, você me mostra que é bom de pesquisa, enquanto eu penso no seu caso. Preciso que você levante a ficha funcional desse cara aqui: Cláudio Antunes Brandão, policial militar. Quero tudo.

Fomos juntos até a mesa dele. Nelson se sentou diante do computador com mais ânimo do que nunca e, em meio minuto, conseguiu a informação que eu queria. O marido de Janete era capitão da PM do 8º Batalhão de Polícia Militar Metropolitano (BPMM), Tatuapé — Zona Leste. Conferia. Na folha corrida dele, nada de muito importante. Um sujeito normal, invisível até.

— Aquele hotelzinho aqui perto ainda existe? — falei, já de bolsa na mão e um beicinho ingênuo altamente premeditado.

Nelson sorriu:

— Vai na frente. Quarto ímpar, não esquece.

— Eu sei. Você e suas estranhices…

O motel Love Story era bem honesto, antigo, longe o suficiente para ninguém nos ver, perto o suficiente para nenhum de nós se atrapalhar com o trânsito. Entrei logo no chuveiro, esperando por Nelson. Nem precisava de um "esquenta". Ele não era exatamente avantajado, mas fazia coisas in-crí-veis entre quatro paredes. Eu só tinha que tomar cuidado para não perder o controle. Envolvimento era a última coisa que eu queria. Enrolada na toalha, liguei a TV em um vídeo quente, arrumei os travesseiros e fingi cochilar assim que escutei Nelson se aproximar da porta. De olhos fechados, ouvi o chuveiro ser ligado e esperei quietinha, aproveitando aquele tempo para relaxar de verdade. Nelson veio minutos depois, cheio de carinho, me acordou com um beijo na nuca, depois de afastar meus cabelos pro lado. Virei pra ele e o puxei pela medalha no pescoço, ávida. Para minha sorte, ele não estava com a menor pressa. Beijou cada pedaço do meu corpo como quem verifica uma memória, me fazendo implorar por mais. Aguentei sua lentidão o quanto pude, mas sem aviso o girei de costas e sentei nele:

— Agora é a minha vez, você já brincou bastante.

Quando já estávamos exaustos, me dei conta de que o tempo tinha voado e era hora de correr para casa. Passei a lista para Nelson enquanto me arrumava, explicando ponto a ponto tudo o que era importante, mas sem contar muito sobre os casos. Ele insistia no papo de que nunca me esqueceu, mas eu mal ouvia, não tinha o menor interesse naquilo. Era só o que me faltava, ele confundir sexo com amor.

Já no corredor, meu celular começou a tocar. Pensei que era Paulo e fui logo inventando uma mentira, mas o visor indicava "Janete". Hesitei, considerando o próximo passo. Eu não podia deixar de atender, seria uma quebra de confiança. Equilibrei o aparelho entre o ouvido e o ombro, enquanto prendia os cabelos.

— Oi, querida — falei, com um entusiasmo que disfarçava a minha preocupação.

Então, veio a pergunta que eu não queria ouvir, repleta de esperança:

— E aí, falou com o delegado? Ele acreditou em mim?

12.

Tudo certo, a gente precisa se encontrar. As palavras de Verônica antes de desligar ecoam no ouvido de Janete e uma sensação de alívio a toma por inteiro. A policial parecia adivinhar as coisas, conseguiu entrar em sua cabeça, seu coração, seu passado. Janete prefere nem pensar como vai ser quando o mundo inteiro souber o que Brandão faz, quando ele finalmente estiver atrás das grades.

Sabe que não adianta ter pressa, mas está ansiosa para descobrir o que o delegado achou da sua história. Combinou de se encontrar com Verônica na lanchonete da Tina, perto do bar dos motoqueiros, dali a dois dias, quando Brandão voltará ao plantão na polícia. Olha pela janela, vê a luz do sol sumir e confere o relógio. Não falta muito para ele chegar do trabalho. A ansiedade volta a se instalar, mas ela resolve afastar os pensamentos ruins e ter uma noite agradável. É o melhor que pode fazer nesse intervalo, quando o mundo parece em suspensão, a próxima página da sua vida ainda em branco. Muito bom criar um espaço para respirar um pouco e se sentir normal outra vez. *O passado, esquece; o presente, vive; e o futuro, Deus proverá*, pensa.

Quer aproveitar o tempo que ainda tem com Brandão. Quer agradá-lo hoje como há muito não faz. Vai sofrer a falta dele. Precisa colecionar bons momentos para ter no que se agarrar nas horas difíceis que estão por vir. Ela se levanta, vai para a cozinha e prepara o aperitivo preferido do marido: patê de atum com maionese e cebolinha. Coloca as torradas frescas em uma cumbuca forrada com uma toalha bordada. Capricha na arrumação da mesa de centro, colhe uma flor no jardim para compor o quadro, põe para gelar um vinho branco, separa duas taças apropriadas. Afasta-se um pouco, contemplando o resultado: perfeito! Confere o relógio outra vez; sua cronometragem está exata. Pega o bloco de post-it cor-de-rosa e escreve com uma letra arredondada: *Vida, estou me perfumando pra você*. Cola o bilhete do lado de fora da porta de entrada antes de seguir animada para o chuveiro.

Adora a água envolvendo o corpo. Em geral, é o melhor momento para se desligar de tudo, mas hoje não funciona. Narrar em voz alta os crimes do marido a fez enxergar o quanto toda aquela situação era sinistra. Antes, vivendo no dia a dia, ela nunca tinha se dado conta de que aquilo tudo soaria tão mal.

Janete contou o que queria, mas lamenta ter perdido o controle daquilo que *não* queria ter dito. Confiou demais em Verônica, foi um exagero ter dado a lista de nomes das mulheres e detalhado como faz para cooptá-las na rodoviária. Se a polícia encontrasse essas moças vivas, ela seria a primeira a ser reconhecida. Não quer ser presa, não conseguiria aguentar esse futuro. Mas, sem dar detalhes, não tinha como justificar o que sabia. Ela não se sente cúmplice, e sim testemunha.

Quando contou dos gritos que ouvia a cada sessão de tortura, percebeu seu erro na expressão de Verônica. A policial até tentou disfarçar o impacto, mas a pele dela ficou branca como papel. Enquanto se ensaboa, Janete toma uma decisão: daqui para a frente, vai dizer que fica amarrada à poltrona quando chega ao bunker. Não foge nem faz nada porque não pode. Uma mentirinha para aliviar o peso da sua inércia. Vai ser mais seguro assim.

Deixa o condicionador agir nos cabelos e um sorriso safado cresce nos lábios. A noite promete. Um oásis no meio dessa confusão. Sem discutir a relação, sem falar na "próxima vez". Se ao menos conseguir distrair Brandão, como fez por tantos anos. Se ele ficar satisfeito de verdade, pode voltar a ser o que era antes, deixar aquele bunker para trás. Ela sabe que é capaz disso.

Janete ouve quando o carro do marido encosta na frente de casa, seguido do ranger do portãozinho. Escorre os cabelos depressa, garantindo que não reste nenhum condicionador para tirar o volume do resultado. Cabelos compridos dão trabalho, mas ela se sente o próprio Sansão quando os fios caem sobre os ombros e as costas. Na rua, é invejada, recebe muitos olhares ao fazer um coque displicente, de um só nó, revelando o pescoço. Não raro, os homens a abordam com cantadas, nem sempre sutis ou inteligentes. Mas quando está acompanhada de Brandão, ninguém se atreve, claro. Seu homem intimida pelo porte físico e pela cara sempre amarrada. Aquilo, sim, dá tesão nela.

Resolve esperar mais um pouco. Brandão gosta quando começam a brincar no chuveiro. Não é má ideia tomarem o aperitivo de roupão de banho, os dois já relaxados, contando as coisas cotidianas de cada um. A essa altura, ele já leu o bilhete, viu as coisinhas preparadas com cuidado na mesa da sala, deve estar vindo. Por que está demorando tanto?

— Vida, cadê você?

A porta é aberta de um jeito que quase arrebenta a parede. Janete se engasga com a água e escorrega, batendo a cabeça na torneira de metal. Da sua testa, escorre sangue. Brandão tem o rosto vermelho e distorcido, o peito estufado, o olhar estreito.

Arranca a tampa da privada, espatifando-a no chão, rasga o bilhete cor-de-rosa em vários pedaços e os joga descarga abaixo.

— O que você aprontou, passarinha? — A voz dele é gutural.

Janete fica insegura, não quer se trair. A cabeça dói. Antes que consiga argumentar qualquer coisa, ele a arrasta para fora do chuveiro, molhada e nua. Escuta muitos xingamentos, não consegue entender nada direito. Brandão sacode o indicador diante dos olhos dela, cospe em seu rosto:

— Invadir minha privacidade? Eu acabo com você, te depeno inteira!

— Vida, você está me machucando! — Janete consegue dizer.

Ela segura os próprios cabelos, mas a dor se espalha a cada puxão. Os tacos soltos do piso rasgam sua pele. Suas mãos bailam desesperadas entre cabelos, costas e pernas, sem saber o que proteger primeiro, as unhas se quebram a cada tentativa de defesa. De repente, é jogada na cama como uma boneca de pano.

— Pelo amor de Deus, o que foi que eu fiz? — Ela chora. Não recebe resposta, só socos. Seus pensamentos zonzeiam em busca de explicações, mas só há uma: ele viu Verônica entrando ou saindo dali. Ela vai morrer.

— Achou que eu não ia descobrir que você mexeu na minha gaveta, sua enxerida do caralho? — ele berra. — Experimentou as calcinhas também? Você é tão burra que se esqueceu de trancar!

De que gaveta ele está falando? Janete leva um murro no estômago que lhe tira o ar por alguns segundos. Quase desfalece, mas recobra a atenção quando é puxada pelo braço e sentada com tanta força na penteadeira que a cadeira quase desmonta.

— Começa a se enfeitar, vadia — ele ordena. — Se emboneca que eu vou te foder pro mundo inteiro ver.

Incrédula, ela obedece. Tem certeza de que Brandão enlouqueceu. Com movimentos lentos, pega a base e começa a esconder a vermelhidão no rosto e nos braços. As lágrimas atrapalham. Usa as costas da mão para enxugá-las, sem conseguir evitar os borrões.

— Vida, eu não fiz nada...

Ele não quer escutar. Empurra Janete para o centro da cama, forçando suas pernas a se abrirem. Pega na gaveta os brinquedos sexuais e os joga ao lado do corpo trêmulo da mulher. Com a câmera do celular, tira fotos, enquanto enfia os objetos de diversos tamanhos em cada orifício do corpo dela. Gargalha, conduzindo a sequência:

— Isso, passarinha, muito bom. *Clic*. Agora, vira de lado. *Clic*. Abre, abre mais, tô mandando! *Clic*. Não precisa ter vergonha, ela até que é bonitinha. *Clic*. Agora de quatro, passarinha. *Clic*. Enfia até o fundo. Tem muita coisa pra fora. *Clic*. Dói, mas é bom. Me obedece. *Clic*. Eu sei que você gosta.

Clic, clic, clic. Janete perde a conta de quantas poses faz. Que Brandão a mate agora, já não tem mais importância. De repente, ele para, deixa o celular na mesa de cabeceira e diz, com a voz doce:

— Vem, passarinha, senta aqui e não se mexe.

Sem forças, ela se acomoda de novo na penteadeira, examinando o rosto borrado no espelho. Não pensa em nada, nem reconhece aquela mulher. Pela visão periférica, vê Brandão entrar e sair do banheiro. Quando ele se aproxima, ela dá um grito de pavor. Tenta correr, mas ele ri e a rodeia, impedindo a passagem. A tesoura de metal brilha nas mãos dele.

Com um só braço, ele a domina, a faz ajoelhar no chão e começa a cortar seus cabelos com um ânimo demoníaco. Janete chora convulsivamente; em um último esforço, tenta diminuir o estrago, mas não há mais o que fazer. Os tufos se espalham, pedaços inteiros de sua força se esvaindo no assoalho.

Seu ódio cresce a toda velocidade e tem um alvo bem específico: Verônica. Sem dúvida, foi ela que mexeu na gaveta dele!

Mentiu ao dizer que nunca tinha entrado na casa... Como sabia das palavras cruzadas? Como sabia que Brandão era da PM? Isso que dá confiar em polícia. Nunca mais! A raiva suga tudo que há nela, até para de chorar. Se tivesse uma arma, mataria aquela policial traidora filha da puta.

Brandão ajuda Janete a se erguer. Ao encarar o espelho, ela sente um nó nas entranhas. Acabou, está pelada. A linda cabeleira deu lugar a um corte "Joãozinho" mal ajambrado, irregular e terrível. Desmaia com a sensação de que abre as asas sobre um abismo escuro.

13.

Toda minha expectativa estava voltada para o encontro com Janete. No telefonema, eu havia sido vaga, tinha adiado o problema, mas não poderia continuar omitindo que o escroto do Carvana se negara a ajudar no caso. Seria uma conversa difícil.

Na data combinada, cheguei à lanchonete da Tina com meia hora de antecedência. Pedi um pão na chapa com Polenguinho e me sentei. A ansiedade era tanta que pedi um segundo pão. Ao menos, aplacava o estômago.

Pela milésima vez, olhei para o relógio e a minha preocupação aumentou. Eu já estava sentada ali havia mais de cinquenta minutos! Será que Janete tinha desistido? Não, claro que não, ela estava completamente fodida. Se tinha se atrasado, era porque algo grave havia acontecido. Fiquei observando o movimento enquanto bebericava o meu suco. Todo tipo de gente entrava e saía, mas nenhuma era Janete.

Pedi a conta, decidida a ir até a casa dela. Aguardava que o garçom trouxesse a máquina do cartão quando uma moça visivelmente frágil entrou na lanchonete. Morena, cabelos bem curtos, óculos escuros e camiseta de mangas compridas em um calor de trinta graus. Veio na minha direção, e só então percebi algo familiar em seu andar. Meu Deus, era Janete! Sem cor, sem vida nenhuma, quase um zumbi, ela se sentou na cadeira do outro lado da mesa antes que eu conseguisse disfarçar o espanto.

— Só vim aqui te dizer que eu tô fora — ela sibilou, em um fio de voz. — Nunca estive com você, não te conheço e quero que saia da minha vida agora.

Então se levantou da mesa e só não foi embora porque segurei seu braço:

— Espera, me diz o que aconteceu — pedi, enquanto consultava desesperada meu ficheiro mental de mulheres espancadas. — Confia em mim.

— Confiar em você? O que você fez comigo foi a pior traição… Quero que você se exploda, maldita!

A raiva irracional em sua voz me desestabilizou. Janete escorria pelos meus dedos.

— As coisas saíram do controle. Você está horrível, Janete — falei, sem eufemismos, evitando o lugar-comum que orienta a ver o lado bom das coisas para acalmar uma mulher nesse estado. Ela não esperava tanta sinceridade e prestou atenção. — Ele escalou na violência, não foi? Você apanhou? Essa roupa é pra esconder o que ele fez com você? Me conta o que aconteceu.

— Aconteceu você, Verônica! Você é a culpada. Minha vida estava ótima até você entrar nela e estragar o pouco de paz que eu tinha…

Pisquei várias vezes, desconfiada. Se eu me acovardasse, ela me devoraria.

— Sua vida estava ótima? — desdenhei. Ela inflou o peito, pronta para um novo ataque, mas depressa adotei um tom pacificador. — Como eu posso ser culpada, Janete? Eu posso é te ajudar a sair das garras desse homem!

— Você mentiu pra mim. Entrou na minha casa, mexeu nas minhas coisas e, além de fazer isso pelas minhas costas, deixou a gaveta do Brandão destrancada! Eu não tive a menor chance, mereci mesmo apanhar. Até parei de negar, porque nós duas sabemos que não tinha outra possibilidade. Se não foi ele, fui eu, percebe? E como não fui eu, foi você. *Você*, sua desgraçada!

Janete virou o rosto, engolindo o choro, as lágrimas escorrendo por trás dos óculos escuros. Levantei em um pulo e a abracei bem apertado. Transferência de raiva era um clássico, como a esposa traída que deseja matar a amante, em vez de matar o marido. O safado é a vítima, enquanto a "outra" é a vagabunda. Eu precisava fazê-la enxergar isso, mas Janete retesou o corpo, me rejeitando. Então a abracei com mais força:

— Entende o meu lado. Eu tinha que saber mais sobre a situação. Me preocupo com o risco que você corre todo dia. Quanto mais você fica isolada do mundo, da sua família, mais controle ele ganha. A violência vai crescer, e ninguém, absolutamente ninguém, merece sofrer violência física ou verbal. Presta atenção, Janete, você é a VÍTIMA!

— Ele já se arrependeu. Não queria ter feito o que fez. A gente tá bem agora…

— Para de se iludir! Ele te bate, pede desculpas, vocês passam um tempo de calmaria, mas, depois, ele volta a te bater de maneira ainda pior. É como um ciclo vicioso. E você ainda se sente culpada.

Ela afastou o corpo, passou as mãos entre os ralos fios de cabelo, me encarando. Estava tosada, no limite da sanidade. Não havia mais raiva, apenas a mágoa de uma criança abandonada:

— Vai acabar, sim. Você não podia ter feito isso comigo.

— Eu não fiz nada, foi ele. Você sabe… Você é inteligente demais pra não perceber isso.

— O delegado não acreditou em mim, não é? Ele nem se deu ao trabalho de vir até aqui.

— Claro que acreditou, Janete! Topou ajudar assim que falei do seu caso. Agora tem uma equipe inteira trabalhando a seu favor! Ele só não veio pra deixar a gente mais à vontade.

Ela abaixou um pouco os óculos e me estudou com olhos crédulos. Deu para ver o tamanho do hematoma que as lentes escuras escondiam. Eu me sentia uma vaca mentirosa, mas não tinha jeito. Se contasse a verdade, perderia o caso.

— Então, está pronta para o próximo passo? — insisti, forjando uma animação que não sentia.

— Você é surda? Estou fora, vou jurar de pés juntos que nunca te vi na vida e vou retomar o meu casamento. Eu traí a confiança do meu homem, mereci ser castigada. Não vou errar de novo.

Ela queria confronto? Então, eu também usaria as minhas armas:

— Sinto muito, você não pode fazer isso. O delegado já sabe do seu caso, tenho seu telefonema para a delegacia, a lista de nomes das vítimas escrita com a sua letra. Você já deu este passo e, se voltar atrás, Janete, vai sair de cúmplice nesta lama toda. Você vai pra cadeia.

Vi os ombros dela murcharem, o corpo se encolher atrás da mesa.

— Você não pode fazer isso, desgraçada! Golpe baixo! Ele vai acabar comigo, não aguento mais uma rodada dessas! Não aguento… Minha vontade é de te matar!

— E por que não mata?

— Não sou uma assassina!

— Não? — perguntei, com um sorriso discreto. Ela mordeu a isca. — Você é uma mulher forte, Janete, vai ficar bem. Com imunidade ou como testemunha protegida, você pode começar uma vida nova, escrever outra história pra si mesma. Agora, escuta: a gente precisa de elementos sólidos, mais informações, localizar o tal sítio, entender melhor a lógica do seu marido.

Tirei o celular da bolsa e mostrei a fotografia da menina sem um braço:

— Quem é essa?

Ela me encarou intrigada:

— Não faço ideia! Nunca vi essa criança na vida! Por quê?

— Estava dentro da imagem da santa na sala da sua casa.

— Brandão não me deixa mexer naquela santa. Nem pra tirar pó.

— Tem certeza de que não reconhece a menina? — insisti, mas Janete parecia mesmo perdida. Repetiu que só sabia das moças que cooptava na rodoviária e dos sons que ouvia depois. — Tenta descobrir mais sobre esse lugar pra onde ele te leva. Qualquer informação nova pode ser decisiva pra nossa investigação.

Falar no plural era uma forma de fazê-la se sentir engajada, parceira, mas a dúvida ainda obscurecia os olhos de Janete:

— Só quero ir pra casa e dormir até não me lembrar de mais nada. Nem me aguento em pé. Se quiser me prender, vai em frente. Já falei que estou fora, Verônica. De vez.

Faltava pouco para Janete romper com a realidade e, caso isso acontecesse, eu nunca mais conseguiria trazê-la de volta. Ela era a testemunha-chave do caso da minha vida. Naquele momento, entendi que forçar a barra só deixaria tudo pior:

— Vou respeitar o seu tempo. Você está como um avestruz, com a cabeça dentro do buraco. Pensa no que eu tô dizendo e acorda, Janete. Você disse que ele sai com o café e você fica sozinha no bunker por alguns minutos... Aproveita esse tempo! Tira a caixa da cabeça, pelo menos! Olha em volta! Registra os detalhes que conseguir e vai se armando contra ele! Você é capaz!

— Tchau, Verônica.

Fiquei parada, bem chateada, enquanto Janete se levantava e caminhava para a porta. Não dirigi o olhar a ela, não falei mais nada. Apenas a observei se afastar enquanto pensava em como encarar o papel dela dali para frente. Basicamente, havia duas opções: ou o discurso tinha funcionado e ela continuaria do meu lado para resolver o caso, ou tudo falhara e eu acabara de conquistar uma nova opositora, que poderia abrir o bico para o marido assassino a qualquer momento e me colocar no foco dele. Aliada ou inimiga — qual das duas era Janete?

Acompanhei a escala de plantão de Brandão pelas semanas seguintes. Em um mundo perfeito, Carvana teria feito o serviço dele decentemente e destacaria uma equipe policial para ficar de tocaia perto da casa deles no Parque do Carmo esperando a noite do próximo ataque. Na vida real, eu estava sozinha e só podia monitorar a situação por telefone. Liguei para Janete em dias e horários em que o marido estava trabalhando, mas ela não atendeu.

Em algumas noites de folga de Brandão, até me vinha aquela vontade de pegar o carro e tentar a sorte, observar por horas a janela da casa deles e ver se algo inesperado acontecia, mas a vontade logo era atropelada por pendências burocráticas ou por demandas familiares. Paulo também estava atolado de trabalho, cada vez menos em casa, e me pressionava para que eu ficasse mais tempo com as crianças. Rafael não ia bem na escola, o negócio dele era a natação. Com onze anos, vivia treinando, sem vida social. Nadava duas vezes por dia, fazia musculação, lutava para "baixar o tempo", uma obsessão louca. Fazia o mínimo necessário para passar de ano e vivia de recuperação.

Com o tempo, os valores se inverteram e Paulo encarnou o papel de treinador. Cobrava mais do Rafa a cada campeonato, reclamava de mim por atrasar o dia das compras e por me esquecer dos nutrientes certos na alimentação do atleta. Com a Lila não estava mais fácil: aos nove anos, ela pesava bem mais do que deveria. Comida demais para o filho, dieta tirânica para a filha. No fim das contas, tudo servia de desculpa para Paulo começar uma conversa sobre o tipo de mãe que eu era e o tipo de mãe que deveria ser. Até que, certa manhã, já cheia daquele assunto, eu disse:

— Se você queria uma dieta balanceada todos os dias, devia ter se casado com uma nutricionista!

Tranquei a porta do quarto e voltei a acessar o site AmorIdeal.com no meu laptop. Nessas semanas, eu só queria uma boa desculpa para ficar sozinha por horas. Conversar com aqueles homens no site tinha se tornado um vício. Tudo para tentar descobrir a identidade do sapo disfarçado de príncipe que enganara Marta Campos.

Cada troca de mensagens avançava em ritmo distinto. Alguns homens responderam rapidamente à mensagem inicial que enviei e o diálogo havia evoluído. Outros pareciam acessar pouco o site ou não tinham se interessado pelo perfil psicóloga-divorciada-rica que usei como isca. De todo modo, entre uma resposta e outra, consegui eliminar mais suspeitos e afunilar a busca.

Cortei os que escreviam mal e mantive os que usavam "minha linda" ou "minha princesa" nas mensagens. Eu provocava para que o sujeito me enviasse um sorriso gráfico nas respostas. Cada pessoa costuma usar sempre o mesmo, e o de Pietro era =). Eliminei os que usavam :) e :-). Tentei selecionar também pela fotografia: aparência *babyface* era uma boa aposta, visto que tanto o noivo de Marta quanto o rascunho de retrato falado feito por ela tinham jeito de novinhos. Barbados e marmanjos com cara de Rambo estavam fora. Depois de dias na peneira, consegui reduzir de cinquenta e quatro para vinte e dois o número de suspeitos, o que me deixou animada. De tanto olhar para a minha própria foto no site de relacionamentos, tirada cinco anos antes, desejei voltar a ser aquela mulher. Quando você vai batendo na casa dos quarenta, tudo o que quer é rejuvenescer, essa é a verdade. Marquei para o dia seguinte um encontro com o Rodrigão, o rei das loiras.

Saí do salão me sentindo poderosa, com o cabelo todo repicado. A alcunha não era à toa, Rodrigão era mesmo um mago das tintas, os reflexos ficavam naturais, uma beleza. A sensação era tão boa que decidi entrar também na dieta da Lila para perder uns quilinhos — era preciso muita força de vontade para ser feliz com frango grelhado e batata-doce. No fim das contas, o motivo era nobre: quando eu encontrasse o @estudantelegal88, ele não iria me reconhecer mesmo que tivesse assistido à minha entrevista na TV sobre o caso Marta Campos.

Em duas semanas, eu me tornara uma Verônica com o rosto afinado, luzes no cabelo e três quilos mais magra. Comprei um par de óculos vermelhos e retangulares em uma loja da 25 de Março, só para leitura, e fiz matrícula de um ano na academia, prometendo que voltaria sem interrupções desta vez. Minha preocupação com Janete, no entanto, só crescia. Realmente havia sido uma pisada na bola enorme deixar a gaveta aberta, nem tinha pensado nisso. Eu deveria ter percebido que Brandão era um criminoso organizado, que qualquer erro ou deslize seria notado. Agora, sem contar com o apoio dela, era eu quem não podia deixar rastro, tinha que ser calculista, usar investigações laterais, menos arriscadas. Tinha certeza de que Janete ia acabar me ligando. Mais dia, menos dia, a "lua de mel" deles terminaria, o canalha ia sentar a mão nela outra vez, e ela não teria a quem culpar. As respostas que busquei sobre o caso não me levaram a nada. Minha cunhada ligou para dizer que o imóvel no Parque do Carmo estava no nome de Cláudio Antunes Brandão, e que era o único imóvel no nome dele. A localização do tal bunker continuava um enigma. Para a minha decepção, a ficha funcional completa do PM era apática, sem advertências nem elogios — um homem que passava em branco. Apenas um detalhe: não havia registro de nenhuma arma que combinasse com a munição do .380 que eu tinha visto na gaveta dele. Mas isso também não era muita coisa: ter uma arma fria é comum na polícia, principalmente se você quer ter uma chance realmente boa.

Ao longo dos dias, alguns delegados responderam aos e-mails com o pedido sobre crimes semelhantes aos que eu buscava. Depois de cotejar as informações com os nomes da lista de Janete, reparei que nenhum deles se encaixava nas estupradas ou assassinadas. Cinco se encaixavam como desaparecidas prováveis, pelo primeiro nome e pela descrição no registro policial: Creuza, Darcília, Divina, Miranda e Nilce. Quase todas largaram filhos com a avó no Norte, vieram para São Paulo trabalhar e mandar dinheiro para a família e nunca mais deram notícia. Sempre havia a possibilidade de que aquelas mulheres tivessem fugido da vida anterior e caído na gandaia da cidade grande, mas aqueles nomes eram ímpares demais para uma simples coincidência. Eu não tinha dúvidas: Brandão torturava e matava aquelas mulheres. Depois, sumia com o corpo delas.

Acabei tendo que contar para Nelson toda a verdade sobre os casos que eu estava investigando em paralelo. Eu sabia que abria um caminho sem volta, mas minha investigação ficaria estagnada sem ele. Enquanto explicava tudo em detalhes, ele não me pressionou, foi atento, fiel como um cão, sem essa típica necessidade masculina de se mostrar superior às mulheres. Prometeu que não comentaria nada com Carvana e se animou ainda mais em me ajudar.

Infelizmente, nos dias seguintes, as respostas sobre o caso Marta Campos também não foram nada conclusivas. O e-mail do @estudantelegal88 havia sido excluído e era impossível rastrear sua origem. Ao que tudo indicava, o irmão dela não existia mesmo e o formulário de remoção de cadáver tinha sido falsificado. A essa altura, eu já descartara tudo o que Pietro informou para Marta: a origem, a história de vida, os hábitos. Mentiras atrás de mentiras.

Na busca de boletins de ocorrência semelhantes, eu ainda tinha alguma esperança, mas nem isso deu resultado: tanto as outras delegacias como Nelson não conseguiram nenhuma denúncia similar nos últimos dois anos. As mulheres que sofrem esse tipo de golpe ficam muito frágeis. Quando prestam queixa, deixam de contar detalhes que possam manchar sua reputação, evitam revelar que foram enganadas porque se envolveram emocionalmente com um filho da puta. Têm vergonha. No site AmorIdeal.com, eu ainda lutava para chegar a um único suspeito. Lia e relia os perfis e as conversas, mas não sabia como avançar. Além disso, nada me garantia que o @estudantelegal88 estava entre aqueles vinte e dois sujeitos. Nesse ritmo, eu ia pegar o cara já usando bengala.

Em uma sexta-feira, uma luz se acendeu no meu cérebro. Saí para jantar com Paulo, que havia insistido a semana inteira para termos um momento só nosso. As crianças foram deixadas com a mãe dele e resolvemos comer em um restaurante perto de casa, com massas deliciosas. Como eu ainda estava de dieta, sobrou muita comida e pedi para colocar o restante em uma quentinha.

No mesmo instante, veio o flash... A quentinha estragada na geladeira de Marta! Se depois de sofrer o golpe Marta ficou de cama, deprimida, então a última saída dela para jantar fora devia ter sido com o @estudantelegal88. Como fez cirurgia bariátrica, ela não comia muito. A sobra guardada na geladeira indicava o local do jantar na noite do encontro!

Cheguei em casa louca para checar a informação. Voltei às fotos, vi o nome do restaurante na embalagem, comparei com os cartões do quadro de cortiça e lá estava: Trattoria do Sargento. Fiquei tão feliz que até fiz um sexo mais gostoso com o Paulo naquela noite. Ele estava animado com a "nova mulher" loira que eu havia me tornado.

No dia seguinte, na hora do almoço, fui à Trattoria do Sargento, na rua Pamplona. Era uma típica cantina italiana, bem família, com fachada simples pintada com as cores verde, branco e vermelho. Para deixar tudo mais surreal, o homem do caixa era português, bigodudo e mal-humorado. São Paulo é mesmo uma mistura louca de imigrantes.

— Queres saber o quê, minha senhora? — ele perguntou.

Dei meu sorriso mais cordial, já antevendo que não ia ser fácil. Tirei o crachá para fora da camisa:

— Sou Verônica Torres, DHPP de São Paulo — disse, sem dar muito tempo para ele pensar. — Preciso verificar as imagens das câmeras de segurança do restaurante para localizar um suspeito que jantou aqui no dia 12 de setembro. Tudo bem?

— O restaurante não tem câmeras, minha senhora. E mesmo que tivesse... Por acaso vieste com um mandado? A última coisa que me falta pra piorar o movimento nessa crise é polícia metida aqui!

Comprar briga com o sujeito só ia me atrasar. Preferi tentar de novo:

— Não vim causar confusão, senhor...? — disse, estendendo a minha mão.

— João Baptista, ao seu dispor — ele respondeu, os dentões amarelos saltando da boca. Exalava um cheiro forte de nicotina. — Desculpe o mau jeito, mas não posso mesmo ajudar, minha senhora.

Ainda tentei pedir a lista dos clientes que pagaram com

cartão de crédito naquele dia, mas ele nem se deu ao trabalho de prestar atenção. Apelei para uma mentirinha simples: expliquei que investigava para uma amiga, que a coitada suspeitava que era traída pelo marido, mas a invenção só piorou.

— Minha senhora, em briga de marido e mulher, eu não meto a colher. Não me faz perder mais tempo. Se precisar da polícia pra prender homem que traiu mulher, não vai sobrar ninguém pra almoçar aqui. A senhora já é a segunda moça que vem me pedir para ver as imagens, e eu não vou prejudicar cliente por conta de fuxico. Volte com uma ordem judicial ou nada feito.

Sem dúvida a primeira moça que pedira acesso às câmeras tinha sido a própria Marta. Uma pista quente!

— Posso me sentar e almoçar, pelo menos? Não quero perder a viagem.

— Pode, sim, senhora. Mas polícia não come de graça aqui, não. A senhora fique à vontade se quiser, mas paga a conta.

Respirei fundo para não mandar o portuga à merda. Peguei uma mesa discreta e pedi uma coca com gelo e limão. O salão estava lotado. Camisetas variadas penduradas pelo teto formavam a decoração do restaurante, e garrafas de vinho em prateleiras completavam a imagem de cantina. Fotografias de celebridades que frequentavam o local estavam espalhadas pelas paredes. Olhei ao redor para ver se encontrava algum famoso. Que nada! Sentadas nas cadeiras vermelhas, só pessoas comuns como eu. Continuei observando o movimento dos garçons. O atendimento era simples, mas bem ágil. Enquanto saboreava um *spaghetti alla fiorentina*, chamei o maître e enchi de elogios o atendimento e a comida. Entre um sorriso e outro, cheguei ao assunto, mostrando a fotografia de Marta.

— Conhece essa moça?

Ele se lembrou dela na hora:

— Sim, claro, eu que atendi a mesa. Mas já faz um tempinho. Não lembro quando, nem com quem ela estava, mas acho que estava acompanhada…

Era o meu dia de sorte. Tirei o desenho do Pietro da bolsa e o mostrei.

— Era esse mesmo! Ele vem aqui de vez em quando, sempre acompanhado. Parece mais novo do que é. Esse cara fez alguma coisa? É procurado? Com tanto empresário sendo preso, não quero confusão pro meu lado, não.

— Confusão nenhuma, te garanto. Preciso só saber se ele veio aqui no dia 12 de setembro. Você consegue pra mim a lista de quem pagou com cartão de crédito ou cheque nesse dia? É por uma boa causa, vai…

O maître me olhou, fazendo careta. Tive que recorrer a um clichê ainda eficiente:

— Pensa na sua irmã, na sua mãe… Podia ser com elas! Ninguém vai saber! Fica entre nós, eu juro. — Beijei os dois indicadores cruzados sobre a boca. Inocência pura, ele amoleceu na hora:

— Tá bem, tá bem. Vamos fazer assim: o seu João sai umas cinco, seis horas. Vou pensar em um jeito.

Voltei na hora combinada. Enquanto servia as mesas, o maître apontou com a cabeça a tela do computador, ligeiramente virada para quem fica do outro lado do balcão. Quando me sentei no banquinho, já estava aberta na tela a lista dos pagamentos do dia 12 de setembro. Para minha sorte, poucos tinham pagado em dinheiro. Anotei os nomes de todos que usaram o cartão, um por um, não eram tantos assim. Saí de lá com um adeusinho, bloco em punho.

O próximo passo era simples: comparar os nomes anotados com os dos sujeitos que estavam em conversa mais adiantada comigo. Não demorei a encontrar um *match*: Cássio Ramos, no cartão, Cássio Ramirez, no AmorIdeal.com. Não era um nome tão comum. Cássio Ramirez usava o nick @remediodeamor, se apresentava como um farmacologista bonitão e escrevia direitinho. Era bem o padrão que eu buscava. Mandei mensagem para ele no site, jogando a isca. Disse que tinha conseguido uma brecha na agenda e estava livre para um encontro no dia seguinte, domingo à noite.

Na sala, como quem não quer nada, comentei com Paulo que talvez tivesse um jantar com a turma do Fernão Dias. Ele só ergueu as sobrancelhas:

— Assim, em cima da hora?

— É, mas nem tá certo ainda. Se você se importar, Tigrão, deixa pra lá, nem vou — respondi, com displicência calculada.

— Que isso, Tchu, pode ir. Qualquer coisa, aproveito e vou tomar um chope com o pessoal do escritório, que vive me chamando.

A vida é assim, se você quer liberdade, tem que dar também. Voltei ao laptop, na torcida para já ter sido respondida. Quando olhei para a tela, Cássio Ramirez tinha enviado uma série de emojis e sugerira que jantássemos no Spot.

"Ótimo, adoro esse restaurante!", escrevi de volta.

Combinamos a hora exata. Já era madrugada, mas eu havia perdido o sono. Abri uma garrafa de vinho para relaxar e brindei a mim mesma:

— Te peguei, seu merdinha!

14.

Lá fora, o canto das cigarras. Janete está dentro do carro, vendada. No porta-malas, Jéssyca grita. Quando foi abordada na rodoviária, a menina disse animada:

— É Jéssyca com Y.

Agora, só grita. Esperneia no escuro, abafada pela canção em alto volume. Janete sente calafrios, o suor escorre pela testa. Desta vez, passou mal o caminho todo. A cabeça lateja, o velho tec-tec de um lado para o outro. Como escolher entre o ruim e o pior ainda? Jéssyca vence o batuque da música, são os gritos abafados e guturais que deixam Janete irritada. Deveria calar a boca e deixá-la pensar, isso sim. Nos últimos dias, ela pensou muito. Decididamente, não confia em Verônica, sua intuição diz para nunca mais encontrá-la na vida, mas sua inteligência a fez prestar mais atenção no caminho. Pelo sim, pelo não, em uma coisa a policial está certa: ela participa de tudo, mas não sabe de quase nada. Dá para ser mais estúpida?

Confere mentalmente as informações que captou na estrada, ansiosa para voltar logo para casa e colocar no papel. Por alguns minutos, chega a se sentir forte. Tem certeza de que não passaram por nenhum pedágio até ali. Isso deve excluir um bom número de estradas. Também contou quantas viradas o carro fez para a direita e para a esquerda depois de entrar na estrada de terra. Havia ainda as subidas, quando Brandão reduzia a marcha do carro. Todas contabilizadas. O descampado é no alto da mata, então.

Em algum momento, teve a impressão de escutar o som de uma explosão. Estavam próximos a uma pedreira? Sino de igreja, mugido de vacas talvez servissem, mas era muito genérico. E os macacos bugios. Impossível não ouvi-los, com suas vozes graves, seus gritos, quase rugidos, típicos do interior de São Paulo. Onde poderia haver macacos bugios tão perto da capital? Pode ser importante para que a polícia encontre o local, ela pensa, mas logo afasta a ideia. Já perdeu os cabelos, não quer perder a cabeça.

Ouve as passadas de Brandão e respira fundo.

— Vamos, passarinha — ele diz, inclinando-se por cima dela para desligar o som do carro. Janete geme de dor quando ele aperta seu braço direito para ajudá-la a descer. Sente-se nua, exposta, multicolorida por manchas roxas e verdes. Brandão percebe a gafe e a pega pelo pulso, conduzindo-a pelo chão úmido com mais delicadeza que o habitual. Chega a ser carinhoso ao respeitar os machucados dela. Uma mistura de sentimentos atravessa o coração de Janete. Depois da surra, o marido agiu com naturalidade, cuidou de cada ferimento como se ela tivesse sido vítima de um atropelamento, e não vítima dele. Nunca vai conseguir entender a cabeça de Brandão.

Com as mãos nos ombros dele, Janete desce a escada em caracol. Veste a Caixa na cabeça e aperta o fecho ao redor do próprio pescoço. *Clic*. Cerra os olhos. O cheiro do querosene e da preparação do café logo preenchem o ambiente. Ela imagina o que Verônica diria se a visse ali, com aquela Caixa ridícula enfiada na cabeça. Avestruz... Verdade. Não consegue parar de pensar nas palavras dela. É a pessoa mais solitária do mundo. Na Caixa abafada, ela mede o tempo da própria respiração.

Brandão sobe as escadas para buscar Jéssyca. *Jéssyca, Jéssyca*, o nome da garota se repete em seu cérebro. Olhos verdes, chegando de Altamira no último ônibus de domingo, cheia de sonhos, pouca bagagem... Espera, o que será que ele faz com as malas? Ela nunca encontrou nada. Prova de que talvez as liberte mesmo! Talvez ele não seja um assassino. Pode ser tudo um teatro, a verdadeira tortura é fazê-la acreditar que é real. Explicaria o tempo que ele demora fora do bunker para buscar as moças depois de preparar o café. Pode ser loucura, mas não é crueldade.

Se fosse preso, Brandão seria tratado com um psiquiatra. Talvez até pudesse ser curado. Verônica garantiu não colocar nenhuma palavra que ela disse no papel, o delegado estava do lado dela e disponibilizara uma equipe, todos queriam ajudá-la, ela ficaria protegida. Uma esperança vagueia por seus pensamentos, mas dura pouco. Os gritos de Jéssyca invadem a Caixa, como se a mordaça tivesse escapado.

— Socorro, meu Deus, socorro! Me solta, seu desgraçado, eu vou te denunciar, vou falar com a polícia!

Brandão ri e, por um segundo, tudo parece mesmo um teatro.

— Eu sou a polícia — ele diz, pouco antes dos gritos de dor interromperem o tom agressivo de Jéssyca.

— Não, pelo amor de Deus, isso não! Tira da minha cabeça, tira!

Janete escuta o choro entrecortado por soluços, as correntes rangem, as roldanas giram, Jéssyca pega ar no susto. Não pode ser tudo mentira. Janete prende a respiração e não se mexe. Fica assim o máximo que pode enquanto ouve Brandão subir as escadas e bater o alçapão de novo. Ela não tem noção de quanto tempo passa, mas, quando se dá conta, Jéssyca está falando com ela. Ela se soltou? Ou Brandão se esqueceu de amordaçá-la?

— Dona Glória, me tira daqui, me desamarra! Vocês são loucos? Eu tenho filho pra criar, tenho mãe me esperando, não faz isso comigo, não conto nada pra polícia, eu juro! Ninguém vai saber... Não conto nada pra ninguém...

E Janete ali, também pensando em não contar mais nada para a polícia. Em um impulso, leva as mãos trêmulas ao fecho de metal. *Clic.* É agora ou nunca. Precisa ver o que acontece de verdade naquele lugar. Não para contar a Verônica, mas para o bem da própria sanidade. Precisa *ver.* Levanta a Caixa só um pouco, mas não enxerga nada de imediato. Sua vista está embaçada, adaptando-se à luz. Tudo ainda parece em câmera lenta, um novo detalhe invade seu campo de visão a cada segundo. Ela fica paralisada de medo e fascínio. É como tomar ar depois de muito tempo com a cabeça enfiada em uma pia transbordante. Joga a Caixa no chão e gira a cadeira com cuidado.

O bunker é muito maior do que ela imaginava. Preso ao teto, corre um trilho circular que abrange quase todo o perímetro. Logo acima de sua cabeça, uma coleção de candeeiros para velas ilumina o ambiente. É tão macabro que chega a ser bonito. Em uma parede ao lado, um imponente quadro de ferramentas se ergue diante dela, tudo muito organizado por ordem de tamanho. Alicates, serrotes, vidros de maionese cheios de pregos, algemas, chicotes, cintas, máscaras, mordaças variadas, fios elétricos, vibradores, tesouras, bisturis, cordas, facas de todos os tipos, fotografias e desenhos de moças amarradas coladas à parede.

Ela se demora um instante olhando para as dezenas de imagens que mais parecem projetos arquitetônicos, com traços precisos, detalhando medidas e materiais para engenharias de tortura. Muita coisa ali ela nem imagina para que serve — e prefere não saber. O coração bate forte no peito, querendo escalar pela garganta. Gira mais um pouco, sabendo que está prestes a encarar o inimaginável: correntes mantêm Jéssyca suspensa como um pássaro de asas abertas na outra ponta mais escura.

Sua pele está esticada por anzóis fincados na carne, o sangue sai por todos os furos e goteja no chão, coberto por um plástico branco. As poças se acumulam, formando uma pintura vermelha. Janete quer levantar, acalmar a moça, mas nenhum dos seus músculos se move. Sofre uma sensação aterradora de impotência. Não saberia nem por onde começar. Seu corpo inteiro treme, a realidade a atinge dos pés à cabeça.

Conta até cinco, inspira. Conta até cinco, expira. Ignora os olhares de Jéssyca, sem misericórdia, e corre até a parede de ferramentas. Arranca três dos desenhos, dobra-os com cuidado e enfia no cós da calça. Devem servir para provar alguma coisa. Precisa sair dali. Dá o primeiro passo na direção da escada. E mais outro. E mais outro. De início, tem medo de cair no chão, mas quando vê, já está enfrentando os degraus, apoiada no corrimão.

Sai do bunker, enchendo os pulmões de ar fresco. Olha ao redor para ter certeza de que Brandão não está por perto. Se estiver certa, ainda falta muito tempo para ele voltar. Corre até o carro meio agachada, abre a porta com cuidado e esconde os desenhos embaixo do tapete do banco do carona. Bate a porta quase sem fazer barulho. E agora?

Um silêncio fúnebre acalenta o céu negro, com poucas estrelas. Ela se retrai. Voltar ao bunker é o melhor a fazer. Já viu demais. Abre o alçapão e se prepara para entrar quando nota um fraco ponto de luz à distância. Desiste, enterrando os gritos de Jéssyca. Segue em frente, ofegante, sem pensar muito. Conforme se aproxima, enxerga os traços de uma casa pequena, escondida entre as árvores.

Sorrateira, contorna a casa e chega ao terraço, que parece caótico. Muitos jornais, penugens de aves, folhas de papel e caixas de transporte, algumas com passarinhos. Elas lembram a própria Caixa. Em outro canto, redes artesanais amontoadas e um tear de madeira montado, a confecção de uma rede colorida deixada pela metade, com desenhos geométricos inacabados. Janete localiza uma janela nos fundos e se esgueira, apoiada na soleira, erguendo a cabeça até conseguir olhar lá dentro.

Instintivamente, cobre a boca para não emitir nenhum som. Na sala, uma velha nua, com colares no pescoço, seios flácidos e cabelos brancos trançados até a cintura, está em pé ao lado de Brandão, sentado em um banquinho de palha de costas para a janela, também nu. O uniforme da PM descansa cuidadosamente dobrado sobre uma cadeira perto deles. A mulher está de lado, com um palito de madeira na mão direita, cobrindo o corpo do marido de Janete com jenipapo e tinta preta, desenhando círculos vermelhos em seu ombro e seu braço esquerdo, intercalados por linhas retas. Círculo, traço, círculo, traço, círculo, traço. O rosto do policial está pintado de vermelho e a cabeça raspada chega a reluzir sob os lampiões que também ali ficam pendurados no teto. Parece ser um complexo ritual de afeto entre os dois, tamanha a delicadeza e carinho com que a velha desenha cada traço. Existe amor entre eles; finalmente ela vê profunda ternura na expressão do marido. O passado indígena é a melhor parte de seu marido, a primeira vez em que ela o viu entregue, parte de alguém. Se aquela era a raiz cultural de Brandão, também era onde tinha ficado trancada a capacidade dele de amar. A pergunta inevitável martela a cabeça dela: com quem ele aprendeu a odiar a ponto de machucar os outros?

Janete está tão surpresa que se esquece de ir embora. Fica observando o marido com a velha misteriosa, que o circunda enquanto entoa uma cantiga murmurante, ritmada, que ela mal consegue ouvir, mas que a faz lembrar a música insuportável que escuta no CD player do carro. Quando ela termina os trabalhos no lado esquerdo do corpo de Brandão, dá a volta para completar a pintura. Então, Janete vê. Ela não tem o braço esquerdo, mas sim um toco horrível e murcho na altura da axila. Chocada, Janete se vira rapidamente para fugir dali.

Dá mais uma olhada para trás, atraída de forma irresistível pela cena, pelas pinturas no corpo nu do marido, pela velha sem braço... No desespero, tropeça em uma das caixas empilhadas. Pela janela, seu olhar encontra o da outra mulher. Leva depressa o indicador aos lábios, suplicando silêncio, mas não adianta. Ao notá-la, a velha derruba o pincel e começa a tremer. Grita, em um misto de emoção e pavor.

— Calma, vó! — Brandão diz, e não tarda a ver Janete.

Em três passos, ele a alcança e a arrasta para dentro, erguendo-a do chão pela janela mesmo. Tapas e socos chegam sem parar. Brandão dá uma surra nela com um ritmo de ódio incontrolável, como quem toca um tambor. Janete percebe que ele está gritando, mas na luta para aparar os golpes não entende o que ele diz. Apanha muito, como nunca. Em posição fetal, acaba perdendo os sentidos. Antes da bem-vinda escuridão, no entanto, tem a impressão de escutar a velha grasnar, em uma rouquidão enlouquecida:

— É ela, passarinho! Eu não acredito... É ela!

15.

Dia longo no trabalho, muita papelada a preencher para o Carvana. Cheguei atrasada em casa, pra variar. Minha mãe sempre dizia que eu era o Coelho de *Alice no País das Maravilhas*, que dizia: *Eu tenho pressa, eu tenho pressa. Ai, ai, meu Deus! É tarde, é tarde, é tarde!* A essa altura, Paulo jantava uma pizza com as crianças, e eu nem tinha escolhido o que vestir para o encontro.

Liguei o chuveiro. Enquanto a água esquentava, passei as mãos cabide por cabide, com aquela dúvida habitual. Eu tinha que parecer uma deusa para o primeiro jantar romântico com o @remediodeamor, meu maior suspeito de ter enganado Marta Campos. Esses caras mudam o e-mail de cadastro, o nome e o apelido para se proteger, mas não mudam a essência.

Escolhi um vestido pretinho básico, sempre uma boa saída. Olhei no espelho: tradicional demais, sem criatividade, para mulheres inseguras. Pus de volta no guarda-roupa. Quem sabe calça preta e blusa branca? Decidi pensar no banho. Tomei uma chuveirada rápida com os cabelos enrolados em um coque apertado no alto da cabeça para ganhar volume quando eu soltasse.

Voltei ao armário e acabei optando por um vestido de malha estampada sem exageros que avantajava minhas curvas. Quem estava comendo não reclamava. Sorri para o espelho, retoquei a maquiagem nos pontos apagados, caprichei no antiolheiras e no brilho de boca. Soltei o coque, chacoalhando a cabeça para conferir o resultado. Perfeito. Coloquei um colar, minhas inseparáveis pulseiras à la Maria Bethânia, tirei a aliança e troquei de bolsa porque ninguém merecia carregar aquele caixão. Lá dentro, só a carteira, o celular e a pistola automática. Se tudo desse errado, precisaria me defender. Bati a porta, avisando que voltaria tarde. Em frente, Verô. É hoje que tem picadinho para o jantar.

Milagrosamente, cheguei adiantada ao restaurante e escolhi uma mesa onde podia me sentar de frente para a porta. Mania de polícia: nunca ficar de costas. Paulo já estava acostumado com isso. O Spot, restaurante contemporâneo cult em São Paulo, é lindo, todo envidraçado com vista para uma praça, com direito a fonte iluminada. Boa escolha para impressionar, mas bem diferente de uma trattoria. Não demorou muito e Cássio chegou. Me cumprimentou com dois beijinhos no rosto, sinal de que não era de São Paulo. Vestia calça jeans e um paletó bem talhado, elegante. Abriu um dos botões e se sentou à vontade diante de mim.

— Então, você é a Vera! — disse, me devorando com os olhos. — Ainda mais bonita pessoalmente.

— Nossa, assim você me deixa sem jeito logo de saída! — Fingi a tímida. Arrumei o guardanapo no colo, enquanto ele perguntava se eu bebia vinho.

— Branco ou tinto, Vera?

— Prefiro branco, é mais leve.

— Um pinot grigio, vocês têm? — perguntou ao maître. — Bem gelado!

Ele sorriu com aquela cara de criança crescida. Era um homem confiante, que sabia como dobrar uma mulher apaixonada. Sem dúvida, estava acostumado a encontros assim. Com simpatia, tomou a liderança de vez. Logo me indicou ceviche de salmão de entrada e uma massa com camarão e cogumelos, que combinava com o vinho pedido, e propôs que dividíssemos os pratos. Odeio dividir prato, odeio que experimentem o meu, mas concordei. Só rezava para ele ser aquele tipo de homem das antigas que faz questão de pagar a conta inteira. Se tivesse que dividir, precisaria usar o "caixinha" da delegacia — melhor enfrentar o Carvana do que o Paulo para explicar aquela despesa. Quando o vinho chegou, brindamos. Então, enquanto mordiscávamos pães com patês, começamos uma conversa fiada, aquele papo de quem assistiu às últimas notícias políticas, ao novo filme de super-herói em cartaz e o velho e bom "Me fala de você", alternando perguntas do passado e do futuro.

— Então, Cássio, você está sozinho faz tempo? Já foi casado?

— Sou solteiríssimo, praticamente vivo para a minha profissão, Vera. Por isso é tão difícil manter um relacionamento longo, mas é o meu sonho, achar uma companheira, constituir família.

— Também sou assim, totalmente dedicada.

O Spot estava lotado de gente e observar os frequentadores era uma diversão, contanto que eu não encontrasse ninguém conhecido. Ia ser difícil de explicar. Os pratos chegaram. Meu estômago roncava, nem almoçado eu tinha, mas a classe vinha em primeiro lugar. Tirei o celular da bolsa e perguntei, forjando deslumbramento:

— Essa comida tá tão linda! Você se incomoda de eu tirar uma foto do prato? Quero postar no Facebook!

Sempre achei essa coisa de tirar foto de comida uma mania idiota da modernidade, mas pelo menos agora haveria utilidade. Sabia que ele não ia questionar o meu pedido. Fingi que mirei no prato e — *clic* — tirei uma fotografia: Cássio Ramirez ia direto para os meus arquivos.

— Você trabalha exatamente onde? — perguntei, guardando o celular.

— Estou me recolocando aqui no Brasil. Quer me adicionar no seu Face? Assim posso compartilhar a foto! Acho que a gente combina e vai se ver mais vezes. Estou feliz de ter te encontrado!

O cara era bom mesmo. Foi só eu me distrair um pouco e ele levantou minha autoestima.

— Ainda é cedo pra te adicionar, Cássio. Vamos ver se você é tão legal quanto estou achando agora.

Pisquei para ele e dei a primeira garfada. A massa estava maravilhosa e comemos em silêncio por alguns minutos, sinal de comida boa. Com a fome já aplacada, retomei o assunto:

— Você me disse que estava se "recolocando"? Por quê? Desempregado?

— Não, fui morar no Canadá em um intercâmbio entre pós-graduações. Sou farmacólogo, e uma formação no exterior é muito valorizada aqui. Depois de passar um ano fora, estou de volta, recomeçando...

Meu coração gelou:

— Um ano fora?

— É, voltei mês passado — disse, abrindo a página do Facebook no celular para me mostrar as fotos. — Aqui é Winnipeg, a cidade onde eu morava. Foi onde aconteceram os Jogos Pan-Americanos, lembra? Cidade maravilhosa, superorganizada, mas nada como voltar pra "nossa casa", certo?

Peguei o celular das mãos dele, rolei a tela e conferi as datas das postagens. Que merda, Cássio estava no Canadá quando o @estudantelegal88 saiu com Marta! Devolvi o celular, arrasada por voltar à estaca zero. Acabei o encontro com total desinteresse no dom-juan. Em outros tempos, bem que eu jantaria aquele

Cássio. Fiquei com pena dele, coitado, todo animado comigo. Quando a conta chegou, dividimos o valor e fui embora sem dar nele um selinho sequer. Eu era uma investigadora profissional.

Muitas vezes, eu me sentia como aqueles infelizes artistas de circo chinês, que ficam equilibrando vários pratinhos ao mesmo tempo, correndo de lá pra cá. A diferença é que, no circo, nenhum dos pratinhos cai no chão, enquanto os meus viviam se espatifando. Cheguei cedo à delegacia, mais desanimada do que nunca.

— Bom dia, Verônica — alguém disse.

Respondi no piloto automático. Prossegui assim pelas horas seguintes: tarefas mecânicas, ligações, tarefas mecânicas, cafezinho, tarefas mecânicas, bom-dia, tarefas mecânicas. Lá pelas tantas, vi um par de calças parado à minha frente. Ergui o olhar e encontrei Nelson sorrindo para mim com jeito de novidade no ar.

— Me dá uma boa notícia — falei, imitando o Carvana.

— Boa notícia pra você, né, Verô? Porque pra nova vítima do @estudantelegal88 a notícia é péssima.

Eu sabia que abrir o jogo para Nelson tinha sido uma boa ideia. Ele era confiável e esperto. E sabia como me ganhar, essa era a verdade.

— Nova vítima?

— Tânia Carvalho. Fez denúncia na semana passada. Pelo que consta no boletim de ocorrência, está nos mesmos padrões do caso Marta Campos. Acho que é o nosso cara.

— Sério? Você salvou o meu dia! — disse, tão animada que o abracei. Na mesma hora, me arrependi do gesto. Era um dilema: conforme as desgraças aconteciam, a investigação andava por conta das novas pistas que chegavam. Mas eu não tinha o direito de ficar feliz.

— Conseguiu o endereço dela? Onde é?

— Hospital São Luiz. A coitada foi iludida pelo cara que conheceu no site e se jogou na frente de um carro. Quase morreu.

— Valeu, meu Nerdson favorito!

Peguei a bolsa, joguei tudo dentro e segui para o hospital. Não tinha tempo a perder. Na recepção, apresentei meu crachá e subi ao quarto 327. Bati de leve na porta, rodeada por um silêncio assustador. Como ninguém respondeu, entrei. Uma loira de uns sessenta anos, camisa social e colar de pérolas, saia bem ajustada, veio me receber e fez sinal para eu sair com ela sem fazer barulho. De relance, olhei para a cama e vi Tânia, imóvel, conectada por fios, gesso nas pernas e nos braços, como um fantoche torto.

— Sou Rose. Você é colega da minha filha? — a mulher perguntou, já no corredor. — A Taninha acabou de pegar no sono. Sabe como é, muitas dores. Você é a...?

— Verônica. Sou policial.

Rose mudou de postura na hora. Franziu as sobrancelhas, me pegando pelo braço:

— Pode ir embora! Minha filha não vai falar mais nada. Ela bem que queria, mas eu avisei que não adiantava. E não adiantou mesmo! Uma semana, faz uma semana que demos queixa!

— Calma, senhora, eu sou de outra delegacia...

— Estou calmíssima, querida, calmíssima. Mas não quero ninguém incomodando a minha filha nem duvidando dela. Já chega o que ela passou. Se não vai dar em nada, melhor esquecer essa história.

Comecei a argumentar em voz alta, tentando chamar a atenção de Tânia lá dentro. Deu certo. Não demorou e ela chamou pela mãe. Rose entrou rapidamente e aproveitei para seguir atrás.

— Mãe, quem está aí? O que está acontecendo? — ela perguntou quando me viu.

— Calma, filha, essa senhora já está de saída. Ela veio por engano, não é mesmo? — disse, com raiva. Parecia uma leoa protegendo a cria. Como eu não tenho medo de cara feia, sorri e me aproximei da cama:

— Meu nome é Verônica Torres, sou da Delegacia de Homicídios de São Paulo e queria que você soubesse que não está sozinha. Existem outras vítimas desse cara.

Tânia me encarou por alguns segundos, digerindo a notícia. Então, olhou para cima e começou a soluçar, mas o choro parecia ser de alívio. A mãe enxugava o rosto dela com lenços de papel, incansável. Na mesinha de cabeceira dava para ver uma caixa deles já vazia. Eu compreendia: mulheres que caem nesses golpes se sentem tão estúpidas quando descobrem a verdade que, só de saber que não foram as únicas enganadas, têm a curiosidade aguçada. Entendendo as outras vítimas, talvez consigam perdoar a si mesmas.

— Como assim, não estou sozinha? Quantas ele enganou?

— Várias. E, se você me ajudar só um pouquinho, a gente evita que ele machuque mais alguém. Sei como se sente, mas preciso dos detalhes pra confirmar que é a mesma pessoa.

— Fui burra. Não quero falar mais do que já falei. Tô com tanta vergonha! Quero esquecer que o William existe, não consigo encarar a vida nem ninguém. Todo mundo deve estar rindo de mim pelas costas.

Voltou a chorar e tive que respeitar o tempo dela.

— Mãe, enxuga aqui meu nariz, tá escorrendo! Nem chorar com dignidade eu posso, até isso ele me roubou! — Tânia falava em uma oitava acima do normal, enquanto Rose segurava desajeitadamente os lenços de papel para que a filha assoasse o nariz mais uma vez.

Tirei da bolsa o desenho feito por Marta e mostrei para ela, colocando-o no seu ângulo de visão.

— Esse é o William?

— É ele, é ele! — O peito dela arfava em um misto de dor e ódio. Era exatamente isso que eu queria: que ela sentisse raiva. — Mas o corte de cabelo era outro.

Rose se esticava para ver o desenho, mesmo sem abrir a guarda:

— Minha filha, tem certeza de que quer voltar a esse assunto? Olha o que esse animal fez com você...

Tânia olhou para ela e depois para mim, fazendo sinal com a cabeça para que a mãe levantasse um pouco mais sua cama:

— Melhor desabafar tudo de uma vez. Pergunta o que quiser, Verônica.

— Como você conheceu esse William?

— Não vai rir de mim? Do jeito mais idiota do mundo, pela internet.

Peguei meu bloco e comecei a anotar. A sensação de déjà-vu era muito forte: AmorIdeal.com; mesmo histórico, mesma linguagem. Apelido? Desta vez, era @souseuamor. Que desgraçado. Eu ia ser o pesadelo dele.

— Onde vocês foram jantar? Ele pagou a conta? Ou você?

— Jantamos na Cantina do Piero, no Jardins. Eu estava tão tonta que não tenho certeza. Tenho que olhar o meu extrato do cartão de débito. Faço isso assim que puder me mexer, merda!

Mais uma característica para o perfil: as cantinas. O Spot estava mesmo fora da rota. Meu alvo gostava de comida italiana ou de lugares antigos em São Paulo — talvez para garantir que não haveria circuito fechado de câmeras. Tânia falava aos borbotões, muita coisa inútil, repleta de emoção. Eu filtrava o que parecia importante, o lápis correndo pelo bloco.

— Ele me roubou tudo, rapou minha conta bancária e até o carro levou!

— E o seu celular, Tânia?

Ela parou para pensar um minuto:

— Não, meu celular, não. Ele apagou as conversas, mas não levou o aparelho. Esquisito, né? É um iPhone de último tipo.

O cara era experiente. Sabia que a polícia poderia rastreá-lo pelo Imei — International Mobile Equipment Identity. Mesmo trocando o chip, o Imei encontra o aparelho. Só para garantir, mostrei a fotografia de Cássio para ela: Cássio não era mesmo William. Agradeci e fui embora, alvejada pelos olhares da mãe feroz.

Voltei ao trabalho bem tarde, remoendo uma ideia: será que esse golpista exercia um nível tão grave de humilhação nas vítimas que várias tentavam suicídio? Marta havia se matado, Tânia quase. Quantas outras teriam conseguido?

Com a ajuda do meu superNerdson, pedi um histórico de ocorrências com mulheres que cometeram suicídio nos últimos meses. Enquanto ele pesquisava, aproveitei para tirar o atraso e colocar minha mesa em ordem. Duas horas depois, ele trouxe os resultados: cinco casos de suicídio potencialmente interessantes espalhados pela cidade. Liguei para o Prata na hora.

— Amigo, você está no IML?

— Sempre. Minha mulher diz que eu tô morando aqui, Verô, que gosto mais dos mortos do que dela.

— Não duvido nada.

Eu odiava a esposa dele. Ela tinha ciúmes de mim, mas de um jeito bobo que só fazia irritar.

— Pode ir direto ao ponto — ele disse. — Tô colocando os laudos em dia. Tudo atrasado, chefes na minha cola. Não tenho muito tempo.

— Coisa rápida, Prata.

Dei os nomes das mulheres e ele puxou tudo o que havia no sistema, desde os laudos até a papelada de remoção. Eu sabia que o corpo de Marta havia sido retirado por um falso irmão. Sabia também que o @estudantelegal88 era necrófilo. Talvez a mesma pessoa tivesse retirado os outros corpos. Alguém de dentro do IML? Tinha que existir alguma ligação entre os casos.

Implorei para que o Prata me enviasse os arquivos, jurando de pés juntos que não mostraria a ninguém. Dois minutos depois, recebi no e-mail. Abri depressa, fiz o download dos PDFs, passei os olhos, mas não havia nada à primeira vista. Todos os laudos tinham sido feitos por médicos diferentes, em dias e horários aleatórios. Os corpos das cinco mulheres tinham sido retirados por supostos "irmãos", com nomes distintos e possivelmente falsos. Mais um beco sem saída...

Reli duas, três vezes, tomada de angústia. Então, encontrei. Um arrepio dominou meu corpo enquanto eu pegava o formulário de remoção de Marta Campos para confirmar: era isso, a mesma funerária havia retirado todas as mulheres do IML! Funerária Paz Eterna, em Embu das Artes. Era para lá que o psicopata levava os corpos.

16.

Janete ouve a voz dele antes mesmo de abrir os olhos. Vem de longe, mas se repete como uma cantilena:

— Perdão, passarinha, perdão...

Aos poucos, os sentidos despertam com ela. Sente um esfregar úmido e quente na pele; inspira e expira devagar, deixando o cheiro de arnica invadir as narinas e explodir nos pulmões. Que lugar é esse? Tenta abrir os olhos, mas estão muito doloridos. As pálpebras latejam, inchadas. Ela levou chutes em diversas regiões do rosto, tudo arde. Seus dentes chegam a estar bambos. Com esforço, conquista uma brecha que logo é invadida pela luz forte. Desiste de enxergar. No fundo, não importa onde está. Brandão vai fazer o que bem entender com ela. Ainda sente o cheiro das penas de pássaros nas caixas vazias do terraço, pensa ouvir a respiração da velha sem braço, quase sente o palito cheio de tinta correr pela pele, como se ela mesma estivesse sendo pintada pela mulher estranha. Os ossos doem, a cabeça gira. O breu logo a envolve em mais um apagar de consciência. Já não tem noção de quantas vezes desmaiou.

Quando desperta, as brumas se repetem. Brandão continua a se desculpar, enquanto cuida dela. Inevitavelmente, Janete se rende ao prazer do toque das mãos calosas passeando por braços, pernas e barriga. A arnica invade os poros, mas as memórias mal encaixadas impedem a sensação de alívio que o remédio quer trazer ao corpo. Janete precisa de respostas.

— Nem tenta falar, passarinha... Sua boca está muito inchada — Brandão diz. — Vai melhorar, vai melhorar.

Passa o pano branco pelo rosto dela com delicadeza. Volta a mergulhá-lo em algum recipiente e faz uma compressa sobre os olhos da esposa. Depois de alguns minutos respirando sob aquela camada de calor que envolve o rosto, Janete alcança o pano e o afasta, cuspindo as palavras entre os lábios inchados:

— Olha o que você fez comigo...

— Shhhh, passarinha — ele diz, devolvendo o pano molhado ao rosto dela. Esfrega os braços dela com um unguento de cheiro forte. — Você passou de todos os limites dessa vez. Fui obrigado a te castigar! Por que me desobedeceu?

— Qualquer dia você vai me matar.

— Nunca mato um passarinho — ele retruca, ofendido. — Foi uma desobediência muito grave. Você tem que respeitar as regras.

Castigar e amar, castigar e amar, ela já não aguenta mais, não acredita nele. Sua cabeça grita por um basta, mas ela tem que ser esperta, entender o que viu. Deixa que Brandão cuide dela por um bom tempo até que, piscando os olhos, se acostuma com a luz fraca: está em casa, na sua cama. O marido está sentado na beirada, o corpo inclinado sobre o dela, com uma expressão de arrependido. Segura uma bacia transparente que reflete um líquido turvo de cor amarelada. No fundo da bacia, uma cobra enroscada e morta. Janete se encolhe sob o lençol.

— Não se preocupa — ele diz. — É banha de jiboia branca com andiroba, copaíba, oriza e ervas. Só os meus ancestrais conhecem essa receita. Tem efeito cicatrizante e relaxante, vai te fazer bem.

Molha o pano mais uma vez e volta a alisar a pele dela, com o carinho de um devoto.

— A jiboia branca é esperta, passarinha. Ela não caça. Só ataca quem tenta caçá-la.

Janete se sente ameaçada, mas, em vez de recuar, é tomada por uma raiva inédita, que revolve as entranhas, corrói tudo que há pelo caminho. Ela não tem mais nada a perder.

— Quem te deu essa banha de jiboia foi aquela velha, não foi?

Brandão reage na mesma hora, empertiga o corpo e desvia o olhar.

— Não sei do que você tá falando, passarinha.

— A mulher que estava naquela casa… Você sabe.

Ele parece uma criança bagunceira pega em flagrante. Passa as mãos na cabeça lisa, depois sobre os olhos e suspira:

— Minha avó, passarinha. Ela não podia ter te visto.

— Você sempre me falou que não tinha família, que era sozinho.

— Você assustou a minha avó…

— *Eu* assustei? Brandão, ela não tem um braço! E estava nua!

— Não fala assim!

Suas mãos se encrespam sobre a pele de Janete, que recua depressa, mas ele a abraça e a coloca no colo como quem segura um bebê.

— Não vou mais machucar você, passarinha — diz, de cabeça baixa. — Mas, por favor, não quero falar sobre isso.

— Por que você escondeu sua vó todos esses anos? Como é que ela me conhecia?

— Ela não te conhecia.

— O jeito que ela olhou para mim, apontando…

— Ela não te conhecia! — Brandão quase perde a compostura, deixando escapar uma nota aguda de indignação.

— Como ela perdeu o braço?

— Ela… nasceu assim — ele responde, minutos depois. Janete tem certeza de que ele nunca falou daquilo com ninguém. — Minha avó não quer ser vista, gosta de viver isolada. Foi ela quem cuidou de mim. A gente criava passarinhos, o que dava pouco dinheiro, mas pelo menos não faltava nada lá em casa. Pelo menos foi assim até eu ser levado para longe dela, para um lugar tão rígido que me tornou um homem bom e justo.

— Que lugar? Tipo um orfanato? Você nunca me disse que...

— Shhhh, Shhh...

Brandão interrompe as perguntas e começa a embalar Janete nos braços, para a frente e para trás. Ela quase esmorece naquele abraço, mas as imagens da moça enganchada vêm à mente como flashes, um após o outro, fazendo-a crispar os dedos e ferindo as próprias palmas.

— E a Jéssyca? — pergunta, destemida. — Você matou ela, né?

Ele a encara em silêncio, então se inclina até o ouvido dela:

— Abri a gaiola e soltei! Nunca mato um passarinho, passarinha…

— Vida, me deixa ir embora, voltar para a minha família — ela implora, em um fio de voz. — Seu segredo está seguro e…

Ele se levanta de supetão, largando Janete sobre a cama, já sem cuidado. Assustada, ela se cobre com a colcha que forra a cama.

— Nunca! Não posso perder você, a única pessoa que me entende, que me ama sem me julgar! Não te machuco mais, prometo! Dessa vez é verdade!

Brandão se curva e beija todo o rosto dela e depois cada arranhão em seu corpo. No começo, Janete experimenta repulsa, mas, conforme a boca dele vai colando na sua pele, o carinho começa a acender o desejo. A cada centímetro por onde ele arrasta os lábios, os pelos se arrepiam. O tesão se avizinha, à revelia. Janete deixa as lágrimas escorrerem pelo rosto, uma sensação de impotência alargada dentro dela.

De olhos fechados, ouve o som da buzina de um carro diante da casa. Brandão espia pelas cortinas entreabertas e sai do quarto, apressado. A luz da manhã ameaça invadir o cômodo. Com dificuldade, Janete se levanta da cama, apoiada nos móveis para chegar à janela, a curiosidade aguçada. Abre a cortina mais um pouquinho e apura os ouvidos. Lá fora, uma viatura da PM com dois agentes fardados.

Janete escuta pedaços da conversa. O coronel Dante, chefe de Brandão, quer falar com ele sobre uma invasão nos computadores da Polícia Militar, feita por uma delegacia da Polícia Civil. Fizeram uma busca pelo nome de Cláudio Antunes Brandão. Janete estremece. Sabe que foi Verônica. Volta o mais rápido que consegue para a cama e aguarda. Logo ouve os passos largos do marido se aproximando.

— Preciso sair — ele diz, enquanto veste a farda impecável que retira do armário embutido. — Vou na viatura. Não sai daí que eu trago comida quando voltar. Vai me obedecer, não vai?

— Olha o meu estado, pra onde eu iria?

Brandão a estuda de cima a baixo. Já está no outro modo, seco, duro, irredutível. Vira as costas e sai, batendo a porta. Janete abaixa a cabeça, obediente, afundando entre os lençóis manchados da cama. A cobra ainda jaz ali, inerte, assustadora. De que jeito uma mulher como ela chega a uma situação como aquela, essa é a pergunta que não quer calar. Libera toda a tensão concentrada e, por fim, relaxa. Não dura muito. Está tão envolvida que logo refaz mentalmente cada passo da noite anterior. Sua memória parece trapacear, ela chega a duvidar de si mesma. Então, se lembra dos desenhos.

Levanta-se outra vez, esquecida dos hematomas que colorem seu corpo, e evita encarar o espelho. Veste um penhoar, caminhando devagar até o carro de Brandão, estacionado na garagem lateral. Sem barulho, abre a porta e se agacha cheia de dor para levantar o tapete de borracha do banco do passageiro. Encontra as três folhas com os desenhos atrozes de mulheres torturadas, a prova de que tudo foi real.

De volta ao quarto, não pensa nem um segundo para dar o próximo passo.

— Socorro, Verônica, eu me arrependi — diz ao telefone. — Quero colocar meu marido na cadeia.

17.

Eu já seguia na direção da rodovia Régis Bittencourt para chegar à funerária Paz Eterna em Embu das Artes quando recebi a ligação de Janete. Sua voz estava tão enfraquecida que peguei o primeiro retorno e corri para a casa dela. Os mortos podiam esperar.

Apesar de triste por Janete ter que sentir na pele o ciclo vicioso desses agressores de mulheres, meu outro lado — mais mórbido, talvez — comemorava o triunfo de poder dizer: "Eu te avisei". A casa definhava às escuras, com as cortinas fechadas e um tom fúnebre no ar. Janete andava com dificuldade e tentei não reagir ao encarar seu rosto desfigurado, com os olhos e a boca inchados e os lábios rachados, uma caricatura de mau gosto de si mesma. Fui com ela até o quarto, reparando no hematoma em seu cangote, com o formato perfeito de uma mão espalmada. Ela fez sinal para que eu me sentasse na beirada da cama. Pensei que fôssemos falar de arrependimentos, remorsos e culpa, mas Janete foi direto ao ponto, como quem retoma uma conversa interrompida:

— Tirei a Caixa, Verônica... Saí do bunker.

— Isso é ótimo! — falei, forçando entusiasmo, apesar do estado dela.

— Brandão me viu na casa e me arrastou janela adentro, me bateu sem parar. Mas ele não estava sozinho. Tinha uma velha esquisitíssima fazendo uma pintura nele.

Ela falava muito depressa e nada fazia sentido.

— Como é? Me explica direito.

— Você precisava ver, ele estava sentado feito um garotinho, enquanto a velha desenhava no corpo dele com tinta preta e vermelha, em silêncio absoluto. Nos fundos da casa, ainda tinha umas caixas parecidas com a que ele coloca na minha cabeça.

— Me fala mais sobre essa casa, Janete.

— Fica longe do bunker. Andei mais de cinco minutos pra chegar lá. É uma casa antiga, pequena, no meio do nada. Não sei onde fica. Depois de ele me bater tanto, desmaiei e acordei aqui.

— E a velha esquisita?

— Ele me disse que é avó dele. Foi criado por ela e parece que ficava de castigo nessas caixas, foi assim que ele aprendeu a ser bom e justo. Ele disse desse jeito mesmo: *bom e justo*. Acredita? Será que o Brandão pensa que está me educando com aquela Caixa maldita?

— Acha que pode ser a menina da fotografia que eu te mostrei?

— Tenho certeza de que é ela. A foto é antiga e a velha também não tem um braço.

Aquilo me pegou desprevenida. Contei para Janete que tinha pesquisado sobre os kapinorus, mencionados no verso da fotografia.

— É raro o fato de ela ter sido desse povo e conseguido sobreviver sem um braço — expliquei.

— Mas isso não é assassinato? Eles não deviam ser presos?

— Na lógica de raros povos, matar uma pessoa com deficiência é um ato de amor e desespero, não de crueldade. São os pais que decidem o destino do filho. É complicado explicar. Só o que interessa pra nós é saber como ela escapou. Naquela época, ninguém sabia que isso acontecia, não havia ONGs ou ativistas lutando contra esse tipo de prática mundo afora.

— É por isso que Cláudio mata agora?

— Claro que não, esse é o passado traumático da avó dele. Para o seu marido, fica apenas o legado da cultura dela. Isso pode explicar alguns elementos simbólicos no ritual dele, mas nunca as causas da violência que ele pratica. A gente tem de descobrir mais sobre essa avó e talvez então encontre algum ponto fraco do Brandão e consiga provas contra ele.

— E como ela pode ter escapado do povo dela? Será que ele tem mais parentes que eu não conheço? Será que foi maltratado?

— Difícil a menina ter sido salva por um parente. Teriam fugido pra onde? Podem ter dado a criança pra alguém de fora. Alguém da Funai, não sei, mas o que aconteceu com ela pode ter determinado a raiz da violência de Brandão, dependendo de quem "salvou" a avó. Falta uma enorme parte da história dele, como a mãe ou o pai, traumas sociais ou psicológicos, violência a que ele foi exposto... Não é nada simples entender o que faz uma pessoa ser como ela é.

Janete concordou, pesando as possibilidades. Eu entendia o pavor dela: o homem que dormia ao seu lado a cada dia revelava mais segredos. De repente, ouvi um barulho de carro na rua.

— Que horas ele volta? — perguntei, correndo à janela para verificar. Alarme falso.

— Não sei. Dois PMs apareceram aqui, a mando do coronel do batalhão.

Voltei a me sentar:

— Sabe por que vieram?

— Parece que tem uma investigação da polícia civil no nome dele. Foi você?

Merda, descobriram a pesquisa do Nelson, pensei. Fui rápida o suficiente para ignorar a pergunta e emendar outra:

— Estavam na viatura?

— Sim, eu te disse...

Meu nervosismo me fazia perder a costura do interrogatório. Se esse maluco descobrisse a investigação, não precisaria de muito para conseguir me caçar. Eu adoraria ser uma Miss Marple, mas era só Verônica.

— Preciso te mostrar uma coisa — ela disse, diante do meu silêncio.

Então se levantou da cama, recusando o meu braço estendido. Enquanto caminhava, pude ver através do tecido fino da camisola mais manchas que estampavam seu corpo como tatuagens. Eu deveria levar Janete para o hospital, mas seria o fim da investigação. Sem provas, Brandão ia ser condenado por violência doméstica, no máximo. Ia ficar pouco tempo preso e acabaria com ela na primeira oportunidade. Se ele enterrasse Janete no tal sítio, então, o corpo sumiria do mapa. Não era o fim que eu queria para essa história.

Ela pegou suas revistas de palavras cruzadas e começou a folheá-las. Por fim, de uma delas, retirou três páginas de papel sulfite dobradas, que deixou sobre o meu colo.

— Olha...

Em cada uma, verdadeiros projetos arquitetônicos de tortura sexual, dor e humilhação. Em traços grossos, obsessivos, desenhos detalhados de mulheres nuas, amordaçadas e penduradas por ganchos cravados na pele, atadas por cintos de couro, com os seios esbugalhados e erguidas por engrenagens que davam movimento às correntes. Se aquilo fosse mesmo real, eu mal conseguia imaginar o que essas mulheres passavam nas mãos de Brandão.

Um detalhe me tocou profundamente: em todos os desenhos, as mulheres encaravam o observador, a expressão contraída, o olhar apavorado. Incrível ele desenhar a expressão do rosto das vítimas com tanta precisão.

— Você encontrou isso no bunker?

— Sim. Agora você faz ideia do que eu escuto…

Sem palavras, engoli em seco, hipnotizada por aquelas linhas tortas. Ao lado das imagens grotescas, nas margens das folhas, havia anotações quase incompreensíveis, símbolos e sequências numéricas que pareciam aleatórios. Tentei entender aqueles caracteres, mas eles não me diziam nada. Quem sabe meu Nerdson conseguiria extrair alguma coisa dali.

— Posso ficar com isso?

— Sim. Tinha muitos desses na parede, Verônica. Peguei o que deu. Serve de prova contra ele, não serve?

Preferi ser sincera:

— Não exatamente. Pode ser difícil provar que os desenhos são dele e mais ainda que ele coloca esses absurdos em prática. Se a gente descobrir alguma correlação entre os desenhos e os crimes comprovados, aí sim. Mas só desenhar, escrever ou imaginar cenas de tortura não é crime.

Se fosse crime, eu já estaria presa, pensei em acrescentar. Quantos políticos, vizinhos e ex-namorados eu já tinha desejado matar, com requintes de sordidez?

— Meu Deus, esse pesadelo não vai ter fim?

— Brandão está estreitando o intervalo entre as vítimas — falei, preparando o terreno. — Vamos montar um flagrante na próxima noite que ele te levar ao bunker. Quero colocar um rastreador no carro e uma escuta em você.

— Rastreador, escuta? Nem pensar! Se meu marido pegar

qualquer coisa em mim, ele me mata! Ainda mais agora… Qual vai ser a minha proteção se eu fizer isso?

— O delegado vai te ouvir como testemunha, vai te proteger. Você não vai ser acusada como cúmplice — prometi, quase certa de que o velho realmente cederia desta vez. Não seria fácil dobrá-lo, mas se aposentar depois de prender um assassino em série era encerrar a carreira com chave de ouro. Ainda mais com aqueles desenhos nas mãos. — Vamos trabalhar em equipe.

— Em equipe?

— Já prometi que tem mais gente nessa comigo. Todo mundo querendo te ajudar. Vai ser simples, Janete, você me manda uma mensagem na noite em que Brandão for atacar. A gente sai atrás de você na rodoviária e segue até o local do esconderijo pra pegar o desgraçado no ato. Quando chegar ao bunker, você solta a mulher e corre junto com ela. Nem precisa olhar pro lado. Garanto que estarei lá te dando cobertura.

— E essa história de rastreador? Brandão pode verificar o carro. Se ele já era paranoico antes, imagina agora. Vai dar problema na certa.

Tentei pensar rápido. Não podia perder a boa vontade de Janete em fazer parte do plano. Me lembrei do malandro que levava tudo das mulheres, mas deixava o celular para trás e acabei pensando no Imei.

— Seu celular vai guiar a gente, como um rastreador. Passa ele pra cá.

— Não tenho celular, Verônica. — Havia certa vergonha em sua voz.

— Brandão tem? De que operadora é?

— É Vivo, mas eu não sei que número ele está usando agora. Meu marido vive trocando de chip por questão de segurança.

— Não tem problema — eu disse, sem querer entrar em

detalhes sobre o Imei. — Você espera ele ir pro banho, por exemplo, pega o celular dele…

— Mas eu não sei a senha!

— Então espera ele dormir e coloca o dedo dele no lugar, pra reconhecer a digital. Você deve saber quando ele está dormindo profundamente, não sabe?

— Sei… — Ela não parecia muito confiante.

— Aí é só digitar *#06# no aparelho, anotar o número que aparecer na tela e me passar. O resto é comigo, eu rastreio.

— É fácil assim seguir uma pessoa?

— Não, Janete. Na verdade, eu precisaria de uma ordem judicial pra isso, mas a gente não pode correr risco. Dou um jeito. Com o número e com a gravação da escuta, Brandão vai pro lugar que merece. A cadeia!

— Não adianta, não vou colocar esses troços de escuta em mim, Verônica. É arriscado.

— Você anda vendo muito filme antigo, isso sim. Hoje em dia, escuta pode ser disfarçada. Te arranjo um par de brincos com microfones embutidos, por exemplo. Tipo aqueles dos filmes do James Bond. Hoje já existe, moderníssimo e fácil de conseguir, ele jamais vai desconfiar.

Janete quase sorriu, concordando com a cabeça. Quando você chega ao fundo do poço, não existem muitas respostas além de um "sim" resignado. Mas ela ainda se atormentava:

— Será que vai dar certo, Verônica?

— Se você fizer tudo que eu falei, fica livre desse inferno pra sempre — respondi, olhando para ela naquele estado. As manchas e os inchaços não sumiriam tão cedo. — Descansa, não precisa me levar até a saída. Entro em contato assim que conseguir a escuta. E espero a sua ligação também, tá?

Na porta do quarto, voltei para dar mais um tchauzinho:

— Você vai ficar bem?

Janete fez que sim e não prolonguei a conversa. Com aqueles desenhos nas mãos, o próximo passo óbvio era mostrar tudo pro Carvana. Mesmo após duas negativas, o velho não poderia ignorar uma evidência desse porte. Ao mesmo tempo, eu sentia que aquele caso era só meu e não gostava da ideia de dividir o sucesso com ninguém. Era minha grande chance de sair das sombras. Primeiro eu prendo, depois eu conto.

18.

Entrei no carro, tentando organizar as pendências. O caderno de anotações refletia meu jeito: desorganizado, cheio de rabiscos avulsos e interrogações confusas. Armazenar tudo naquele caos não combinava bem com quem estava à beira de colocar um assassino em série na cadeia. Eu precisava comprar um novo bloco com urgência, essa era a verdade.

Enquanto não passava em uma papelaria, segui com minha lista mental mesmo. No caso Marta Campos, o item no topo era ir à funerária Paz Eterna, em Embu das Artes. Uma vez dentro do carro, bateu a maior preguiça só de pensar em atravessar a cidade para chegar lá.

Era o meu horário limite para aparecer na delegacia. O corregedor havia pedido pro Carvana um relatório especial de crimes de latrocínio nos últimos anos na região central da cidade e, claro, a bomba tinha estourado no meu colo — sempre sobra pra secretária. O velho estava atento aos meus horários de chegada e saída, começava a desconfiar de tantos atrasos, mas não dava para esmorecer. De desgraçado em desgraçado, minhas investigações estavam indo bem. Não queria deixar que a burocracia me soterrasse. Liguei para ele na maior cara de pau e menti, dizendo que o Rafael tinha acordado com febre.

— De novo?

— De novo.

Em mentiras de trabalho, é impossível escapar do óbvio. O velho fez questão de me lembrar do relatório e respondi que só ia ter que passar com o Rafa em um pronto-socorro antes de ir para o trabalho. Ele bufou, mas aceitou. Não tinha nada que ele pudesse fazer. Desliguei o celular e tomei o caminho mais rápido para Embu das Artes que o aplicativo indicava. Todas as rotas davam mais de uma hora de trajeto, com sorte.

Na altura da avenida Aricanduva, uma viatura da polícia militar surgiu no retrovisor e minha espinha gelou. Brandão me perseguia? Só faltava ficar paranoica. Aqueles desenhos do demônio não me saíam da cabeça. Mudei de pista várias vezes e desacelerei. A viatura logo passou por mim e seguiu caminho, mas a sensação ruim continuava. Liguei o rádio, tentando relaxar. Zeca Baleiro com seu "Samba do approach", Chico César com seu "Estado da poesia".

Cheguei a Embu na hora do almoço e encontrei fácil o endereço. Bem diferente do que eu havia imaginado, a rua era conhecida, toda voltada para o comércio. Tinha de borracharia a padaria, mas nenhuma funerária. Conferi o número nas minhas anotações e no GPS, tudo certo, mas nada de achar o local. Depois da terceira volta, resolvi parar no borracheiro com a numeração mais próxima à da funerária. De cara lavada, perguntei se ele podia verificar meus pneus, porque alguma coisa estava errada. Desci do carro e olhei em volta, elogiando:

— Legal esse lugar aqui, da sua borracharia. Você atende há muito tempo?

— É negócio de pai pra filho — o sujeito respondeu, imundo de graxa, enquanto se agachava para verificar a calibragem.

— Pode ficar tranquila, dona, que eu vou deixar tudo reguladinho pra senhora.

— Obrigada... Qual é o seu nome?

— José Luiz, mas por aqui me chamam de Zé Borracha — disse, estendendo o punho em cumprimento para que eu não sujasse as mãos.

— Prazer, Zé, sou Vera. Achou o problema aí?

— Parece que o pneu dianteiro está vazando um pouco. Coloco um silicone e fica em vinte reais, tudo bem?

Era só o que me faltava. Aquela brincadeira ainda ia me custar dinheiro. Mas não antes de eu conseguir minha resposta...

— Me diz uma coisa, Zé, você não tem aflição de trabalhar ao lado de uma funerária?

— Funerária? Nunca vi nenhuma aqui, dona — ele disse, "consertando" o que não estava quebrado.

— Como assim, Zé? É o que eu vim procurar, um caixão pra um amigo. Você não sabe onde fica?

Zé Borracha gritou na direção dos fundos:

— Ô, pai, diz aí! Já ouviu falar de funerária nessa rua?

Havia um velho sentado em um banquinho, tão estático quanto as ferramentas enferrujadas na parede. Ele se levantou e veio até mim a passos arrastados.

— Nunca vi funerária aqui, dona. Tenho essa borracharia há mais de quarenta anos. Deram o endereço errado pra senhora.

Então era isso: a funerária não existia. O malandro retirava os corpos com uma empresa-fantasma e levava para outro lugar. Isso não me surpreendia e não era exatamente um problema: mesmo uma empresa-fantasma precisa de registro. Não seria difícil descobrir mais informações sobre a Paz Eterna.

Cheguei à delegacia só no meio da tarde. Carvana me fuzilou com os olhos, mas nem me dei ao trabalho de mentir sobre a saúde do Rafa, estava cansada demais para continuar aquele teatrinho. Me sentei à mesa e, ignorando as pilhas de inquéritos para fichar e lançar na maldita tabela de Excel, acessei logo o Serviço Funerário do Município de São Paulo. Para retirar corpos no IML, todas as funerárias precisam ser registradas nesse órgão. Consegui o telefone de lá e me identifiquei como secretária do delegado Wilson Carvana. Minutos depois, eu recebia todas as informações do cadastro da funerária Paz Eterna: contrato social, CNPJ, alvará de funcionamento. Em todas, o verdadeiro nome do filho da puta: Gregório Duarte.

Minha cabeça fez um *clic*, como a peça final que se encaixa e permite que toda a estrutura volte a funcionar perfeitamente. Posso apostar que Sherlock Holmes também sentia esse *clic* mental ao chegar perto da solução de um caso. Eu havia me enganado da primeira vez, mas não me enganaria de novo.

Minha ida à Trattoria do Sargento não tinha sido em vão. Voltei a consultar o bloco atolado de anotações para encontrar a lista de clientes que pagaram com cartão o jantar daquela noite de 12 de setembro. Não demorei a encontrar o número de cartão de crédito de Gregório Duarte. Chamei Nelson na minha mesa, dei uma resumida básica nos últimos acontecimentos do caso Marta e comecei a ouvir o delicioso som dele teclando enquanto as páginas do site AmorIdeal.com passavam pela tela.

Os passos seguintes eram simples. Como todas as mensagens do site de relacionamento precisavam ser pagas, bastava descobrir o nome do usuário que usava aquele cartão de crédito no site. Ansiosa pelo resultado, fui buscar um cafezinho para me ocupar com alguma coisa. Na volta, Nelson já estava recostado na cadeira, com pose de fodão, todo sorridente:

— Descobri. O nickname dele é @principedevotado.

Puxei outra cadeira e me sentei. Nossos braços se tocaram e pude sentir seus pelinhos ficarem animados. Homem é um bicho muito tosco mesmo — deu mole, já pensa em sexo. Fiz login no site e logo encontrei meu alvo: na foto, um bonitão, sem dúvida *babyface*, parecia ter uns vinte e cinco anos, mas poderia ter mais de quarenta. Seu rosto lembrava bem o desenho amador feito por Marta Campos — só podia ser ele. Cliquei no espaço de enviar mensagens. Nesses momentos, vestir a fantasia de mulher carente, sem autoconfiança, louca por um relacionamento sério era como baixar um santo.

Olá, @principedevotado. Vi o seu perfil e fiquei interessada. Acho que a gente combina muito, mas não falo com ninguém que eu não saiba o nome de verdade. E se você for um príncipe que vira sapo? Só responda a minha mensagem se topar o desafio de uma relação transparente.

Isca jogada. Se eu estava certa, ele era egocêntrico e dominador o suficiente para se interessar pelo desafio. Minimizei a tela do site e me voltei para a tabela do Excel, com os registros de latrocínio na área central da capital. Um inferno ter tanto trabalho à toa: aquela informação só serviria para ajudar algum burocrata a dar entrevistas e, talvez, subir na carreira. Não ajudaria a diminuir em nada a criminalidade de São Paulo. Depois de meia hora de trabalho, ouvi o apito no computador, indicando mensagem recebida. Era ele:

Meu nome é George. E o seu, @moçaapaixonada?

Minha alma deu pulos de alegria. Digitei depressa, aproveitando que ele aparecia on-line:

O meu é Vera. Vera Mortes.
Mortes?
Desculpa, o certo é Tostes! hahahaha Esse autocorretor...

19.

Naquele dia, eu e o Gregório/ George conversamos por horas. Deixei até a tabela de lado e tratei de voltar mais cedo para casa — a febre do Rafa servindo de desculpa universal. Dava para ver que o malandro tinha lido meu perfil de cabo a rabo, um profissional. O texto era impecável, bem escrito, doce. Nosso primeiro assunto foi a música da Amy Winehouse que eu havia colocado na frase de abertura.

"*Love is a losing game*... É nisso que você acredita, Vera? Você escolher essa música me faz pensar que alguém te fez sofrer, te decepcionou..."

A lenga-lenga daria certo para quase cem por cento das mulheres. O jeito dele fazia com que cada uma se sentisse única e, claro, Gregório logo vestia o papel de homem certo para curar as feridas antigas. Para ser a isca perfeita, me fiz de mulher recém-separada, frágil, traída, mas que tinha conseguido arrancar uma boa grana do ex-marido e finalmente estava pronta para uma vida nova. Sem querer parecer clichê, me vendi como livre, independente, mas fazia questão de derrapar às vezes, deixando evidente que eu procurava mesmo um grande amor: "Espero que um dia alguém cante pra mim 'Will You Still Love Me Tomorrow'... Será que vai ser você? :-)".

"Depende, Vera, se você tiver mágica no olhar... =)"

Ou o malandro conhecia as músicas de Amy tão bem quanto eu, ou tinha estudado cada letra dela só porque eu gostava. A gente brincou com essa e muitas outras letras de música até a madrugada, em um jogo interessante que passeava por um vasto repertório de cantores nacionais e internacionais. Ele afirmou que procurava uma mulher que fosse única, e eu respondi que o meu maior medo era acabar machucada. "É bem melhor você parar com essas coisas, de olhar pra mim com olhos de promessas, depois sorrir como quem nada quer..."

Sinceramente, era tudo tão fluido e gostoso que eu disse a Paulo que tinha coisas urgentes a resolver e me tranquei no escritório. De modo sutil, a conversa ganhava um tom romântico, e ele atacava em todas as frentes, de Chico Buarque a Elvis Presley.

"*Wise men say only fools rush in, but I can't help falling in love with you.*" Tomei muito cuidado para não entrar em contradição e tentar extrair mais informações, mas Gregório não tinha a menor pressa. Eu ainda não sabia se ele gostava mais do jogo ou do resultado. Vai tentar entender a mente criminosa! Para mim, a expectativa do êxito era grande, mas o jogo também tinha lá seu charme.

Depois daquela primeira noite, nossas conversas seguiram mais devagar do que eu gostaria. Havia dias em que ele demorava para responder, sumia de repente e só voltava horas mais tarde. Tomava um cuidado especial para não parecer desleixado ou ocupado demais. Sempre pedia desculpas pela ausência, explicava que era culpa do trabalho.

"Que trabalho?", eu perguntava, mas só recebia evasivas:

"Quando eu nasci veio um anjo safado, o chato 'dum' querubim. E decretou que eu estava predestinado a ser errado assim."

Horários irregulares, com grandes intervalos: será que ele fazia alguma espécie de plantão? Ainda que ficasse irritada com a capacidade que ele tinha de escorregar entre os meus dedos, a conversa me entretinha. Se não soubesse quem ele era, já teria caído em sua rede. Às vezes, chegava a sentir falta dele, ansiava pela próxima letra, pela próxima música. Do lado prático, o @principedevotado logo começou a me chamar de "princesa". Certa noite, lancei ousadamente um Roberto Carlos:

"Eu te proponho..."

Não tinha jeito, ele não caía. Adiava o encontro ao vivo, queria me envolver ainda mais. O golpe fatal era sua última etapa. Passadas duas semanas, Gregório começou a me contar uma história de como havia sido traído pelo sócio, que sujou seu nome, a humilhação de ser um cara direito e ter um monte de processos trabalhistas que manchavam sua reputação. Ele dizia ser empresário, mas o padrão de horários em que acessava o site não combinava em nada com um dono de empresa. A coisa estava esquentando, ele começava a plantar para me pedir dinheiro. E pediu. Não muito, mas mandei a grana para que pensasse que eu acreditava. Ao mesmo tempo, comecei a pressioná-lo por um encontro. Evasivo, ele insistia que estava atrapalhado, confuso por gostar de mim mais do que pretendia (essa foi boa!) e seguia adiando.

A investigação de Janete também não ajudava minha paz de espírito. Consegui um par de brincos "007", comprados de um informante da Galeria Pagé, feitos para captar sons em tempo real quando se está a uma distância razoável deles. Passei em uma manhã na casa de Janete, reiterando que ela fazia a coisa certa. Ela estava diferente, mais decidida. E me entregou um papel com o Imei do celular de Brandão.

— Peguei na noite passada — disse, com um sorriso de vingança.

A ansiedade para que chegasse a noite decisiva só crescia. Passei a numeração para o meu Nerdson favorito, que logo fez os cadastros necessários e entrou na cola de Brandão. Infelizmente, tudo era muito rotineiro na vida do PM: de casa para o trabalho, do trabalho para casa. Sem alterações, sem sobressaltos.

Foi em uma quarta-feira à noite que recebi a ligação de Janete, com a voz sussurrada:

— É hoje! Ele tá chegando em casa!

Eu preparava uma massa para o jantar enquanto trocava mensagens com o malandro no AmorIdeal.com. Corri na mesma hora para o quarto. Pernas tremendo, além do frisson que parecia brotar da minha barriga. Vesti uma roupa confortável, porque a noite ia ser longa. Legging preta, camiseta preta e a botina de rua de sempre. No automático, vesti minhas pulseiras, mas aquilo não ia dar certo: elas faziam muito barulho. Prendi os cabelos com um boné e guardei uma lanterna pequena (mas potente) na bolsa. Conferi no espelho: nada que chamasse a atenção.

Verifiquei minha arma, a munição, tudo ok Pistola *azeitadinha*. Coloquei no cós da calça e passei a lanterna para dentro do sutiã — na pressa, encontrar qualquer coisa na minha bolsa seria missão impossível. Peguei as chaves do carro e voltei à cozinha para desligar o forno que tinha deixado aceso: a massa já passara do ponto. Acendi uma vela para meu anjo da guarda e, olhando para o relógio, fiz uma reza rápida. Estava na hora. Joguei a bolsa no ombro e me dirigi para a porta no mesmo instante em que Paulo entrava em casa, chegando do trabalho.

— Tá indo pra onde? — O tom dele era seco, estranho, com uma expressão de poucos amigos. — Fala logo, Verô!

— Isso é jeito de falar comigo? Deu pra querer saber da minha agenda agora?

Caminhei até a saída, sem paciência nem tempo para discussão. Girei a maçaneta, pronta para sair, mas a porta estava trancada. Olhei para ele, que segurava minhas chaves, desafiador.

— Me deixa ir, porra, é urgente. Coisa de trabalho.

— Você não cansa de mentir pra mim?

— Não minto pra você, meu amor. — Tentei fazer a linha doçura para ver se colava. — É só que eu realmente preciso ir. O Carvana me ligou e...

— Para, para, para! Chega de desculpas, Verô. Não nasci pra ser corno.

Ele apoiou a pasta sobre a mesa e retirou alguns papéis, que jogou em cima de mim. Peguei um deles e mal pude acreditar. Eram fotografias minhas na noite do encontro com o Cássio no restaurante Spot.

— Não é o que você tá pensando, Tigrão — falei, mas logo notei que a frase soava péssima.

A tensão era tanta que dava para cortar o ar com uma tesoura. Paulo foi ficando vermelho, chafurdando ainda mais a pasta. Retirou outro papel, sacudindo-o no ar:

— Não bastasse isso, a fatura do cartão de crédito chegou! Várias cobranças de um site chamado AmorIdeal.com. Você anda combinando encontros pela internet, Verô? Acha que eu sou idiota ou o quê?

— Depois explico tudo, te prometo. Mas agora me dá essa chave!

— Não vou te dar merda nenhuma! Você não vai escapar da conversa, não vou te dar tempo pra pensar em uma resposta. Quero saber quem é esse cara, quero saber há quanto tempo isso tá acontecendo! Verô... Eu te amava!

Qualquer explicação soava rocambolesca demais para ser crível. Na parede da sala, o ponteiro do relógio de parede avançava, me lembrando de que eu estava muito atrasada para chegar até a Janete. Meu plano estava indo por água abaixo. Merda, que hora para isso acontecer! Fiquei desesperada, comecei a gritar:

— É uma investigação! Uma mulher tá correndo risco de morte se eu não sair agora!

— Você é só uma secretária, Verô. Uma secretária encostada, isso sim! Pode pensar numa desculpinha melhor pras suas putarias. Alguém aqui tem que preservar a família, e parece que não vai ser você.

Meu sangue fervia de angústia. Precisava ter crise de ciúmes justo agora? Eu não podia deixar que aquilo me impedisse de salvar Janete. Fiquei parada, fingindo resignação. Encarei meu marido, olho no olho. Me aproximei erguendo os braços, como quem começa uma explicação e, quando Paulo percebeu o movimento, já era tarde. Meu joelho alcançou as bolas dele, que se encolheu em direção ao chão, gritando de dor. Deus é um cara muito sagaz de colocar o ponto fraco do homem em um lugar tão fácil de atingir. Enquanto Paulo urrava, enfiei a mão em seu bolso e recuperei a chave.

— Desculpa aí, Tigrão — eu disse, sabendo que não adiantava de nada. Daria um trabalhão consertar aquele chute, mas Brandão ia matar de novo, Janete corria risco, eu não podia vacilar.

Entrei no carro, torcendo para dar tempo de pegá-los ainda na rodoviária. Com meu celular no viva voz, liguei para Nelson e pedi para ele ativar o Imei e me passar a localização assim que possível. Pluguei no rádio do carro o pendrive que me conectava aos fones embutidos nos brincos de Janete. Nenhum som, só chiado. Eu ainda estava longe. *Merda, merda, merda*. A velocidade máxima permitida na Marginal era cinquenta quilômetros por hora. Eu não ia chegar a tempo. Enfim, Nelson deu sinal de vida.

— Calma, Verô, o sinal tá parado. Eles ainda estão na rodoviária.

— Nerdson, vou pisar. As multas que se danem. Você ajeita depois?

— Claro, chuchu.

Só ele para me arrancar um sorriso naquela hora. Queria que o Nelson estivesse ali comigo no carro, mas alguém precisava ficar no Q.G. monitorando o Imei. Cortando carros, avançando sinais e recebendo muitas buzinadas, finalmente cheguei perto da rodoviária, movimentada como se fosse meio-dia. Pessoas indo e vindo do metrô, guardas municipais controlando o trânsito, uma fileira enorme de táxis. Localizar o Corsa preto de Brandão seria mais difícil do que eu tinha imaginado. Entrei na fila de carros, girando os olhos por todos os cantos. Nada!

— Por que essa bosta não tá captando a escuta da Janete? — perguntei para Nelson, como se a culpa fosse dele. — Será que ela veio sem os brincos?

— Em zona urbana pega mal mesmo. O carro começou a se movimentar agora. Vai pra saída, Verô, pra saída!

— Saída onde? Eu tô bem em frente a um estacionamento com portão vermelho.

— Pega a segunda à direita... Depois à direita e à direita de novo. No fim dessa rua, você vai ver o elevado do metrô. Tá vendo? Pega à esquerda e presta atenção porque sempre tem um monte de pedestre atravessando fora da passarela.

Eu seguia as coordenadas do Nelson, agarrada ao volante do carro. Não podia falhar com Janete mais uma vez, seria o fim do caso. As ruas eram escuras, gente atravessando com mala e criança no colo, uma balbúrdia sem fim. A iluminação também não ajudava. De repente, um grito de esperança: no meio do chiado, pude ouvir o nítido som de gargalhadas. Então, silêncio e uma música estranha ao fundo. Apurei os ouvidos: era a música ritmada que Janete havia mencionado. Eu estava *dentro* do carro deles!

— Eu tô escutando, Nelson! Tô escutando!

— Boa, Verô, você tá no cangote dele. Entra na Ataliba Leonel à esquerda. Tá vendo o Carandiru? Pega a bifurcação porque a Ataliba vira pra direita. Fica na pista da esquerda na bifurcação pra avenida Nova, pra pegar a Tucuruvi.

— Eu não conheço essa merda de área!

— O carro está na Vila Albertina. Você tá só cinco minutos atrás.

Cinco minutos... Justamente o tempo que Paulo havia me atrasado. Foi só pensar nele que entrou uma ligação no celular. Recusei a chamada e continuei com Nelson. Mais uma tentativa do ciumento. Desliguei na cara de novo.

— Pisa fundo aí, Verô!

Pisei, mas tinha medo de estourar os pneus. Para piorar, a rua era cheia de lombadas eletrônicas. Fui em frente até cruzar com a avenida Maria Amália Lopes de Azevedo, continuação da Nova Cantareira. Subitamente, um silêncio desesperador dominou o carro.

— Perdi a escuta, Nelson! Eles se afastaram?

— Não sei, Verô. — Sua voz era de decepção. — Perdi o sinal de Imei na serrinha da Cantareira. É muito ruim de pegar ali...

— Como assim? A gente depende de sinal de celular pra chegar nele?

— Precisa de uma triangulação de antenas pra grampear Imei, é complicado explicar agora. Vai seguindo sempre em frente até começar uma subida à esquerda. Aí você já está no início da serra!

— Eu tô no escuro, porra!

— Verô, fica calma e...

A voz de Nelson foi interrompida. O sinal do meu celular também começava a falhar. A ligação caiu, tentei de novo. Sem serviço. Quanto mais eu subia, mais deserto e escuro ficava. De vez em quando aparecia um boteco fuleiro, antigo, mal iluminado. Também havia condomínios fechados com casas que pareciam maravilhosas. Passei por uma favelinha e o sinal voltou de repente:

— Alguma novidade?

— Nada, Verô, nenhum sinal. E a escuta?

Empurrei mais o pendrive como se assim fosse conseguir algo e, para a minha surpresa, funcionou. Como um ronco de trovão invadindo o interior do carro, escutei o barulho de correntes se atritando e muitos gritos ao fundo. Meu pé vacilou no acelerador e tive que baixar um pouco o volume para conseguir continuar. Era aflitivo ouvir aquilo sem poder fazer nada. Eu tinha que localizá-los com urgência.

— Consegui, Nelson!

Mas a ligação havia caído de vez. Teria que seguir em frente sozinha. Eu e aqueles brincos de Janete que captavam o áudio. Era como brincar de cabra-cega no meio do nada. A escuta dependia da distância, não do sinal. Então, eles estavam em algum lugar no raio de poucos quilômetros. Enquanto eu escutasse o som, sabia que estava na direção certa. Os gritos da mulher enervavam a minha cabeça, me incitando a agir mais depressa. Decidi tomar uma estrada vicinal à esquerda e perdi a escuta. Dei marcha a ré, e então voltei a recuperar o som. Tentei outros caminhos, em busca do alvo certo, mas as estradas de terra se bifurcavam a todo momento. Rodei por muitos minutos, perdendo e recuperando a captação conforme experimentava atalhos.

Em uma curva deserta debaixo de uma árvore, encontrei o melhor ponto de escuta. Parei o carro ali, botei o celular em modo avião e liguei o gravador. Melhor deixar tudo registrado. Olhei ao redor: nenhum sinal de luz. Peguei minha arma e saí do carro, ignorando o barro da estrada que entrava na bota, de tão alto. Espremi os olhos, mas não conseguia enxergar muitos metros adiante. O frio da noite congelava meus ossos, mas, repleta de coragem, avancei pela mata, sem me distanciar muito. Nada, nada.

Voltei ao banco do motorista, esgotada. Ficar andando em círculos para encontrar Janete era uma missão suicida. Só me restava torcer por elas e esperar. Fechei os olhos, tentando ficar calma, mas a reza silenciosa era sufocada pelos gritos inumanos e pelas súplicas sôfregas que chegavam pelo rádio. Agora, eu entendia o horror da Caixa.

Nossa Senhora da Cabeça, rogai por nós…

20.

Tec, tac, tec, tac... sim, não, sim, não...

Durante todo o caminho, Janete se pergunta se vai ter coragem. Os últimos minutos passam diante de seus olhos fechados, como em um filme de mau gosto, sons e imagens se misturam, mas ela está calma; amparada pela polícia, chega a ter uma leve sensação de missão cumprida.

Como é o seu nome? Paloma. O sorriso da moça, seus olhos, a promessa de emprego, a esperança, o baque surdo, a aspereza da própria máscara. À direita, à esquerda. A música estranha...

Na rodoviária, não viu nada suspeito, não viu Verônica, mas sabe que ela estava lá com sua equipe. Devem seguir o carro de Brandão a uma distância segura. Tudo sob controle, repete para si mesma. Nem se preocupa em captar os sons pelo caminho, tampouco se perturba quando Paloma começa a socar o porta-malas. O fim será diferente desta vez. No banco ao lado, ouve a respiração do marido. Vida... Logo, ele vai estar atrás das grades e ela finalmente ficará com o caminho livre.

A primeira coisa que vai fazer é entrar nas redes sociais.

Quer reencontrar amigas de infância, saber como estão as irmãs, conhecer pessoas e lugares novos. Isso vai ajudá-la a voar para longe da gaiola. A segunda é ir ao shopping comprar um vestido para si mesma. E ir ao cinema, faz anos que não vai, ou ao teatro, ela nunca foi e sempre quis saber como é. Vai viajar para o Rio de Janeiro, arranjar um emprego, dormir só de madrugada e ouvir música sertaneja no volume alto, dançando pela sala da nova casa que vai comprar depois de juntar dinheiro. Não vai abandonar Brandão, vai visitá-lo na cadeia toda semana e levar para ele o ensopado que ela sempre cozinha com tanto carinho. Com quem mais o marido poderia contar? Vai, vai, vai, vai. A cabeça não para de sonhar.

— Passarinha, tá esquisita hoje, hein? — Ele dá uma gargalhada. — Vai se comportar?

Passa a mão pelos cabelos dela, ajeitando a fita elástica da venda ao redor da cabeça. Abre a porta e tudo se repete. Os chutes, o cheiro de jasmim, os gritos dos bugios que soam como tambores pela selva em uma história infantil, mas não nesse caso. Aqui impera o terror. Finalmente, o cascalho, a porteira, o bunker e a Caixa.

Ela é mesmo uma idiota por ainda se preocupar com Brandão. Decide que não vai visitá-lo na cadeia de jeito nenhum, ele não merece. Apesar de amá-lo, apesar de ele fazê-la sentir tanto prazer, ele não merece. Tudo termina aqui, hoje. Ponto final.

Então o *clic-clic* do isqueiro. O cheiro de querosene, de café. Murmúrios desconexos. De repente, o som das correntes e os gritos desesperados de Paloma, enquanto ele a suspende. Por que ela não para de gritar? A hora está chegando.

Tec, tac, tec, tac… sim, não, sim, não…

Brandão sobe a escada, abre e fecha o alçapão em uma batida seca, assobiando aquele terrível acalanto e levando consigo o cheiro de café quentinho. Chegou a hora. Paloma precisa dela.

Verônica precisa dela. Ela mesma precisa dela. Enche o peito de coragem e — *clic* — destrava o fecho da Caixa. Aperta os olhos com força para desembaçar logo a visão. Pisca várias vezes, corre contra o tempo.

A poucos metros dela, Paloma está no ar, com anzóis fincados na pele, do mesmo modo que Jéssyca. Correntes e cadeados envolvem seu corpo moreno, nu e trêmulo, e o sistema de engrenagens parece tão complexo à primeira vista que Janete não faz ideia de como tirá-la dali. Junto à parede, encontra uma base de ganchos, de onde sai o feixe que ergue Paloma, como uma espécie de varal. Cada corrente funciona de forma independente.

No desespero, ela retira um dos elos do gancho, deixando que a corrente corra sobre a roldana, mas só consegue fazer com que o corpo da coitada se incline em quarenta e cinco graus. Paloma dá um grito de dor e desmaia, alguns anzóis arrebentam sua pele em alguns pontos enquanto outros esgarçam o tecido até quase romper. Janete pensa em retirar as outras correntes do gancho, mas tem medo do estrago que pode causar. Talvez seja o caso de esperar a polícia chegar para tirar a mulher dali. Tem muito sangue, carne viva exposta, ela não vai conseguir lidar com aquilo.

Paloma desperta do desmaio e encara o próprio corpo, suado, ferido, inundado de sangue, que escorre pelas costas até gotejar no chão. Grita mais uma vez.

— Shhhhh, fica calma — Janete diz, desperta de um pesadelo. — Vou tirar você daqui.

Continua a analisar os emaranhados de ferro, os cadeados, os elos enferrujados. A cada vez que mexe na parafernália, os anzóis se reviram na pele de Paloma. Vai ser impossível desmontar aquele mecanismo rapidamente. Olha em volta e percebe uma mesa metálica no canto da parede. Fazendo algum esforço, começa a puxá-la — a mesa é pesada e os pés arranham o chão, causando um barulho enervante, mas Janete consegue finalmente trazê-la até embaixo de Paloma. Limpa a testa suada e prossegue.

— Vou tirar você daqui — repete, mais para si mesma.

Desesperada, volta à base dos ganchos que prendem cada corrente. Agarra o feixe e o solta dos ganchos de uma só vez, deixando que as correntes se movam como em um efeito dominó. Janete tenta segurar o corpo da coitada em queda livre, mas só consegue arrefecer a aterrissagem. Pelo menos a mesa diminuiu a altura do impacto.

Sinaliza para que Paloma permaneça de bruços. A parte mais difícil vai começar.

— Por favor, não se mexe. Tenho que tirar essas coisas das suas costas. Aguenta.

Paloma não sorri, mas seus olhos se enchem de esperança. Com as mãos trêmulas, Janete desengancha anzol por anzol, presos desde a altura das omoplatas até os tendões dos tornozelos. Devido ao formato da ponta, os anzóis fazem mais estragos na carne e na pele ao sair do que ao entrar. Pronto, mais um. Paloma se contorce de dor, morde os lábios, mas não grita. A adrenalina anestesia.

A carne aberta sob cada anzol hipnotiza Janete. Por vezes, o sangue novo encobre o caminho do metal e ela perde o encaixe do gancho, que fica submerso no vermelho vivo que irrompe como mina d'água. Alcança um pano para absorver o líquido e enxergar melhor. Aquela operação precisaria ser feita com delicadeza e tempo, mas ela não tem nenhum dos dois. Olha para o alto da escada, antevendo a chegada de Brandão a qualquer momento. Depressa, depressa. Mais tarde, Paloma poderá cuidar das crateras que brotam vibrantes de seu dorso e de suas pernas. Janete é boa de corte e costura. Suas mãos logo aprendem o caminho, a inclinação menos dolorosa. Até que enfim, consegue tirar o último.

Fica de pé e analisa os emaranhados de ferro, os cadeados, os elos enferrujados que mantinham Paloma naquela posição. Examina o quadro de ferramentas, veste um par de luvas de mecânico e escolhe um alicate e uma grande tesoura para acabar de libertar a coitada. Com as duas mãos, prende os elos de cada corrente na pinça do alicate para rompê-los. Faz tanta força que quase cai no chão, mas as pontas escapam. Tenta de novo e de novo. O alicate se move em um vaivém, preenchendo o bunker com seu barulho agudo. Ofegante, Janete insiste, sente a cabeça zonza, os braços doem, mas não pode parar. Onde está Verônica? Não há tempo de pensar nisso agora. Continua cortando elo por elo, mas eles são grossos, não se rompem com facilidade. Por fim, corta as amarras de couro e suspira. Ajuda Paloma a se levantar depressa, estão prontas para fugir dali. Precisam correr.

— Me desculpa, ele me obrigou — Janete diz.

Aponta para as roupas amontoadas em um canto. Paloma tenta vestir a calça jeans, mas ela é justa e os ferimentos nas pernas ardem brutalmente a cada tentativa. Janete se aproxima por trás e tenta alargar o cós da calça o máximo possível para que encoste pouco nas feridas abertas. O sangue dificulta ainda mais. Decidem deixar a calça para trás, Paloma fica apenas de calcinha e camiseta, não há tempo para mais nada. Sobem as escadas juntas.

Janete ergue o alçapão, examinando a noite escura, apurando os ouvidos. Não vê nem ouve nada. A essa hora, a equipe policial cercou o sítio e elas estão seguras, tem certeza disso. Ao longe, o ponto de luz da casa com a velha sem um braço. Sem dúvida, Brandão está lá. A distância e a noite fria tranquilizam Janete. Sente a brisa da mata, respira o ar úmido. Pega na mão de Paloma:

— Agora a gente corre. A polícia está aqui em algum lugar.

Apesar de muito machucada, Paloma consegue correr ao seu lado em um ritmo acelerado. É estranho não encontrar nenhum sinal de Verônica nem de outro policial, nenhum carro escondido entre as árvores, nenhuma sombra se movendo no descampado. Eles já têm mais do que o suficiente para prender Brandão, não têm? O que estão esperando? Subitamente, Janete é invadida pela certeza de que a polícia se perdeu. Suas pernas fraquejam, mas continuam a correr. Seu peito se enche de vontade de chorar e logo as lágrimas voam ao sabor do vento. Olha em volta. Não é possível.

— Verônicaaaa!

Nada. Avançam pelo descampado na direção oposta à casa. Tentam se manter agachadas, para que suas sombras não sejam vistas à distância. Se o carro sobe para entrar, elas devem correr mata abaixo, rumo ao que parece ser um bosque adiante. Paloma fraqueja e segue um pouco atrás, em um ritmo mais lento. Está descalça, o cascalho fere seus pés, deixando um rastro de sangue, mas ela não reclama. Precisam alcançar o refúgio das árvores.

Rompendo o silêncio, o som de um tiro. BUM! Janete olha por sobre o ombro e enxerga a silhueta de Brandão segurando uma espingarda apontada para cima. bum! Outro tiro.

— Janeeeeeteeeee! Volta já aqui! Vou caçar vocês no inferno!

Aterrorizadas, elas correm o máximo que podem, adentram a mata escura, procurando algum sinal de vida, uma estrada, uma saída. Agora, Janete tem certeza de que por ali não tem Verônica, não tem ninguém, está sozinha com Paloma naquela escuridão. Brandão se aproxima em ritmo de cavalgada. Instintivamente, elas apertam as mãos, se olham, buscam em desespero um lugar para se esconder.

— Dona Glória, pelo amor de Deus — Paloma diz. — A senhora tem certeza de que alguém vai ajudar a gente?

— Cala a boca!

Janete perdeu toda a paciência e só sente ódio. Continua a caminhar no breu, pé ante pé, como um animal selvagem. Tateia os galhos, afasta folhagens, apoia-se nos troncos, rasteja na terra úmida, cheia de folhas mortas. BUM! Mais um tiro. Os gritos de Brandão ficam cada vez mais perto. Elas se sentam no alto de uma ribanceira e largam o corpo, escorregando morro abaixo até uma árvore com raízes enormes erguidas do chão. Parece um bom local para se esconder até que o dia clareie.

Em seu íntimo, Janete guarda a esperança de que a equipe policial esteja por perto e faça a sua parte. Verônica não a deixaria na mão. Certamente estão chegando, já ouviram os tiros. Elas estão abrigadas, seguras, encobertas pelas raízes grossas. Trocam um abraço forte, como velhas amigas. Um silêncio medonho encobre a mata, apenas perturbado por galhos secos que estalam aqui e ali. Janete leva o indicador aos lábios e Paloma concorda, em um movimento de cabeça.

Com a agonia da espera, elas perdem a noção de quanto tempo passa, agachadas entre arbustos, desvendando os sons da floresta. Há cigarras e macacos sobre a cabeça delas, sapos coaxando no chão. A temperatura cai rápido ali. Paloma treme um pouco, um frio quase insuportável para uma pessoa praticamente nua e molhada. Seus dentes batem uns contra os outros de forma involuntária. Janete esfrega as pernas dela, tentando aquecê-la, mas logo seus próprios dedos feridos reclamam atenção, e ela os leva à boca, um por um, sugando-os para que parem de doer.

As pernas começam a formigar, os braços são invadidos por câimbras, mas elas mantêm a posição estática. Não ousam mover nem mesmo um centímetro, até que Paloma não resiste e gira o corpo, ficando de cócoras para aliviar o incômodo. Sem querer, provoca um pequeno arrastar de folhas, interrompe o movimento, mas é tarde demais. Olha para cima e vê as pernas de Brandão, com suas botinas militares impecáveis a poucos metros de distância.

— Fora daí! As duas, bem devagar!

A voz dele é profunda e serena, acostumada a mandar. Paloma ergue os braços, rendida. Janete tenta segurá-la quando ela começa a se levantar, mas Paloma já encara os olhos de Brandão, tremendo toda, implorando pela vida:

— Foi ela... — diz — Foi ela que quis fugir.

Brandão sorri, o olhar cínico que quase solta faíscas, as costas eretas, o dedo no gatilho. BUM! CLACK! BUM! Paloma é jogada para trás com força brutal, os tiros quase chegam a parti-la em dois. O sangue jorra para todo lado, banhando Janete, que arregala os olhos, incrédula. Há fiapos de pele, muito sangue e coisas sólidas que ela nem sequer ousa imaginar o que são. Rasteja para longe, o mais rápido que pode, mas chega a ser patético. Brandão a alcança depressa, puxa seus cabelos, enfiando o cano da espingarda em sua boca. Ela sente o metal frio na garganta, tenta empurrá-lo para o canto da bochecha com a língua.

— Não me mata, Vida, não me mata! — resfolega, engasgando-se.

— Olha o que você fez.

— Eu não fiz nada, passarinha... Foi você que matou ela. Quis fugir e matou ela. Dessa vez, o lobo mau é você.

21.

Existem coisas na vida que transformam a gente. Naquela madrugada, dentro do carro, fumando um maço inteiro de cigarros já velhos que encontrei esquecido no porta-luvas, enquanto escutava tortura, gritos, tiros e perseguição pelas caixas de som do meu rádio, me transformei em uma nova mulher. A antiga Verônica, destemida, cheia de si, foi-se embora com a fumaça que escapava pela fresta da janela, rumo ao céu sem estrelas.

Levando o cigarro aos lábios trêmulos, escutei cada passo de Janete e da vítima pela mata, as duas sendo caçadas como animais em fuga. Enquanto a nicotina entrava pelos meus pulmões, eu me sentia na pele delas, sentia a revolta, a indignação e a resignação, mas sabia que meu terror não chegava aos pés do que aquelas mulheres viviam, em tempo real, em algum lugar a poucos quilômetros de mim. Tão perto, tão longe. Os tiros reverberavam na minha cabeça, saídos do som do rádio e do céu escuro. Eu não conseguia determinar de onde viera o som. Soquei o volante até os meus dedos quase se quebrarem.

Hoje, percebo que, ao me colocar no lugar delas, eu me protegia de mim mesma, evitava encarar o que tinha feito. Janete confiava que eu estaria lá e acabara tendo que implorar pela própria vida a um assassino sádico. Chamar Brandão de "Vida" — aquilo foi o pior. Deus devia ser mesmo muito cruel para criar um ser humano assim. Quase enlouqueci ao ouvi-la ser arrastada pela mata, urrando de dor enquanto Brandão a puxava pelos cabelos já curtos. Em algum momento do caminho, perdi o áudio dos brincos. Devem ter caído pela terra. Ou Janete os tinha jogado para longe, tomada de raiva e de medo. Pouco importava, eu era a culpada.

Joguei minha testa contra o logotipo frio do volante, disparando a buzina do carro — meu próprio grito preso na garganta diante de tanta impotência. Se eu não tivesse me metido nesse caso, se eu não tivesse convencido Janete a tentar libertar a vítima e a denunciar o marido. Se... Se... Se... O mundo conspirava contra mim. Nelson deveria ter me avisado da possibilidade de perder o sinal do Imei, meu marido tinha obrigação de não atrapalhar. Cinco minutos! Eu podia ter chegado na hora certa. Paulo, o corno desgraçado, nem imaginava o que havia causado. Nunca dei motivo para ele desconfiar; minhas escapadas não tinham nada a ver com amor. Afeto e tesão são coisas bem diferentes. Marta Campos e Janete Brandão também — casos distintos que começavam a se embaralhar.

Eu não queria desistir de nenhum deles.

Oxigenei o cérebro, tentando ficar calma. Projetar culpa em todo mundo só serviria para me deixar mais entalada de angústia. Me deitei na grama, olhando para um céu de luto, como um buraco negro. Só havia um único culpado nessa história: Cláudio Antunes Brandão, essa era a verdade. Eu já tinha visto muito policial perder a mão quando prendia um assassino escroto assim. Quem está na investigação, vivendo o dia a dia, respirando a violência, não se conforma. O sangue ferve e, claro, umas porradas ajudam a descarregar a raiva pelo sofrimento que um verme desses traz aos inocentes. Criminosos da estirpe de Brandão só param de matar quando morrem. É a lei da selva, e era meu desejo inconfessável. Não adianta recolher provas, abrir inquérito e prender; o Judiciário logo solta. Nessa porra de país escroto, fazer tudo direitinho nunca foi garantia de final feliz.

Me levantei sabendo para onde deveria ir. Dirigi ao som de Sepultura, pisando fundo sem ligar para os radares àquela hora da madrugada. A princípio, a mulher da recepção não queria me deixar entrar, mas me viu tão abalada que nem fez muitas perguntas. Finalmente, cheguei ao único lugar em que me sentia totalmente segura: o quarto do meu pai.

Deixei as luzes apagadas, abri só um pouco as cortinas para tirar o cheiro de talco e de urina. Me sentei na beirada da cama, acordei meu velho, virando-o de lado para me aninhar a ele, como uma criança com medo do monstro no armário. Chorei o que tinha para chorar, sem falar uma palavra. Toquei para ele a gravação no celular, com os gritos, os apelos e as correntes. Não ousava olhar para trás, mas, a cada tiro, sentia o corpo ossudo dele estremecer colado ao meu.

Ao final do áudio, desliguei o celular, como se o botão off pudesse apagar minha memória, e voltei a me deitar, ajudando o braço inerte do meu pai a me envolver. Queria tanto que ele pudesse me fazer carinho com as mãos enrugadas.

— Estraguei tudo — eu disse, finalmente. — Devia ter continuado secretária, isso sim. Não sou como você, sou burra, vou perder a minha carreira quando descobrirem as coisas ilegais que fiz. Vou perder os casos, a família e o trabalho. O Paulo nunca vai me perdoar. Tô fodida.

Às minhas costas, meu pai só grunhia com sua respiração asmática. Que triste ser confortada apenas por uma casca e uma memória. Não restava nada do homem vigoroso que ele havia sido um dia. Só pele, osso e vazio. Contei e recontei mil vezes o que tinha acontecido. Fiquei nessa cantilena até adormecer, exausta.

Quando os primeiros raios da manhã bateram em meu rosto, me levantei assustada, sem reconhecer onde estava. O ambiente e o cheiro forte logo trouxeram a memória de volta, mas a dor também. Erguida das cinzas, me livrei do resto da culpa, beijei os ralos cabelos do meu pai, ajeitei a manta desbotada sobre seu corpo e fui para o carro, ligando o celular e torcendo para que ainda tivesse bateria. Nem tinha cruzado o portão do asilo e dezenas de mensagens entraram no meu WhatsApp. Havia umas quinze de Nelson, umas quarenta de Paulo. Liguei para Nelson:

— Tô viva.

— Porra, Verô, quer me matar do coração? Você é doida, cadê você?

Não podia me dar ao luxo de chorar no telefone. Tentei ser sucinta:

— Deu tudo errado. Perdi a localização deles, mas peguei o áudio dos brincos. Escutei a vítima morrer.

— Caralho... E a Janete?

— Está viva, mas não vai falar comigo nunca mais.

— Não fica assim, Verô. Vem pra cá e me explica tudo.

A voz dele era doce e reconfortante. Ele era o melhor parceiro que eu poderia desejar. Naquele instante, eu só queria o abraço e o olhar de aconchego dele, mas não podia deixar minha família de lado.

— Criei um caos em casa, briguei feio com o Paulo. Vou tentar salvar o que der.

— Ele me ligou — Nelson disse.

Havia ciúmes na sua voz?

— O Paulo te ligou?

— Sim, ontem de noite. Veio com um papo estranho, tava desesperado, pensando em te buscar pelos hospitais da cidade. Perguntou se era verdade que você estava em uma investigação com o Carvana. Eu confirmei, claro, mas tem certeza de que é seguro contar pro seu marido?

— Não sei de mais nada.

Desliguei, esgotada de cansaço, como se uma manada feroz tivesse acabado de me atropelar. Apesar do corpo dolorido, a mente funcionava a mil. Entrei no carro, já pensando no melhor argumento para usar com meu marido: quando você está perdendo uma briga, a defesa perfeita é o ataque. Nelson tinha facilitado para mim e seria fácil trocar de papel com Paulo. De mulher traidora para vítima de ciúmes infundados.

Quando cheguei em casa, ele me abraçou cheio de remorso:

— Você está viva, graças a Deus!

— Me solta! Você tem noção do que me obrigou a fazer? — Agitei o braço, escapando do seu carinho. — Uma pessoa morreu por sua causa.

Ele engoliu em seco. Caminhei na direção do quarto antes que Paulo retomasse a fala que eu sabia que viria:

— Perdão, Verô, perdão, não sei o que deu em mim… Vi tudo ruir, pensei que você estava com outro…

— Nunca te dei motivo pra desconfiar. O acesso ao site era parte de uma investigação, eu te falei. Agora me deixa em paz. Você já fez estrago suficiente.

— Para, Tchu, me desculpa. O que você faria no meu lugar? Uma fotografia, porra! Aquele teu colega me explicou, não sei onde eu tava com a cabeça. O que faço pra você me perdoar?

— Um tempo, Paulo. Só isso. Me dá um tempo! Preciso digerir essa história primeiro.

Virei as costas, bati a porta do quarto, girando a chave para garantir o sossego. Me joguei na cama, satisfeita por ter virado o jogo e conquistado uma trégua. Não estava com a menor cabeça para cumprir o papel de esposa-perfeita-mãe-de-família. Dormi a tarde inteira. Acordei já de madrugada, faminta. Andei até a cozinha, o corpo doía bem menos. Paulo estava dormindo no sofá, roncando em alto volume. Voltei ao quarto com cuidado para não fazer barulho e tomei uma chuveirada quente. Vesti um moletom velho de ficar em casa, me sentei na escrivaninha, tirei um papel da gaveta e comecei a rascunhar a carta que deixaria para Janete.

Era a melhor maneira de tentar uma abordagem. Sem dúvida, ela não queria me ver nem pintada de ouro, não haveria espaço para conversa. Eu precisava ser certeira, sem abusar da paciência dela, resgatar a minha dignidade e a confiança dela em poucas palavras.

Escrevi, escrevi, pensei, realinhei. Risquei *matar o filho da puta.* Muito forte. Reescrevi.

No dia seguinte, antes de seguir para a delegacia, fiquei de tocaia na casa dela, esperando Brandão sair. Quando o carro dele dobrou a esquina, toquei a campainha. Nada. Toquei mais uma vez e logo percebi um movimento das cortinas na janela lateral. Como previsto, Janete me espreitava, mas não queria falar comigo. Passei o envelope por baixo da porta, tomando o cuidado de deixar para cima a parte em que estava escrito:

EU OUVI TUDO.
NÃO RASGUE ANTES DE LER.

Entrei no carro e dei partida, cheia de esperança. Sem dúvida, Janete não iria resistir a abrir o envelope. Lá dentro, encontraria a carta que nos colocaria juntas outra vez.

Tinha que dar certo! De tanto reler a carta, eu a havia memorizado:

Mesmo que você não goste de mim, eu sou a única pessoa que gosta de você, Janete. Sou a única que não acha que você é cúmplice desse cara. Não pude impedir Brandão, mas ouvi tudo, tenho a prova na palma da minha mão. ESTÁ TUDO GRAVADO!

Você não é culpada da morte desta última mulher. Sou sua melhor testemunha. Acho que todas as outras morreram também e que ele nunca vai parar de matar. Se a gente colocar Brandão na cadeia, quando ele sair — e ele vai sair —, estaremos perdidas. Seu marido virá atrás de nós. Se você não fizer nada, eu mesma vou ter que te denunciar. Nossos destinos estão cruzados, nossas vidas, entrelaçadas. Só tem um jeito. Eu tenho a solução final.

22.

Sentada à mesa da delegacia, tudo o que eu queria era que o Carvana me esquecesse um pouco. Volta e meia ele parava ao meu lado, dava três soquinhos na mesa e cobrava a infinita tabela de Excel que eu estava devendo havia dias.

— Prazo, Verô. Tem prazo!

Mesmo focada naquilo, não podia deixar as outras obrigações de lado. O caso Janete tinha dado um tempo: a carta não surtira qualquer efeito imediato, ela não atendia aos meus telefonemas e eu estava de mãos atadas. Enquanto isso, o bate-papo com o malandro de Marta Campos no site de paquera seguia em frente, mesmo a passos lentos.

Passada uma semana após o primeiro pedido de dinheiro, ele havia inventado novos dramas pessoais para justificar empréstimos absurdos e, fingindo a iludida apaixonada, eu havia cedido. Amor caro para o tamanho do meu bolso. De dinheirinho em dinheirinho, minha conta bancária bambeava pela hora da morte. Eu precisava me encontrar logo com aquele dom-juan ou estaria falida antes do primeiro beijo.

Dividindo a atenção entre a minha conciliação bancária e o preenchimento do Excel com os casos de latrocínio, o dia passou correndo. Muito café para manter o estado de alerta e espantar a dorzinha nas têmporas, prenúncio de enxaqueca. Por volta das dezesseis horas, imprimi a tabela final e bati na porta do Carvana.

— Taí, Doc. Desculpa a demora.

— Finalmente, hein? — O velho passou os olhos pelas folhas de papel e as deixou em cima da pilha. — Tô preocupado com a saúde do Rafa. Ele anda ficando muito doente.

— Verdade — falei, aceitando o sermão irônico. — Falando nisso, será que você me empresta uns quinhentos contos esse mês? Gastei muito em remédios pra ele. Tô tentando fechar minhas contas, mas os números não ajudam.

Carvana me encarou com um meio sorriso tipicamente cafajeste:

— Remédios pro Rafa... Sei. Amor nessa altura da vida, Verô? Cuidado pra não se meter em confusão.

— Relaxa, Doc, é o mesmo amor que você tem pela sua terapeuta das quartas à tarde. Só me arruma o dinheiro, *please*?

Estiquei as vogais, fazendo cara de anjinho.

— Tá bom, me lembra depois — ele disse, olhando as horas. Então se ergueu em um rompante. — Já tô atrasado pra reunião na secretaria. Acho que a nossa verba finalmente vai sair.

— Tomara.

Vestiu o paletó e me pediu que ajeitasse sua gravata cor de mostarda. Foi até a porta, empertigado.

— Segura as pontas por aqui, ok? Não sei se volto hoje.

— Deixa comigo, Doc.

Assim que ele dobrou o corredor com a tal tabela nas mãos, comemorei. Fechei todos os arquivos pertinentes aos assuntos chatos da delegacia e abri a página do AmorIdeal.com. Reli minhas conversas com Gregório/ George desde o primeiro dia, fazendo anotações. Ele contava muitos detalhes sobre sua vida, mas a maioria era mentira. Possivelmente, havia os instantes em que o sujeito real se deixava revelar, mas percebê-los era o grande desafio. Eu tentava examinar tudo com um olhar fresco, como se fosse a primeira vez, e até cogitei chamar Nelson para me ajudar, mas desisti. Mesmo estando a par das investigações, havia passos que preferia dar sozinha.

Depois de analisar as conversas, fui direto às doze fotografias do malandro disponíveis no perfil. Já as tinha visto e revisto dezenas de vezes, além de fazer elogios de como ele era interessante e sensual. Nenhuma das fotos trazia um uniforme ou logotipo que pudesse me ajudar. A maioria fora tirada dentro de casa, com um armário de madeira e uma cama ao fundo. Em duas, ele aparecia de pé, de perfil, em um lugar plano e enorme, vestindo roupa esporte e olhando para o céu. Sempre me intrigou o que ele fazia naquelas fotos. Cooper ou caminhada? Havia algo estranho na postura dele, mas eu não sabia definir o quê — as mãos estavam para a frente, como quem segura uma garrafa ou o cabo de um guarda-chuva, e a cabeça se inclinava para cima, olhando o céu, apesar do dia claro, com sol e poucas nuvens. Apenas alguns pássaros voavam ali. Não havia nada para olhar, havia? Fiz download das fotos, salvei tudo e comecei a ampliar o material, com foco no céu azulado. Depois de alguns minutos de análise... Encontrei! Na imagem, os pontos escuros que pareciam pássaros eram, na verdade, drones. No ângulo em que ele aparecia, não dava para ver que segurava um controle remoto, mas agora eu sabia. Só podia ser isso! Pilotar drones andava tão na moda que podia ser um hobby de verdade dele.

Passeei o cursor pela imagem, tentando obter alguma informação sobre o local. Aquele espaço era vagamente familiar. Em um site de buscas, pesquisei sobre drones e lugares para sua utilização. Não era um hobby simples ou barato. Para minha surpresa, o uso de drones era proibido na maioria dos parques, como o da Independência, o Ibirapuera, o Villa-Lobos. Como não era regulamentado, precisava de licença da Anatel.

Voltei às fotos e examinei as sombras, a inclinação do sol, os detalhes do local. Pela luz, conseguia supor que as fotografias haviam sido tiradas nas primeiras horas da manhã. O chão de concreto era pintado de forma a dividir a área em vagas de estacionamento. Continuei a girar a seta pela imagem, aproximando e afastando para conseguir novas perspectivas. Ao fundo, a silhueta de um edifício enorme e redondo me chamou a atenção. Anos antes, um colega investigador tinha se metido em um tiroteio em uma padaria ali perto, durante um assalto.

Busquei o caso nos arquivos, joguei o endereço do local do crime no Google Street View e logo descobri que era o prédio do Banco do Brasil. Naquela região, ficava o Carrefour da marginal Pinheiros. Era isso: um estacionamento de supermercado, só que ainda vazio! Possivelmente, o malandro pilotava os drones antes que o Carrefour abrisse. Uma vez fora da lei, sempre fora da lei. Tive uma ideia ousada, mas era minha melhor chance de conseguir um encontro mais depressa.

Assim que o fim de semana chegou, avisei Paulo que sairia bem cedinho para dar uma corrida e ir ao supermercado. Uma mentira com toques de verdade: minha ideia era aproveitar a missão para tirar o atraso de algumas compras da semana. Como o meu marido também tinha uma reunião de última hora, nem ligou. Às seis e meia da manhã, estacionei em uma das ruas ao lado do Carrefour, ainda cheia de vagas. Levei a mão à testa para me proteger do sol e tentei enxergar o céu: nada de aeromodelos ou drones.

Por volta das sete, quando o supermercado abriu, dei uma volta pelo estacionamento com o objetivo de me certificar de que não havia mesmo ninguém "brincando" por ali. Frustrada, fiz minhas compras.

Eu precisava mais do que nunca de um empurrãozinho da sorte ou teria que esperar sei lá mais quantos fins de semana. Paciência parecia ser o nome do jogo, mas persistência era o método.

Voltei ainda mais cedo no domingo, apesar de o supermercado só abrir às oito horas. Desta vez, foi fácil: pela lateral da rua Alexandre Dumas, logo vi um grupo discreto de uma dúzia de marmanjos com controles remotos em mãos. Para quem não estivesse atento, os objetos voadores passavam despercebidos, minúsculos no céu da manhã. Mantendo uma distância segura, esquadrinhei o pátio. Já tinha errado muito, mas, nesse momento, uma sensação de triunfo enchia o meu peito: vestindo jeans e camisa branca, lá estava o desgraçado. Sem dúvida, era ele. Gregório, ao vivo e em cores: o corpo malhado, o cabelo cortado rente, os trejeitos sedutores mesmo nos atos simples.

Assim que a loja abriu, escolhi a porta mais próxima, ainda a tempo de vê-lo guardar seu equipamento. Gregório entrou na padaria do mercado para tomar café. Hora do ataque. Tirei o espelho da bolsa, retoquei o batom rapidamente, passei uma esponjinha embaixo dos olhos para disfarçar as olheiras e segui cheia de confiança para me sentar ao seu lado no balcão. Estendi minha notinha:

— Um café com espuma, um pão de queijo e doze donuts de chocolate pra viagem.

Como era de se esperar, o galã olhou para mim. Retribuí o olhar e armei minha melhor cara de surpresa:

— George? É você, não é? Que coincidência!

Ele demorou a assimilar o meu rosto.

— Espera... Vera? Vera Tostes?

— Euzinha — respondi, batendo no peito. Os olhos de Gregório caíram sobre meus seios e ficaram ali. — Nossa, como é o destino!

Seu incômodo era evidente, mas fingi nem reparar. Esperei que ele desse o próximo passo para se sentir mais à vontade. Se eu fizesse qualquer pergunta suspeita, Gregório se fecharia.

— Coincidência mesmo — ele disse, digerindo a situação. — O que você veio fazer por aqui a essa hora de domingo?

Soltei um suspiro dramático, agradecendo à garçonete que me entregou a caixa com doces:

— Semana agitada, sobrecarregada de trabalho. Hoje, vou acompanhar um cliente em um evento sobre psicologia empresarial o dia todo. Sou oficialmente a responsável por levar os donuts pra chefia. E você?

— Vim encontrar uns amigos, vamos passar o dia fora — disse, evasivo como sempre. — Você mora por aqui?

— Que nada, Deus me livre. Gosto de mais área verde em volta. E você, George, mora por aqui?

Foi a pergunta errada. O malandro se retraiu, ainda que de modo imperceptível. Abriu um sorriso falso mas eficiente, e cravou os olhos frios em mim, como se tentasse controlar meus pensamentos.

— Engraçado... — ele disse, seco demais. — Te olhando assim, ao vivo, tenho a sensação de que te conheço de algum lugar... Já te vi antes.

Meu coração batia devagar, os alertas piscando em nível máximo: *cuidado, Verô, não subestima*. Será que ele me viu na televisão? Fiz beicinho, abrindo um meio sorriso:

— Isso me deixa chateada, todo mundo diz que já me conhece. Devo ter uma cara muito comum e sem graça mesmo.

— Nada disso, você é ainda mais bonita do que na fotografia do site. Só estou surpreso com as armadilhas do destino. Conhece aquela música dos Engenheiros do Hawaii? "Eu não passava por aí por acaso..."

Claro que eu conhecia. A letra também dizia algo sobre

prensar na parede. Era preciso tomar cuidado: o lado machão dele não resistia a uma conquista, mas o lado bandido se cercaria de cuidados e paranoia. Fiz cara de interrogação:

— Essa eu não conheço. Depois você me manda por mensagem?

Gregório relaxou na hora. Homem tem essa tendência primitiva de subestimar as mulheres. Já que eu não parecia ser tão esperta, ele viu o caminho livre e aceitou continuar o papo solto por mais alguns minutos. Imbecil machista, bem-feito! Fiz caras e bocas, flertando de um jeito que não fazia desde os dezesseis anos. Dava para ver o desejo crescer naquele olhar de conquistador barato.

— Então, quando você vai me levar pra jantar? — perguntei.

— A gente precisa combinar…

— Amanhã?

— Amanhã é um dia difícil, muito restaurante fechado. Você não quer deixar pra quarta ou quinta-feira?

Eu não podia deixá-lo escapar, então desafiei:

— Não me decepciona, George. Um cara como você deve conhecer algum lugar bacana, mesmo na segunda-feira.

O clichê geralmente funciona: homens relaxam quando se sentem no comando.

— Posso tentar.

— Viajo a trabalho na terça e só volto na semana que vem — menti. Notei na hora que ele ficou tranquilo com aquela informação. Considerando que eu viajaria, o dia seguinte era perfeito para me dar um golpe. — O destino está dizendo pra gente não esperar nem mais um minuto.

— Combinado, então. Vou escolher um lugar e falamos pelo site. Te passo as coordenadas. Oito ou nove?

— Melhor nove. Agora deixa eu ir que o trabalho me espera!

Aproximei o rosto, um pouco enojada, tentando não pensar em tudo que eu sabia sobre aquele desgraçado, e lasquei um beijo molhado na bochecha dele, bem próximo à boca. Virei as costas e fui para a saída, rebolando as ancas que Deus me deu, na certeza de que ele estava de olho. Eu precisava garantir que aquele jantar não ia ser desmarcado. Na esquina, esperei ele sair, minutos depois, e fui atrás, discreta. Larguei a caixa de donuts no primeiro carro estacionado. Seria um bom dia para um sortudo.

Gregório tomou a lateral do supermercado, afastando-se do movimento maior, o que me preocupou um pouco. Seguia pela calçada, a passos firmes, como quem tem certeza do caminho. Se ele caminhasse mais três ou quatro quadras, ficaria impossível persegui-lo sem ser notada. Será que ele me levava para uma emboscada? Automaticamente, levei a mão às costas e encontrei minha pistola. Não estava nem um pouco a fim de usá-la, mas...

Na esquina seguinte, ele dobrou à esquerda. Avancei devagar, atenta ao cruzamento — cheguei a imaginar Gregório me esperando logo depois da curva, pronto para o ataque, mas ele estava um pouco mais adiante, distraído, abrindo a porta de um carro funerário estacionado. Olhei para os lados e corri até um ponto de táxi na esquina. Finalmente, usei a famosa frase dos filmes:

— Siga aquele carro, por favor. Rápido!

Quando o veículo passou por nós, tomei o cuidado de me abaixar no banco traseiro. Na lateral, o logotipo da funerária Paz Eterna. Não havia mais dúvidas: era o cara certo. Tive vontade de ligar para Nelson e dividir com ele aquela conquista, mas decidi que faria isso depois. Domingo de manhã, sem trânsito, logo chegamos ao destino final. Não posso dizer que fiquei surpresa, fazia todo sentido. Como é que se diz? A melhor maneira de esconder uma árvore é colocá-la em uma floresta. Gregório deixou o carro funerário no único lugar que jamais chamaria a atenção de alguém: o estacionamento do IML de São Paulo. Saiu depressa, de cabeça baixa, caminhando na direção do prédio principal.

Paguei a corrida de táxi, sem pedir troco, e peguei o celular, ligando na hora para o Prata.

— Oi, querido, tudo bom? Está pelo IML?

— Tô sim, Verô, mas preciso acabar um laudo. Tá precisando do quê?

— De você, meu bem — respondi, em tom de brincadeira — Estou aqui na frente, vim visitar um amigo no Incor. Posso subir pra gente tomar um café?

— Nossa, que raridade você ter tempo pra mim, ainda mais em um domingo de manhã!

Deu aquela risada gostosa que eu conhecia bem e disse que precisava só lavar as mãos e me encontraria na sala dele. Desliguei, aproveitando que ainda tinha alguns minutos para me aproximar do carro funerário de Gregório. Agachada, temendo ser vista, tentei olhar pelas janelas, mas o interior do carro era absolutamente comum: bancos dianteiros, porta-luvas, rádio com CD player e um bom espaço para caixões na parte traseira. Preso ao retrovisor, um terço. Que santo!

Entrei no IML, com os nervos à flor da pele. Preferi tomar a escada de emergência, menos frequentada. Gregório estava no prédio, mas encontrá-lo era a última coisa que eu queria. Virei os corredores e passei por cada porta sempre olhando para os lados, rezando para não me deparar com o desgraçado. Teria que rebolar muito para inventar uma boa desculpa — *Oi, vim só visitar um morto*. Imagina, seria ridículo. Quando entrei na sala do Prata, tratei logo de fechar a porta.

Prata fazia o tipo esquisitão sensual: pele morena, aquela barriguinha dos cinquenta anos, cabelos compridos e óculos ao estilo John Lennon. Era casado havia vinte e cinco anos com uma loira oxigenada, cheia de plástica e botox chamada Lucrécia, a Luc. Quando a gente se conheceu, logo fiquei encantada por ele. Claro que não era pelo porte físico que ele seduzia as mulheres, mas pelo jeito culto e divertido. Prata não era daqueles que exibiam conhecimentos técnicos por aí, preferia deixar que a inteligência se revelasse aos poucos, nos diálogos irônicos, nas referências bem colocadas. Nosso caso durou pouco porque o sexo era fraco e a mulher dele, um pé no saco, uma obsessiva-compulsiva. Mas mantivemos a melhor parte da nossa relação: a amizade.

— E aí, Verô, quais são as novas?

— Muito trabalho na delegacia, muito problema em casa. O de sempre. E você?

— Tô pensando em me separar.

— Ou seja, o de sempre...

— Desta vez é sério, Verô. Outro dia, a Luc roubou meu celular e colocou a culpa na empregada. Isso tudo só pra ver com quem eu andava conversando. Ela está fora de controle.

— Cuidado com ela, Pratinha. Não duvido nada que a maluca te dê uma facada à noite só pra não te perder.

— Nem brinca. E você, tem aprontado muito?

Eu sabia que ele chegaria logo no assunto.

— Conheci um cara pela internet tem umas semanas. Gente boa, tô gostando dele.

— Verô, Verô, você adora uma confusão. Separou do Paulo?

— Paulo é marido, uma coisa não tem nada a ver com a outra! Um bom caso até melhora o casamento.

— Vai se enganando pra você ver só.

— Pra ser sincera, queria sua ajuda nessa história. Esse peguete trabalha aqui no IML. Queria saber mais sobre ele, tem como?

— Aqui no IML? Qual é o nome?

— Gregório Duarte.

— Não conheço, deve ser de outro setor.

Sem perder tempo, Prata digitou algo no computador e virou a tela para mim, com a foto de Gregório Duarte, médico-legista do setor de antropologia forense, trinta e cinco anos, trabalhando havia oito no IML. Seu endereço de cadastro era uma casa em Perdizes — rua Monte Alegre, 1985.

— Sabia que ele mentia a idade... Me disse que tinha 28! — falei, brincando, só pra descontrair, enquanto memorizava o endereço.

— Se eu tivesse a cara de criança dele também mentiria!

— Bonitão, né?

— Não faz meu tipo, Verô. Prefiro mocinhas universitárias. Mais alguma coisa?

— Só mais uma — eu disse, dando uma ordem nas pilhas de pastas tortas esquecidas por ali. — Me consegue a escala de trabalho dele desse mês?

Prata caiu na gargalhada:

— Essa é a Verô que eu conheço! Ainda controladora no nível máximo, hein?

— Pelo menos, nunca roubei o celular do Paulo pra nada.

Ele imprimiu a escala do Gregório sem fazer mais perguntas e logo mudamos de assunto. Comentei que Carvana estava cada dia mais de saco cheio, acomodado no cargo, mas Prata retrucou que era assim mesmo: depois de um tempo, a gente vê que não tem jeito e desiste de querer salvar o mundo. Senti aquilo como uma indireta involuntária. Depois, me dei conta de que eu não queria salvar o mundo, só queria ajudar a ter menos sujeitos de merda soltos por aí.

Em casa, confrontei a escala do Gregório com os intervalos de nossas conversas no site AmorIdeal.com. Os horários batiam, exceto por alguns vazios que eu já conseguia imaginar como ele preenchia. Aos poucos, fui construindo mentalmente o modus operandi do @estudantelegal88: depois de conversar por meses com uma mulher e aplicar o golpe, ele acompanhava a reação dela e esperava que cometesse suicídio. Será que havia algum empurrãozinho extra? Será que ele só se interessava por corpos de mulheres que enganara antes?

Essas perguntas eu ainda não sabia responder, mas era certo que, quando um corpo "no padrão" chegava ao IML, ele falsificava a papelada e fazia a remoção sob o timbre da funerária Paz Eterna. Como o prédio da funerária não existia, ele só podia levar o corpo para o próprio endereço. Morar em uma casa tem suas vantagens: sem porteiro, sem vizinho, sem intromissões. Com o perdão do trocadilho, paz eterna garantida.

Havia um único jeito de descobrir o que ele fazia com os corpos. Pela internet, encontrei uma loja na 25 de Março que vendia exatamente o que eu precisava. Na segunda pela manhã, antes de chegar à delegacia, dei um pulinho lá e comprei duas minicâmeras com boa memória, conexão bluetooth e sensor de movimento. O coreano dono da loja me explicou rapidinho como fazia para instalar. Tudo perfeito, menos o preço. Passei o cartão de crédito quase chorando por gastar aquela fortuna. Mas, se o meu plano desse certo, o dinheiro logo, logo voltaria para o meu bolso.

Quando saí da loja, meu celular apitou com uma mensagem do site AmorIdeal.com. Era "George" se desculpando pela demora e confirmando o jantar daquela noite, às nove horas, na Cantina Roperto. Quase gargalhei no meio da rua, de tão excitada. Finalmente, colocaria as mãos naquele filho da puta.

Luz, câmera, ação!

23.

Saí mais cedo da delegacia sem precisar inventar nenhuma desculpa, já que o Carvana tinha pegado uma virose qualquer e estava de cama. No meio da tarde, entrei no cabeleireiro determinada a sair estonteante. Apostava todas as fichas no jantar com o Gregório. Será que ele tinha sido capaz de amar Marta Campos depois de morta? Finalmente ela teria sua resposta.

Enquanto Monique, a ajudante do Rodrigão, lavava meus cabelos naquele cocho ridículo, as mulheres enfileiradas como se estivessem em uma linha de produção, eu divagava, deliciada com a minha descoberta. Se o plano desse certo e eu conseguisse provas contra ele, não havia muitas alternativas além de entregar tudo ao Carvana. *Engaveta, Verô, engaveta!*, já conseguia ouvir o velho gritando, mas também não podia passar por cima da hierarquia, tinha uma dívida de vida com o sacana. Matar Gregório também estava fora de cogitação. Claro que eu pensava nisso, o mundo ficaria bem melhor sem ele, mas aí era demais. Naquela época, faxina moral não era comigo, minhas vontades ainda estavam sob controle. Capar o dom-juan era uma boa opção, me divertia só de imaginar sua vida de eunuco. Por outro lado, ele poderia acabar reunindo provas contra mim e me denunciar. Meu plano não tinha sido tão bem elaborado e meus rastros não estavam tão cobertos assim. Pedi para Monique uma massagem final e relaxei, enquanto Aninha, minha manicure preferida, se ajeitava no banquinho diante de mim.

— O que vai ser hoje, Verô? Vai querer um *nude* ou vamos de vermelhão?

—Ainda não decidi. Deixa eu pensar um pouco enquanto você faz o resto — eu disse. — Me conta aí, como vai o maridão? E o tiozinho apaixonado?

— Fala baixo, Verô! Não é todo mundo que sabe dele por aqui. — Aninha riu gostoso, de um jeito maroto. — O maridão continua morto-vivo, mas o tiozinho está com tudo em cima. E você, gata? Aqui em uma segunda-feira? Pra agradar o Paulo é que não é! Quem é a bola da vez? Aquele caso antigo que você arriscou outro dia?

— Nada disso, gente nova no pedaço — respondi, com uma piscadela. — Pior que eu vou gastar uma nota aqui. Se ele desmarcar, acabo com ele! Esses caras nem imaginam o movimento que causam na vida de uma mulher quando convidam a gente pra sair. É fazer o pé, a mão, escova, depilação. Ardido, caro e às vezes eles ainda pulam fora no último minuto, deixando pra trás o maior prejuízo. Dá vontade de mandar a conta!

— Isso aí. Alguns caras só aprendem quando dói no bolso.

Gargalhamos juntas. Aninha era como uma psicóloga de plantão, falando sem parar e dando conselhos, enquanto cuidava das minhas mãos e dos meus pés. Ali, me dei conta de que manicures e cabeleireiros são guardiões de segredos de alcova capazes de deixar Sartre e Simone de Beauvoir ruborizados. O único problema é que, entre as histórias sobre o amante de uma e de outra, sobre desfiles, divórcios, moda e fofocas do mundo VIP, meu pensamento não parava de comparar os homens da minha vida naquele momento.

Paulo era o marido perfeito, mas já estava bem gasto. A mesmice tinha se deitado ao nosso lado na cama, a rotina engolia qualquer tesão, e eu sempre fui uma mulher que precisa de novidade. Manter um relacionamento longo talvez fosse bom só na teoria. Nessa fase tão frágil, Nelson voltava à cena, fogoso, criativo e, acima de tudo, companheiro — me aceitava do jeito que eu era, mesmo com pequenas mentiras e trapalhadas. Chegou de mansinho e foi se instalando de uma maneira que começava a ficar perigosa. Ficar apaixonada a essa altura da vida seria um problema, essa era a verdade.

Por fim, tinha o Gregório, o terceiro homem, que roubava a cena. Claro que eu não tinha o menor interesse nele, conhecia bem as armadilhas do desgraçado. Nossa conversa era gostosa, isso era fato; aquele romantismo todo havia mexido comigo. Era também impossível deixar de pensar que eu poderia viver tudo aquilo de novo, conhecer novos homens interessantes, ter novas conversas, novos jogos de conquista que fariam eriçar meus pelos da nuca. Ficar presa ao casamento não fazia mais tanto sentido. Mas sempre havia as crianças.

— Que cara é essa, lindona? — perguntou o Rodrigão, separando com os dedos as minhas mechas de cabelo. — Tá com cara de que matou alguém e não sabe onde esconder o corpo.

— Não matei, mas tô pensando em matar — falei, brincando.

— Tomara que não seja eu!

Sorri para ele, sem vontade de me estender naquele assunto. Aninha e Rodrigão faziam das minhas idas ao salão bons momentos de relaxamento, essenciais para minimizar a tensão do dia, mas as conversas precisavam manter certa superficialidade. Me entreguei aos cuidados finais da produção, verificando o resultado no espelho. Escova mais que perfeita, unhas finalmente pintadas no vermelho da protagonista da novela das nove, pele hidratada.

— Rodrigão, aqui atrás o meu cabelo não está muito mais escuro que na frente? Essa economia de reflexos aloirados vai parecer falta de dinheiro!

— Vai nada, linda, diz que é "tendência"!

Rimos bastante. Em casa, tomei um banho rápido e escolhi um vestido fatal. Diante do espelho do banheiro, de corpo inteiro, dei duas voltas ao meu bel-prazer: eu estava um arraso. Gregório ia comer na minha mão.

Eu havia chegado à Cantina Roperto com dez estratégicos minutos de atraso. Gregório vestia uma camisa jeans bonita e estava bem perfumado, cheio de trejeitos calculados para me impressionar. Durante a meia hora inicial, a conversa com ele manteve o flerte com letras de música. O restaurante, um dos mais tradicionais do Bixiga, tinha música ao vivo todo dia. A escolha de "George" era acertada para o nosso caso, já que a música era a nossa brincadeira diária. Garrafas de vinho penduradas, luminárias antigas espalhadas pelo teto, fotos de famosos, como é comum nas cantinas italianas da cidade.

Depois de brindar, beber um gole da taça de vinho, beliscar o delicioso couvert sobre a mesa e escolher os pratos, pedi licença para ir ao toalete. Eu observava tudo enquanto subia as escadas que levavam ao banheiro. Quando cheguei ao topo, fiquei ali, à espreita, esperando que o aproveitador batizasse meu vinho. Não demorou nem um minuto para eu ver a sacanagem sendo feita. Assim que teve oportunidade, ele tirou um frasco do bolso, confirmou que nenhum garçom estava por perto e gotejou o líquido na minha taça. Esperei mais um tempinho para voltar à mesa, bem na hora que o maître chegava com os pratos. Perna de cabrito para ele, um ícone do lugar, e filé à parmegiana para mim, meu prato predileto.

— Nossa, que lindo!

— Bacana, né? Eu também não conhecia, mas com certeza vou virar cliente — ele disse, pegando os talheres.

— Espera, espera, deixa eu fotografar pra colocar nas redes sociais? Tenho mania.

Antes que ele respondesse, peguei o celular da bolsa, fingi tirar foto do meu prato e, aproveitando que estava de pé, dei a volta na mesa para captar a imagem da comida dele. Assim, "sem querer", o celular escorregou da minha mão, caindo no chão. Educado, ele se abaixou para pegar e, para azar do galã, não teve a chance de me ver trocando as taças.

Com tranquilidade, ele me entregou o aparelho. Não havia motivos para desconfiar que eu sabia sobre seu golpe nojento. Para ele, eu era mais uma idiota iludida. Agradeci com um sorriso e propus um novo brinde, antes que começássemos a comer.

— Às surpresas da vida!

Nossas taças tilintaram, e continuamos nosso jantarzinho como se tudo fosse muito natural. A comida era deliciosa, e a sensação de conforto foi ficando ainda mais intensa quando, já no fim da refeição, a garrafa de vinho vazia, comecei a notar que Gregório perdia o controle. No meio de uma história — sem dúvida, mentirosa —, sua fala se enrolou e ele não conseguiu retomar o raciocínio. Apesar de totalmente consciente, as palavras não saíam direito. O álcool potencializa esse tipo de droga. Assustado, ele encarou o fundo da própria taça, antes de se fixar em mim.

— O que foi, bonitão? Não tá se sentindo bem?

Em gestos lentos, ele passou as mãos no rosto e nos cabelos, o suor brotando na testa. Sua expressão de incredulidade me fez ter vontade de gargalhar em pleno restaurante. Terminei de comer e abri um sorriso de excitação no exato instante em que ele entendeu que o feitiço tinha se voltado contra o feiticeiro. Havia ódio nos olhos de Gregório, mas ele estava dopado demais para fazer qualquer coisa. Acho que tentou avançar sobre mim, mas acabou apenas derrubando a taça de vinho no chão. O garçom veio depressa limpar a sujeira.

— Desculpa, viu? — falei. — Acho que o meu namorado bebeu mais do que deveria. Nunca pensei que um uisquinho antes de vir pra cá faria tanta diferença! Traz a conta?

O maître fez cara de quem ouvia isso todo dia, porque não dá para diferenciar mesmo um bêbado de alguém que ingeriu esse tipo de droga. Com a maquininha nas mãos, em um minuto chegou ao meu lado.

— Débito ou crédito, senhora?

Olhei para a nota. Eu não ia assumir aquele prejuízo, não.

— Amor, passa a sua carteira?

Ele não respondeu, mas levou a mão ao bolso por instinto. Seus movimentos eram lentos.

— Quer ajuda, querido?

Enfiei a mão no bolso do blazer dele e peguei a carteira. Dentro, um maço de notas de dinheiro presos por um clipe. Talvez ele pretendesse não usar cartão desta vez, mas aqui eu fazia questão de deixar um rastro. Quem sabe o dia de amanhã? Verifiquei os cartões e peguei um deles.

— A senha, Gregório. Me fala a senha.

Ele nem reparou que eu o chamava pelo nome verdadeiro. De modo pausado, cantou os números, como fazem as vítimas do "Boa noite, Cinderela", que atendem às ordens sem nenhuma resistência, dando ao bandido um monte de informações pessoais. No dia seguinte, ele não se lembraria de nada.

— Vamos, querido, me abraça aqui — falei, agarrando-o pela cintura. Vasculhei seus bolsos à procura do papel do estacionamento. O manobrista trouxe um Toyota preto cheirando a novo. — Moço, me ajuda a colocar ele no banco do passageiro? Bebeu demais.

Aproveitei para pegar o maço de notas e paguei pelo serviço; aliás, os olhos da cara! Prendi o cinto de segurança, assumi a direção, coloquei o endereço dele em Perdizes no Waze e dei a partida. Gregório logo caiu no sono ao meu lado. Até liguei o rádio para ouvir um rock animado enquanto dirigia pelas ruas vazias de São Paulo. A fachada da casa era simpática, pintada de um azul bem clarinho e com um portão eletrônico que não permitia a quem passava na rua ver nada dentro.

Acionei o controle que estava no chaveiro e estacionei ao lado do carro funerário. Fechei o portão antes de descer com Gregório apoiado em meus ombros. O lugar era um sobrado discreto, mas gostoso de morar. No térreo, uma sala de jantar pequena com uma mesa redonda e quatro cadeiras, uma cozinha funcional e uma porta de correr que levava a uma suíte espaçosa, com cama de casal, coberta por uma colcha estampada de pássaros e folhagens, além de almofadas enormes. Eu não esperava algo tão chique assim.

Deixei Gregório sobre a cama e tomei a escada que levava ao andar superior, onde havia uma sala ampla, com uma televisão de setenta e duas polegadas do último modelo e prateleiras cheias de livros de suspense, policiais e de terror, além de vários outros sobre medicina legal. Atrás de uma porta, outra suíte que, a julgar pela escrivaninha e pelo laptop, fazia as vezes de escritório. O nível de vida dele me impressionava. Com o salário pago pelo estado não era possível manter um padrão assim, mas Gregório parecia complementar bem sua renda com os golpes.

Desci e voltei ao quarto principal. Enquanto Gregório roncava em um sono profundo, tirei a roupa dele. Não foi fácil, seu corpo estava mole, sem controle, e eu não estava no meu modo mais gentil naquele momento. Ao descer a cueca, achei melhor não ter optado pela ideia de capar o infeliz: não havia muito o que cortar.

Escolhi com cuidado o espaço onde instalar a primeira câmera, em cima da televisão do quarto, presa à parede por um suporte. No meio de tudo aquilo, ela estaria imperceptível e eu teria uma visão panorâmica do ambiente, de cima a baixo. Dei mais duas voltas na casa inteira, tentando desvendar para onde ele poderia levar os corpos. Seria mesmo no escritório? Não era possível que ele subisse e descesse com os cadáveres por aquela escada íngreme.

Saí pela porta da cozinha para ver os fundos e logo voltei à garagem. Na parede em frente ao carro funerário, encontrei uma porta pequena, discreta, destrancada. Estava tudo escuro. Tateei a parede até encontrar o interruptor. Quando as luzes se acenderam, perdi o ar: o ambiente era uma réplica perfeita de uma sala de necropsia, com direito a maca de aço com rodinhas, mangueiras de água, pias, baldes de alumínio, armário de medicamentos e mesa de ferramentas. Toda a parede interna era forrada de azulejos brancos cujos rejuntes já faltavam em alguns lugares. Apesar disso, o local estava limpíssimo, cheirava a água sanitária.

Em um canto, um espelho antigo e emoldurado se apoiava em uma mesa de madeira diante de uma poltrona. Várias lâmpadas em volta faziam aquela área parecer um camarim criado com esmero. Na parede mais próxima, um mancebo com vários aventais pendurados (todos com o logo "Paz Eterna") e dois paletós sociais com o nome da funerária bordado no bolso. Sobre a mesa, estojos de maquiagem de todos os tipos, caixas de lenços demaquilantes, pincéis de todos os tamanhos, cremes e colas. Tudo muito bem organizado.

Abri a primeira gaveta e encontrei bigodes falsos, arrumados com perfeição por ordem de tamanho. Na segunda, óculos de armações variadas, algumas coloridas. Ganchos na outra parede davam suporte a vários tipos de peruca — morenas, loiras, cabelo liso preso em rabo de cavalo. Parecia um estúdio de cinema, essa era a verdade. Quanto mais eu investigava esses casos, mais ficava certa de que o mundo é louco e de que o ser humano não tem limites. Gregório era um homem de mil faces.

Claro que acomodei a segunda câmera naquela sala. Encontrei o ângulo ideal entre os frascos de remédio do armário de medicamentos, que tinha portas de vidro como nas farmácias antigas. Depois de terminar a instalação, filmei tudo com meu próprio celular. Caso as câmeras dessem algum defeito, pelo menos já teria algum registro daquele lugar totalmente *freak*.

Voltei ao quarto de Gregório uma última vez para verificar que ele continuava a dormir. Peguei o iPhone no bolso do seu paletó, destravei a tela com o polegar dele, troquei a senha e guardei no bolso do meu blazer. Dei mais uma volta na casa, em busca de objetos de valor. Do escritório do andar superior, levei o laptop. Depois de tudo copiado e limpo, vendê-lo ia me render grana suficiente para compensar os gastos com as câmeras. Em tom de comemoração, escolhi o melhor vinho da adega sortida do canalha e coloquei na minha bolsa.

Foi aí que eu parei para pensar que esse desgraçado, que vivia totalmente fora do padrão de vida de um médico do IML, com certeza guardaria o dinheiro dos golpes em algum lugar da casa. Escrutinei a sala. Afastei os livros da biblioteca e olhei atrás. Nem sinal de cofre. Olhei atrás dos quadros, abri todas as gavetas, utilizando para algumas o chaveiro que peguei do bolso dele. Nada. Observei se havia algum móvel maior por fora que por dentro. Abri lata por lata da cozinha, mas isso era mais coisa de filme, só havia mantimentos armazenados ali.

Me sentei no sofá macio, raciocinando. Com certeza ele não declarava a grana no imposto de renda, nem podia guardá-la no banco. Onde, então? Exausta, olhei para o chão. Tacos de madeira, com alguns tapetes arrumados de forma impecável por cima. Só podia ser isso. Levantei um por um, examinando com cuidado, até encontrar um desnível no piso. Peguei uma faca de cozinha, me agachei e tentei levantar o taco. Consegui na segunda cavoucada. Um bom dinheiro em dólares e euros, tudo pra mim. Queria só ver ele dar queixa na polícia dando falta dessa grana clandestina.

Mesmo depois de pegar tudo, ainda não havia esgotado a minha raiva. Tudo bem, não capei o canalha, mas a vontade de foder com ele estava longe do fim. Na sala, joguei os livros no chão, rasgando as páginas, e espatifei os bibelôs. Tirei o sapato e arranhei com o salto a maravilhosa tela plana da televisão, como quem risca o giz em uma lousa. Aquele filho da puta não merecia ter o prazer de se sentar no sofá e se distrair com a programação da Smart TV. Quando a casa já estava suficientemente revirada, acionei o portão da garagem, saindo com o lindo Toyota de Gregório. Andei poucas quadras até a entrada da boca de fumo da Muniz de Souza, uma das mais frequentadas da cidade, onde, perto dali, um Uber já me esperava. Deixei o Toyota para trás, com a chave em cima do banco do motorista para facilitar a vida dos bandidos.

Em casa, não consegui pregar os olhos. Mal podia esperar para ver a reação do Gregório ao acordar. No céu da boca, eu sentia um pipocar de estrelas, o gosto delicioso da vingança.

24.

Em pé, com as mãos apoiadas na pia do banheiro, Janete encara o teste de gravidez como quem espera a guilhotina descer sobre o pescoço. Uma gota de suor escorre pela nuca, ela abaixa a cabeça, fugindo do espelho, faz e refaz mentalmente as contas do ciclo menstrual: atrasado. Sem dúvida, atrasado. Isso não pode estar certo, seu corpo costumava funcionar como um relógio suíço. No mês anterior veio um sangramento, mesmo que tímido, então nem precisou pensar no assunto. Este mês, nada. Nem mesmo uma gota.

Os primeiros enjoos vieram depois do surto de Brandão, quando ele cortou os cabelos dela. Nos dias seguintes àquela humilhação, o atordoamento foi tão grande que ela se esqueceu por completo de tomar o anticoncepcional. Se esqueceu também de rezar. Agora talvez tenha que pagar o preço. Quem mandou ser tão descuidada? Conta até cinco, inspira. Conta até cinco, expira. Tem que saber a verdade, não há saída. Desembrulha o teste com as mãos inseguras e se senta no vaso, fechando os olhos com força, enquanto realiza o procedimento descrito na bula.

Em menos de três minutos vai conhecer o seu destino. Espera, concentrada nas janelinhas do teste: a primeira linha começa a se desenhar, comprovando que está funcionando bem. Tec, tac, tec, tac... sim, não, sim, não... Devagar, mas inexoravelmente, a linha da segunda janela aparece: fraca de início, mas, em um minuto, brilha como um farol no meio do mar.

Janete desaba no chão, chora uma desesperança latente. Quando acha que a situação não pode piorar, confirma que, para baixo, o caminho é infinito. O que poderia ser mais trágico? Ela carrega no ventre um inocente predestinado a sofrer. Marca de Caim, descendências amaldiçoadas. É um castigo, só pode ser. Ela se levanta, lava o rosto, coloca um vestido leve enquanto tenta relembrar onde era a clínica em que a vizinha fez um aborto anos antes.

Brandão não precisa saber da gravidez. Ela não quer nem imaginar como ele reagiria e, na verdade, tem medo de que o instinto assassino do marido seja hereditário. Essas coisas podem, sim, passar de pai para filho, ela já viu em um filme. É um dos motivos que a levou a desistir da maternidade. Além do mais, ele nunca fez questão de ter filhos. Egocêntrico, preferia não ter que dividir a atenção de Janete com uma criança. Para Brandão, a paternidade seria um verdadeiro desastre. Ela só precisa mesmo se lembrar da localização da clínica de aborto, sem ter que perguntar para ninguém. Talvez nem exista mais, faz tanto tempo. Esses negócios vivem mudando de lugar. E ainda precisa pensar como vai arrumar o dinheiro. Não deve ser barato.

Por outro lado — Janete tem essa mania de sempre ver o outro lado —, um filho pode consertar as coisas entre eles. Muitos casais se acertam quando viram uma família. Brandão pode surpreendê-la e se revelar um ótimo pai. Nem tudo está perdido.

Ela vai até a sala e se ajoelha no genuflexório. Acende uma nova vela para a Nossa Senhora da Cabeça. De coração aberto, pede luz para os seus pensamentos, sanidade para Brandão e para si, e que a santa lhe dê um sinal para encontrar o caminho certo.

Eis-me aqui prostrada aos vossos pés,
ó Mãe do Céu e Senhora Nossa!
[...]
Ah! Tende compaixão de mim!
Minha alma sofre o remorso
de tantas vezes ter ofendido
o Vosso divino Filho
[...]
Ó Mãe ternissima,
não vos esqueçais também das misérias
que afligem o meu corpo
e enchem de amargura
a minha vida terrena
[...]
Ó Senhora da Cabeça,
até que chegue o dia em que,
levado por vós
eu entre no gozo eterno do céu.
Assim seja. Amém.

Reza de novo. E de novo, cada vez mais fervorosa. O transe proporcionado pela repetição começa a espalhar certo calor por seu corpo. Devagar, o desespero diminui e o coração se enche de ternura. Ela imagina uma criança correndo pela sala, subindo no sofá, fazendo brigadeiro no fogão da cozinha. É a chance que eles têm de viver em uma casa normal, como Nosso Senhor Jesus Cristo ensinou: pai, mãe e filho. Janete chora de emoção, enquanto acaricia a própria barriga — uma vida nova, um papel em branco no qual ela escreverá uma história com cuidado redobrado. Desculpa-se com a santa pela ideia absurda de fazer um aborto. *Não sou uma assassina*, diz a si mesma.

Volta ao quarto e, escondida entre as páginas de uma revista de palavras cruzadas, encontra a carta de Verônica. Relê pela milésima vez, agora em voz alta. Há um tom de ameaça quando a policial menciona "está tudo gravado", certo? O que ela quer dizer com "solução final"? Janete não sabe, mas se sente mal toda vez que passa os olhos por aquelas linhas. Se lembra da noite seguinte à da morte de Paloma, quando ela mesma pensou em dar uma solução final para a sua tragédia: com a arma de Brandão, chegou a fazer mira na nuca do marido enquanto ele dormia. Sua ideia era se matar depois, para alcançar a paz também, mas não teve coragem. Nem de uma coisa, nem de outra.

Devolve a carta ao esconderijo como se fosse um objeto repelente mas indispensável. Se senta na cama, levando as mãos à cabeça. A santa se recusa a lhe dizer os próximos passos, ela terá que descobrir sozinha. Janete olha para a mesa de cabeceira de Brandão com a gaveta trancada. Não sabe que segredos ele guarda ali que quase o levaram a matá-la, mas talvez seja a hora de descobrir. Na outra vez, ela apanhou à toa, levou a culpa pelo que não fez.

Então se ergue com um pensamento tolo: será que a chave da própria gaveta, idêntica à de Brandão, abre a dele? Faz o teste e, para sua surpresa, funciona. Incrível como nunca pensou nisso antes. Atenta e nervosa, retira item por item, disposta a enfrentar a realidade por pior que seja. As regras do jogo mudaram, agora tem um filho na equação, ela não pode continuar tão cega.

Um envelope roxo chama sua atenção. Enfia a mão e retira dali vários bilhetes românticos que enviou ao marido. Quem diria que ele tinha um lado poético! Folheia os bilhetes, relembrando os momentos, sorrindo ao concluir que, apesar dos problemas, eles viviam, sim, dias especiais, cheios de afeto. Está tão distraída naquele passeio mental que se surpreende ao encontrar uma fotografia entre os recados. Dá um grito abafado: na fotografia, vê a si mesma, exceto por uma pinta escura no queixo. Janete nunca tirou aquela foto, mas — meu Deus! — a mulher é idêntica.

Na mesma hora, escuta Brandão chegando em casa. Tem o impulso de guardar tudo depressa, mas se contém. Em vez disso, segura a foto com as duas mãos e fica de pé, voltada para a porta, aguardando a entrada do marido. Menos de um minuto se passa. Tão logo Brandão vê sua gaveta aberta, ele se projeta para cima dela, mas Janete não recua. Segura o antebraço do marido com uma força que nunca imaginou ter e diz:

— Vai mesmo bater na mãe do seu filho?

— Filho? — Ele fica lívido. — Do que você tá falando?

— Acabei de fazer o teste.

— Passarinha, é sério? Como isso foi acontecer? Não estou pronto pra ser pai. Acho que nunca vou estar.

Ela não arrefece:

— Quem sabe Deus não está devolvendo as vidas que você tirou?

Janete vai até o banheiro e traz a prova incontestável. Brandão segura o exame, engole em seco, chocado. Se senta na cama, olha para a esposa e depois para a gaveta aberta, sem entender.

— Por que você abriu minha gaveta, passarinha?

— Porque sou sua mulher, sua cúmplice. Estou esperando um filho seu e não quero mais segredos entre a gente. — Janete estende a fotografia, destemida. — Quero saber quem é essa.

Ele se aproxima da janela e permanece ali alguns minutos, o olhar perdido no horizonte. Ela respeita o tempo dele, mas não vai desistir tão fácil. Quer encarar a realidade, seja lá qual for, quer enfrentá-la. Quando ele se vira de novo e caminha para a porta, Janete o interrompe:

— Aonde você vai?

— Preciso de uma bebida.

Ela o acompanha até a sala e se senta no sofá. Brandão enche um copo alto de gelo e rega as pedras com seu uísque preferido — Natu Nobilis. Ele se senta em uma poltrona a menos de um metro, com expressão de cansaço.

— Pergunta — ele diz. — Vou te contar o que você quiser saber.

— Quem é a mulher, Brandão? Sua primeira vítima?

— Não é nenhuma vítima.

— Quem é, então?

— Minha mãe, passarinha, minha mãe.

Seu tom de voz é grave e baixo, como quem anda em campo minado. Ele não consegue sequer encará-la enquanto responde.

— Sua mãe?

— A pessoa que mais amei no mundo. E a que mais odiei também.

— Essa mulher é a minha cara, Brandão! Pelo amor de Deus, por que você nunca me contou nada?

— Contar pra quê?

Brandão coloca o indicador dentro do copo, girando o gelo, como se isso o ajudasse a pensar. Suga o dedo e bebe um gole generoso do uísque, fazendo uma careta quando o líquido desce pela garganta. O silêncio que se interpõe entre eles vai ficando cada vez mais insuportável, de modo que ele retoma a fala, sem que ela precise perguntar:

— Enquanto ela esteve por perto, foi a melhor mãe do mundo. Depois... Ela fugiu, caiu no mundo, prometeu vir me buscar e nunca voltou. Traidora.

Seu tom ganha nuances de raiva, a boca chega a se contorcer em um esgar. Ele termina o uísque e se levanta para reabastecer o copo. Janete percebe que a história não vai sair em um relato cronológico, como um fio perfeito. Ela precisa escolher com cuidado a próxima pergunta:

— Sua avó ainda está com você. Foi por isso que ela ficou assustada quando me viu. Achou que eu era a sua mãe, certo?

— Sim — ele diz, com um sorriso nostálgico. — Não penso na minha mãe há anos...

— Como ela se chamava?

Brandão se remexe na poltrona, desconfortável. Ela não tem ideia de quanto tempo mais o marido vai continuar passivo daquele jeito, respondendo a tudo. Para se distrair do silêncio momentâneo, ela se levanta, pega mais gelo, abre um saco de batatas fritas e traz a garrafa de uísque para perto.

— Anahí, mas a gente chamava de Ana — ele responde, enquanto abre a garrafa. — Nasci quando ela tinha só treze anos, quase morreu no parto. Quem cuidou de mim sempre foi a minha avó.

— Sua avó tem origem indígena, é impossível não notar. Ela sempre anda nua?

— Pra ela é normal, passarinha.

— Mesmo vivendo há tanto tempo longe dessa cultura?

— Minha avó nunca "saiu" do povo dela. Ela foi arrancada de lá, raptada. Mas isso é coisa minha, deixa pra lá.

— Vai, me explica, Vida...

— Larga de ser chata — ele diz, com certa irritação. — Não quero conversar mais.

Ela se protege com a primeira almofada que alcança, recosta a cabeça no sofá, espera que ele beba mais e relaxe. Então, volta a fincar os olhos em Brandão:

— Não existe isso de *coisa sua*... Agora, com esse filho, nosso mundo é um só, Vida. Compartilha comigo.

— É uma história que não tem nada a ver com a gente, só isso. No povo dela, quem nascia com defeito físico estava predestinado a morrer. Era como uma clemência, pro espírito não sofrer com o defeito do corpo.

Janete já sabe disso, Verônica lhe contara, mas, mesmo assim, faz expressão de surpresa e arrisca:

— Sua avó sobreviveu...

— Um fotógrafo famoso passava por lá pra fazer um trabalho para uma revista internacional. Ficou inconformado, raptou minha avó e levou pra fazenda dele, em São Luís, no Maranhão. Ela ainda era criança, viveu com esse desgraçado a vida inteira.

— Desgraçado? Mas ele não salvou a vida dela?

— Como você é ingênua, mulher. — Brandão sacode a cabeça. — Ele manteve minha avó de escrava, escondida em um casebre nos fundos da propriedade, presa na sua própria ignorância sobre o mundo. Estuprava a coitada sempre que podia. Foi assim que minha mãe nasceu, filha de um falso herói que era, na verdade, um demônio.

— Por que ela nunca fugiu?

— Difícil explicar. Era uma menina quando ele apareceu. Ela não falava português. Na verdade, não fala até hoje, com exceção de algumas palavras, aprendidas aqui e ali. Não tinha pra onde ir, não tinha como sobreviver, não podia voltar. O que você queria que ela fizesse? Resignação, foi o que aconteceu. E medo. Ela se conformou com o destino. Depois veio minha mãe, depois eu... O tempo passa depressa, passarinha.

— Mas sua mãe não ficava presa, né? Seu pai tirou vocês de lá?

Brandão retesa os músculos e Janete percebe que fez a pergunta errada. Ele se ergue, deixando o copo de lado:

— Vamos pra cama. Chega de conversa.

— Não, Vida. Termina a história.

Ela segura o braço dele, mas Brandão se desvencilha:

— Você é muito burra! Acha que meu pai é quem? Um príncipe que veio salvar as duas? Meu avô é meu pai!

Janete demora ao ouvir o inimaginável, e fica horrorizada quando entende. Abraça o marido e pega o rosto dele entre as mãos. Ali, na sua frente, está um homem que ela não conhecia. Brandão finalmente se abre para ela como um companheiro — talvez seja o sinal da santa de que as coisas serão diferentes dali em diante. Guia o marido até o sofá e faz com que ele deite a cabeça em seu colo.

— Entendo que contar essa história te faz mal. Mas estou do seu lado, Vida — ela diz, acariciando a cabeça lisa dele, fazendo cafuné. — Estou do seu lado pro que der e vier. Como você e sua avó vieram parar aqui em São Paulo?

— Não quero mais falar.

— Você sabe que nunca te julguei, Brandão. Meu amor é incondicional.

— Matei o desgraçado. Meu pai e avô ao mesmo tempo. Se quer saber, foi a primeira vez que fiz isso... Descobri como pode ser bom eliminar alguém podre como ele.

— Você tem razão — Janete diz, engolindo em seco.

— Minha mãe fugiu de casa e nunca voltou. Eu fugi também, me formei PM em São Paulo, mas voltei lá pra cumprir minha promessa. Matei o filho da puta e resgatei minha avó. Ela merece um fim digno na vida.

— O sobrenome desse fotógrafo... era Antunes Brandão?

— Claro que não! Ele nunca me registrou. Foi um senhor que me ajudou aqui em São Paulo, Cláudio Antunes Brandão. Ele não tinha ninguém e cuidou de mim até morrer, tempo suficiente pra eu virar adulto. Ele que me deu o nome.

— Então você também tinha um nome indígena?

— Manuá.

— Manuá? É lindo!

— Manuá morreu no dia em que virei Brandão. Aquele menino não existe mais.

Ele sai do carinho dela e puxa Janete para o quarto, em silêncio. Não há mais nada a dizer. Ela tenta impedir que maus pensamentos invadam sua felicidade. *Foi a primeira vez que fiz isso*, ele disse. Não importa agora. Brandão abriu o coração. Ela não quer perder por nada a chance de viver o amor completo que sempre sonhou.

— Boa noite, Manuá — diz, dando um beijo na boca dele.

— Boa noite, passarinha.

Seu corpo se encaixa perfeitamente ao do marido, e ela percebe a respiração dele ficar cada vez mais lenta. Naquele abraço, está protegida e cuidada. Em poucos minutos, Brandão começa a roncar. Ela, ao contrário, não consegue pregar os olhos. A carta ameaçadora de Verônica volta para lhe assombrar. A policial não vai desistir do caso. Se arrependimento matasse, Janete estaria estendida no chão. É um problema e tanto. Não devia ter procurado ajuda. Agora, vai ter que dar um jeito de garantir que ninguém atrapalhe sua felicidade. Precisa se livrar de Verônica.

25.

A lista de pendências na delegacia só aumentava. Não bastasse ser terça-feira, Carvana continuava doente, de modo que todos os serviços burocráticos, desde planilhar as estatísticas criminais do mês até responder a e-mails rotineiros, caíam no meu colo. Logo pela manhã, telefonei para a lavanderia para verificar se as roupas do velho já estavam prontas. Devia ser proibido um chefe pedir esse tipo de coisa, afinal eu era escrivã de polícia. Mas, no Brasil, não tem jeito; tudo funciona meio torto mesmo. Entre uma conta e outra, eu verificava meu telefone.

Preenchi mais uma coluna de estatística e, cansada de encarar o computador, comecei a despachar os inquéritos finalizados para o arquivo. O celular deu o alarme e abri o aplicativo depressa: ao menor sinal de movimento no ambiente, a câmera começava a filmar e transmitir tudo na casa de Gregório. Ele continuava esparramado na cama, os pés enroscados no lençol, os braços cruzados sobre o peito. Voltou a se virar de lado, ainda entorpecido de sono. A tela logo ficou escura outra vez. Eu teria que esperar mais um pouco.

Submersa naquela expectativa, levei o maior susto ao sentir uma fungada no meu pescoço:

— Que isso, Nerdson, tá louco?

— Perfume bom, hein, Verô? Tava te olhando de longe e pensando que você tá cada dia mais bonita.

— Segura a onda, garanhão.

— É sério... E notei que você está a manhã toda de olho no celular. Tá esperando a ligação de alguém?

— A sua — eu disse de brincadeira, deitando a cabeça de lado e abrindo um sorriso, enquanto escondia estrategicamente o telefone.

— Pô, Verô, sou o teu Watson! Me conta o que tá pegando... É o caso daquela Janete?

— Quem me dera. A pobre continua a sofrer nas mãos do desgraçado, e eu aqui sem poder fazer nada. Melhor nem falar sobre isso que fico mal.

Era verdade: enquanto o caso Marta Campos só me trazia orgulho, bastava pensar em Janete para eu me sentir a policial mais incompetente do universo. Uma merda.

— Aquilo foi um pesadelo mesmo, coisa do além — Nelson disse. — Mas a tecnologia tem limites, não pode ficar se culpando. Você não procurou a Janete pra explicar?

— Explicar o quê? Acha mesmo que ela ia querer bater papo comigo?

— Sei lá, Verô...

— Deixei uma carta por baixo da porta — falei. — Mas isso foi há semanas! Nem sinal dela. Perdi o timing de falar com o Carvana e abrir oficialmente o caso. Só me resta esperar.

— Esquece essa história — ele disse, em um tom de compaixão que me fez bem naquele momento.

— Vou tentar.

Girei a cadeira para voltar à planilha no computador no

exato instante em que meu celular apitou. Olhei para o Nelson, esperando que ele se afastasse, mas ele deu um sorriso provocativo, deixando claro que não ia embora dali. No fim das contas, concluí que não havia mal algum em mostrar o que eu tinha feito. Nelson era bom parceiro até nas pequenas ilegalidades. Peguei o celular e coloquei a tela na altura dos olhos, de modo que ele conseguisse acompanhar também. Foi divertido ver a sua cara de espanto ao notar um homem nu em uma cama estampado na tela do meu celular.

— Verô, quem é esse?

— O filho da puta que enganou Marta Campos — contei, com um sorriso incontido.

— Tem certeza de que é ele?

— Absoluta!

Não precisei dizer mais nada. Em silêncio, assistimos a Gregório acordar desesperado e se sentar na cama, enquanto levava as mãos à cabeça. Depois de alguns segundos, ele correu até a mesa de cabeceira, abrindo as gavetas depressa, fazendo uma zona, sem dúvida em busca do celular. Como não encontrou, começou a revirar os lençóis e os bolsos da calça caída no chão.

— Ele não vai encontrar. Coitadinho — eu disse, tirando o iPhone último tipo da bolsa e mostrando para Nelson.

— Sua doida, você furtou o cara?

— Furtei porra nenhuma! Apenas sedei, entrei na casa dele e recuperei meus prejuízos...

Nelson começou a rir, sem desgrudar os olhos da tela, onde Gregório zanzava de um lado para o outro, tentando assimilar o que havia acontecido. Sumiu do quarto, mas voltou menos de um minuto depois, tomado de fúria. Possivelmente, viu o caos que eu tinha deixado para trás e percebeu que perdera o laptop também. Bem-feito. Indignado, ele socou a cama, passou os olhos agitados pelo quarto e ficou tonto, vomitando ali mesmo.

Como era recompensadora sua expressão de medo, vê-lo sentir na pele a impotência de acordar nu na própria casa, privado dos bens pessoais. Gargalhei como quem assiste a um bom esquete de humor, enquanto Gregório, ainda zonzo, tentava conciliar mente e corpo, limpando a própria sujeira e confirmando que havia sido feito de idiota.

— Você é uma gênia, Verô — Nelson disse, batendo palmas de leve. Agradeci, fazendo um gesto como quem tira um chapéu invisível. Gregório voltou a sumir e a câmera se apagou. Pensei que ele fosse para o quarto da garagem, mas isso não aconteceu — as duas câmeras continuaram no escuro. Ainda impactados pela nossa pequena diversão sádica, eu e Nelson ficamos nos olhando, rindo um para o outro, relembrando aqueles momentos hilários de Gregório com olhar desolador e gestos vazios no ar. Então, ele fez a pergunta que eu mais temia:

— Agora, o que você vai fazer com isso?

Preferi ser sincera:

— Não sei, Nelson. Não faço a menor ideia.

Mesmo sem ideia de como usar aquele material sem me comprometer, continuei atenta aos passos de Gregório nas semanas seguintes. Sempre que o celular apitava, corria para assistir ao meu Big Brother particular. Tive o prazer de vê-lo definhar a cada dia, abalado pelo golpe. Fui me acostumando com a rotina dele, sabia que horas acordava e quanto tempo permanecia no quarto. Gregório deve ter tentado conversar comigo no site AmorIdeal.com, mas meu perfil não existia mais. Sua masculinidade estava ferida e ele não tinha ninguém em quem descontar a raiva, o que era ótimo.

Comecei a pensar que a câmera no quarto da garagem poderia ter sido mal instalada porque nada acontecia ali. Para meu desespero, eu não sabia o que fizera de errado, mas tinha que existir alguma explicação para toda aquela quietude. Perdi algumas noites de sono com isso. O susto só passou mesmo em uma manhã de segunda-feira, quando Gregório entrou por poucos minutos na sala de necropsia, vestiu uma peruca de cabelos compridos e um bigode postiço diante do espelho. Sem dúvida, era uma atitude suspeita, mas não tinha maiores consequências. Eu não podia agir nem contar nada para o Carvana enquanto as câmeras não flagrassem algo de fato ilegal. De todo modo, eu continuava sem pressa. Assistir aos movimentos de Gregório fazia a alegria dos meus dias.

Em casa, a situação continuava esquisita. Depois da briga, eu e Paulo vínhamos atravessando uma fase morna, de pouco sexo, pouca conversa e muita reclamação. Às vezes, eu até prometia a mim mesma começar um diálogo razoável, retomar os velhos tempos, mas então batia uma preguiça enorme de me relacionar com ele.

Na noite de quarta, quando cheguei ao apartamento, Paulo estava de avental, a mesa posta, uma musiquinha romântica tocando no aparelho de som. O silêncio nos quartos deixava claro que as crianças estavam na minha sogra. Larguei a bolsa na poltrona e me sentei diante do balcão, enquanto Paulo me servia uma taça de vinho.

— Adorei a surpresa...

— Um jantarzinho especial, receita nova. Vamos brindar ao seu sucesso, Verô!

Havia certa ironia na voz dele, mas preferi ignorar. Encostamos nossas taças, olho no olho.

— Não faço tanto sucesso assim — falei.

— Que isso... Você agora é uma policial importante, cheia de serviço. Nunca vi o Carvana te solicitar tanto...

— Tá com ciúmes, Tigrão? Era o que faltava, depois de tanto tempo — respondi, pisando em ovos. — Vinho delicioso, hein? Qual é esse?

Minha observação foi displicente, eu não tinha achado nada de especial no vinho, só queria encontrar algum assunto que fugisse da discussão de relacionamento.

— Engraçado — ele disse —, pensei que você pudesse me responder essa, Tchu. Verifiquei no Vivino e esse vinho é bem caro pra nossa humilde adega... Não fui eu que comprei.

Merda, era o vinho que eu havia pegado na casa de Gregório! Me levantei, dei a volta no balcão e alcancei a garrafa sem pressa, ganhando tempo para pensar em uma resposta.

— Então agora você me faz pegadinhas?

— Então agora você compra vinhos caros? — ele retrucou.

— Não tem nada de mais nesse vinho, Tigrão. Ganhei outro dia, em uma busca e apreensão que fiz com o Carvana. Você não devia ter aberto sem me avisar...

— Eu não conheço essa nova Verô — ele disse, e havia mágoa na voz. — Não sabia que você pegava coisas nas casas de suspeitos.

— Deixa de ser chato, Paulo — falei, largando a taça e ameaçando sair dali. — Você não entende nada do meu trabalho, não sabe como funciona a polícia, as pressões. Não quero falar sobre isso.

Ele segurou meu braço:

— Antes você ficava fora desses rolos. Principalmente de furto.

— Você está me ofendendo!

Me desvencilhei dele e tomei o corredor. Paulo não desistia:

— Pensei que a gente sabia tudo um do outro.

— Você anda paranoico, isso sim! Achei que você queria ter uma noite legal, que a gente podia superar os problemas. Se é pra encher meu saco, tô fora! Fica desconfiando de mim, mas nunca coloquei você em dúvida!

— Também nunca te dei motivo. Minha vida é um livro aberto. Já a sua... — ele provocou. — Antes a gente conversava sobre tudo, você me contava o seu dia de trabalho, eu contava o meu... Quero ficar bem contigo, Tchu. Mas onde está aquela Verônica companheira?

Vendo Paulo falar assim dava até pena. Ele abriu os braços e aceitei o gesto. Encostei o rosto no peito dele, respirando fundo. O que havia acontecido conosco?

— Aquela Verônica está de férias, Paulo — respondi, segundos depois. — Como você falou, essa nova Verônica anda bem ocupada, cheia de coisas na cabeça. Queria que você respeitasse a minha fase.

— Eu respeito. Mas sem segredos, pode ser?

Antes que a conversa avançasse, meu celular vibrou. Pensei que podia ser Gregório diante das câmeras e minha curiosidade voltou a se agitar. Era o pior momento para olhar o celular, eu sei, Paulo havia começado a me beijar docemente, mas foi impossível me concentrar:

— Espera um minuto, Tigrão, pode ser importante.

— Fala sério, Verô! Logo agora?

Ele se afastou, desanimado. Pegou a taça e andou até a janela da sala, os ombros retesados. No celular, uma sequência de mensagens de Nelson dizendo que queria me encontrar *as soon as possible*. Ler aquilo me deu uma sensação boa. Eu não queria conversar com Paulo sobre os casos, mas queria conversar com Nelson. Peguei a bolsa e andei na direção do meu marido.

— Preciso sair. É o Carvana chamando. É urgente mesmo.

— E o jantar que eu preparei? Vou ficar sempre em último lugar?

— A nova Verônica tem compromissos fora de hora — aleguei, enchendo o rosto dele de beijos. — Paciência, só mais um pouquinho, eu amo você, você sempre foi o centro da minha vida. Prometo que volto logo.

— Nem precisa se preocupar com horário. Viajo amanhã

cedo pra uma reunião no Rio e só volto no último voo da noite. Vou com um colega do escritório.

— Com o Mário?

— Agora você quer controlar a minha vida, mas eu não posso controlar a sua? — Ele esboçou um sorriso vitorioso. — Vou guardar esse vinho. A gente mata amanhã.

Concordei, saindo depressa. Eu nem queria transar com Nelson, mas estar perto dele me faria bem. Essa felicidade adolescente me deixava também com uma culpa gigante. O Paulo era o melhor marido do mundo, meu porto seguro, o que eu estava fazendo?

Pedi para Nelson me encontrar na nossa cafeteria preferida, o clima não era mesmo para motel. Chamei um táxi na hora e aproveitei o caminho para repassar nossa relação. Era estranho como a gente tinha se reaproximado nos últimos tempos (até demais). Eu precisava urgentemente separar afeto de tesão. Um bom macho alfa pra trepar, um bom macho beta pra casar, sempre conduzi a minha vida desse jeito até ali.

Alfas são os donos do pedaço, mulherengos, frios, mas incríveis na cama. O melhor é que querem se envolver ainda menos que você. Betas como Paulo são as melhores escolhas para marido. São engraçados, cheios de gentileza, não querem dominar a conversa, trocam, compartilham, demonstram seus sentimentos. Um pouco submissos, é verdade, mas bem mais fácil de levar. Nelson era um misto dos dois: atencioso e prestativo em um momento, dominador e feroz na cama em outro; uma combinação tão perfeita quanto perigosa. Talvez já fosse tarde para evitar os riscos.

Na cafeteria, pedi um cappuccino e comecei a contar para Nelson sobre a crise no meu casamento. Ao contrário do que poderia se esperar, ele acompanhava cada frase como quem assiste ao último episódio do seriado favorito.

— Somos cigarras, Verô — ele disse, quando terminei de

falar. — A gente gosta de viver. O Paulo é a formiga, trabalhadora, estável. Com o tempo, isso pode ficar bem monótono.

— Eu me sinto carregando pedras.

— Tem que ter uma paciência descomunal pra fazer dar certo. Por isso nunca casei, não encontrei mulher que não fosse uma pedreira!

— Como é que você entende tanto de casamento se nunca experimentou, seu sacana?

— Padres dão bons conselhos e também nunca casaram!

Demos risada, trocando amenidades. Terminado o café, Nelson propôs que dividíssemos um drinque ótimo, de café com licor 43. De tão entretida no papo, quase não percebi o celular apitar incessantemente — movimento na casa de Gregório. A câmera ligada era a da sala privada de necropsia. Me animei na hora: mal podia esperar para descobrir o que ele aprontava ali. Sem dúvida, aquele desgraçado tinha dois lados — o médico e o monstro —, e eu estava prestes a conhecer o mais sombrio deles.

Deitei a tela na mesa para que pudéssemos acompanhar a ação. Gregório, totalmente irreconhecível, de cabelos compridos, bigode e vestindo paletó azul-marinho com o logotipo da Paz Eterna, entrou no seu quarto secreto. Caminhava devagar, com certa dificuldade, e bastou que girasse o corpo para eu entender o motivo: carregava uma mulher morta nos braços. Levou o corpo até a maca de aço ao centro, fez um carinho no rosto dela, ajeitando os longos cabelos como se ainda estivesse viva, e sumiu à esquerda da tela para acender as luzes brancas.

Sentado na poltrona diante do espelho, um Gregório travestido começou a desmontar o disfarce, iluminado pelas lâmpadas amarelas que emolduravam seu reflexo. Tirou os óculos falsos e os guardou na gaveta. Devolveu a peruca de cabelos compridos ao gancho na parede, entre as outras ali penduradas. Arrancou o bigode também. Agora, já voltava a ter a aparência jovem que tanto usava ao seu favor para enganar mulheres. Com a ponta dos dedos, afofou os cabelos, jogando-os para trás, e alcançou um lenço demaquilante sobre a mesinha. Em poucos minutos, retirou a grossa camada de maquiagem que cobria o rosto.

Então se levantou, trocou o paletó por um avental pendurado no mancebo e finalmente se aproximou do corpo da moça sobre o metal frio. O homem de mil faces revelava a sua faceta mais íntima. Pelo modo como gesticulava, tive a impressão de que ele conversava com o cadáver. Pena que era impossível escutar o que era dito, mas a julgar pela cabeça levemente inclinada e pelos dedos passeando com delicadeza pelo cadáver — primeiro os braços, depois as maçãs do rosto, a barriga e os seios rijos da moça morta —, aquele era um momento de ternura para Gregório.

Era um ritual tão grotesco quanto pessoal. Troquei olhares incrédulos com Nelson, sem que disséssemos nada. Não queríamos perder nenhum segundo. Gregório ligou a mangueira enroscada ali perto e banhou o cadáver, que já apresentava manchas esverdeadas na barriga. Em movimentos lentos e circulares, ensaboou todo o corpo com o cuidado de quem banha um bebê e deixou que a água escoasse por um furo na maca que levava diretamente ao balde coletor.

Enxugou o cadáver com uma toalha branca e, com um secador ligado à tomada, tratou dos cabelos da mulher, cacheando-os com um *babyliss*. Terminado o arranjo, buscou nas gavetas um estojo de maquiagem profissional e, passo a passo, fez o rosto pálido voltar à vida: base, sombra, blush, rímel. Gregório era um perfeito maquiador de mortos.

De outra gaveta, retirou uma lingerie vermelha e preta, ainda fechada na embalagem, e vestiu o cadáver com jeito de quem faz isso sempre. Pensei que eu fosse vomitar, mas estava compenetrada demais. Vi quando ele pegou um iPod, direcionou o aparelho para uma caixa de som e começou a se despir lentamente, parecendo acompanhar o ritmo da música. Fiquei imaginando qual seria a trilha sonora para uma ocasião como aquela.

Já nu, Gregório voltou a tocar o cadáver, respeitoso, murmurando frases curtas e arriscando lambidas nas orelhas e no pescoço esbranquiçado. Sem pressa, foi ganhando intimidade. Montou sobre o cadáver, enfiou a cabeça na entreperna, girando a língua sedenta enquanto beliscava os bicos dos seios da mulher. Ficou ali por muitos minutos, antes de abrir com força a mandíbula da morta e enfiar seu pênis rijo lá dentro.

Quando já suava em bicas, penetrou a defunta sem camisinha, urrando de prazer e trocando olhares como um marido apaixonado. Arriscou posições variadas, fez afagos e distribuiu beijinhos. Precisei me afastar um pouco da mesa, em um misto de nojo e excitação. Ninguém merecia tanto abuso. O inferno era pouco para esse psicopata. Depois de um bom tempo, Gregório atingiu o orgasmo e se aninhou ao cadáver, colocando o braço dela sobre seu peito arfante. Só faltou acender um cigarro.

Se levantou minutos depois, com o pênis não completamente flácido, e caminhou até a gaveta do armário para buscar uma caixinha. Era demais para mim: Gregório se ajoelhou diante da maca metálica e, com lágrimas nos olhos, parecia pedir a mulher morta em casamento. Beijando as mãos dela, vestiu a aliança no anelar. Retirou de uma caixa redonda uma grinalda e a ajeitou com muito cuidado na cabeça da mulher. Uma noiva morta e nua. Então a pegou no colo, como se fossem para a lua de mel, e saiu com ela da sala de necropsia. Cheguei a pensar que fossem para o quarto de casal, mas não aconteceu. A tela ficou escura e só restou o silêncio. Com um vídeo daqueles, qualquer juiz engoliria uma alegação de insanidade.

Sem clima para mais nada, Nelson me olhou, sério:

— Verô, você tem um caso com todas as provas. Esse cara precisa ir direto pra cadeia! Quando vai falar com o Carvana?

— Calma, eu... Ainda preciso pensar... Não tenho nenhuma permissão pra fazer o que fiz, a prova pode ser invalidada por qualquer advogado de porta de cadeia.

— Mas não tem sentido saber tudo isso e não fazer nada. Deixa o Carvana te ajudar. Ele pode usar aquela velha saída da denúncia anônima, pode esquentar as provas. Essa história tá ficando perigosa demais pra você seguir sozinha.

— Só me dá uns dias pra tomar coragem e montar minha versão da história, ok?

Nós nos despedimos sem um beijo na bochecha sequer. Nelson fez questão de me deixar de carro em casa, o dia amanhecia. Paulo já havia saído e a cama estava arrumada como se ninguém tivesse dormido ali naquela noite. Tomei um banho demorado, como se a sujeira a que eu havia assistido tivesse se impregnado à minha pele. Fiz o download do vídeo de Gregório para o meu computador e salvei todo o material na nuvem. Me deitei na cama, a mente a mil por hora, mas o corpo todo moído, implorando por uma trégua, e preguei os olhos.

Tinha dormido só por três horinhas quando meu celular tocou. Na tela, um número desconhecido.

— É Janete. — Escutei. — Estou em um orelhão.

Me sentei na cama na hora, esfregando os olhos. Sua voz era nervosa, entrecortada. Eu imaginava como era difícil para ela fazer aquela ligação.

— Oi, Janete. Aconteceu alguma coisa? Você tá bem?

— A gente precisa conversar. Brandão acabou de sair prum plantão dobrado.

— Quer me encontrar na lanchonete da Tina?

— Não. Você pode vir aqui em casa agora?

Explodi de felicidade. Depois de pegar o desgraçado do caso

Marta Campos, agora Janete enfim havia entendido que precisava de mim. Depois de tanto silêncio, ela queria minha presença. Saltei depressa, já tirando o pijama.

— Vou me vestir e corro praí, ok? Não se preocupa.

Passei uma água no rosto, já que a geladeira estava sem energético — o Rafa devia ter bebido todos. Vesti a roupa do dia anterior mesmo, peguei uma banana para comer no caminho e segui rumo à Zona Leste, torcendo para que Janete houvesse descoberto o endereço do sítio. Assim, eu teria dois casos para contar ao Carvana e ficaria por cima. Um necrófilo golpista e um assassino em série a menos nesse mundo de bosta.

Como não era hora do rush, cheguei até rápido. Ansiosa, Janete me esperava na porta de casa. Usava vestido simples que cobria os joelhos, meio cafona, e avental amarrado na cintura, mas tinha uma aparência boa, inédita para mim.

— Bom dia, Janete.

— Entra, Verônica, entra. Melhor ninguém te ver — disse, abrindo passagem.

Fiz menção de me sentar na sala, mas ela seguiu para a cozinha:

— Vou fazer um cafezinho pra nós duas.

Nós nos acomodamos ali mesmo, de pé próximas ao balcão, com ar intimista, e Janete logo começou a falar sobre a carta que deixei para ela. Seu tom era pacífico e fiquei feliz que as coisas finalmente começassem a se ajeitar. Agradeci quando ela me entregou a caneca de porcelana com café fresquinho, assoprei a bebida e tomei em goles rápidos para ver se despertava. Mais de trinta horas sem dormir não é para qualquer um.

Escutei Janete falar sem parar por mais cinco minutos, tentando entender exatamente onde ela queria chegar. Então, enquanto eu tamborilava os dedos sobre as coxas, senti meu corpo tontear e um zumbido forte preencheu minha cabeça, estourando os ouvidos. Me apoiei no balcão, buscando cambaleante a cadeira mais próxima. Girei os olhos pela sala até encarar Janete. Havia um brilho sádico que não estava ali antes. Nem deu tempo de chegar à cadeira. Logo minha vista escureceu e, antes de apagar de vez, só me lembro de ter dito em um fio de voz:

— O que você fez, Janete?

26.

Acordei, mas não abri os olhos. Algo instintivo, que eu trazia comigo desde a manhã em que perdi meus pais, fez com que eu soubesse que precisava escutar antes de tudo. Escutar para saber o que me esperava ao abrir os olhos. Era precaução, mas também medo.

Minha cabeça pesava uma tonelada e um gosto terrível amargava minha boca. Ao tentar mover os braços, tive a certeza de que estava imobilizada. Aos poucos, a mente foi desanuviando e me vi tomando o café batizado na cozinha de Janete, seu olhar cínico enquanto eu perdia o equilíbrio. Filha da puta traidora! Era melhor mesmo me manter amarrada, caso contrário, eu mataria aquela vaca sonsa na hora.

Com cuidado, arrisquei abrir uma fresta do olho direito e vi Janete a poucos metros de mim, parada de costas, olhando pela janela. Passei os olhos pelo quarto: eu estava deitada na cama do quarto de casal, com pernas e braços afastados do corpo, presos às grades de cabeceira e aos pés da cama. Eu não tinha a menor chance, essa era a verdade. Pelo menos, ela não havia tirado minhas roupas.

Só naquele instante percebi como Janete era esperta. No começo, muitas suspeitas recaíram sobre ela e seu jeitinho frágil, mas depois, levada pelas emoções, ignorei completamente seu outro lado: a face do mal. Vítima é o caralho, Janete tinha prática e aprendera muito bem com o marido. Havia nela uma crueldade mascarada, um prazer disfarçado na bárbara cumplicidade com Brandão.

Eu conhecia apenas sua versão sobre os crimes. Quem me garantia que as coisas aconteceram como ela contou? Que ódio ter caído em uma armadilha tão primária, típica de "Sessão da Tarde". Olhei ao redor mais uma vez, tentando absorver o máximo possível de informações, enquanto ela não notava que eu havia acordado. Era essencial para conseguir fugir dali. Na mesinha de cabeceira, um vidro de Rivotril. Eu não sabia há quanto tempo estava presa, mas com certeza não era muito: o efeito do remédio passa rápido. Pela luminosidade através da janela, o lusco-fusco começava a se instalar... O medo revolvia minhas entranhas, atrapalhando as ideias. Sem que eu quisesse, a vida passava diante de mim como um trailer mal editado — mãe, pai, marido, filhos, casamento, sonhos, carreira. Uma lágrima teimou em escorrer pelo rosto e funguei, o que fez com que Janete se virasse de imediato.

— *Bom dia*, Verônica.

Pelo tom de voz, ela parecia tão nervosa quanto eu, o que podia ser uma vantagem, desde que mantivesse o controle. Janete baixou os olhos e abriu um sorriso sem graça. Esfregava as mãos nos antebraços cruzados e mantinha um balanço jogando o peso entre um pé e outro.

— Esperando o marido assassino?

— Cala a boca, Verônica! Meu erro foi te procurar, isso sim!

Suspirei, exausta daquela ladainha de síndrome de mulher espancada.

— Você não cansa de jogar a culpa em mim, não é? Pelo menos consegue se encarar no espelho?

Ela logo começou a chorar, seu corpo tremia, os olhos agitados escapando a todo custo do confronto. Andava de um lado para o outro como uma leoa na jaula. Janete era uma bomba-relógio nos minutos finais. Minha melhor chance era que os cacos não machucassem tanto quando ela explodisse. As mãos tensas enxugaram o rosto, passearam pela barriga, afagando o abdome por mais tempo do que o normal. Como aquela linguagem corporal só admitia uma leitura, disparei:

— Então, qual é o plano? Me matar e fazer essa criança que você está esperando crescer com o pai e a mãe na cadeia?

Ela andou depressa até a beirada da cama, apontando o indicador na altura do meu nariz:

— Não vou deixar você atrapalhar minha felicidade! Você é uma incompetente que só me trouxe desgraça, me vendeu uma mentira. Quero me livrar de você!

— Você acha que sou tão burra de vir até aqui sem avisar meu time? — blefei, forjando uma calma que eu não sentia. O suor empapava minhas costas. — Dependendo do tempo que eu estiver aqui, eles já estão na escuta aí fora.

Janete arregalou os olhos, recuando timidamente, o que fez uma ponta de esperança nascer dentro de mim. Ela nunca havia considerado esta possibilidade. Ajoelhada ao meu lado, passou do ódio à resignação em segundos.

— O Brandão mudou, as coisas vão se acalmar — ela disse, em um fio de voz. — Ele me contou a verdade, as peças se encaixaram, a vida dele foi uma tristeza. Tudo o que ele passou com a avó e a mãe é trauma suficiente pra abalar qualquer um, mas... agora é diferente. Ele vai ser pai. Pai! Ele é um novo homem! Você precisa acreditar em mim!

— Novo homem? — desdenhei. — Trauma de infância não

é justificativa pra matar, Janete. No futuro, esse novo homem vai abusar do seu filho, vai torturar essa criança indefesa! É isso que você quer?

Ela se empertigou toda, adotando um tom orgulhoso:

— Brandão nunca faria isso com o sangue dele! Você é burra, não entende! Ele vai ter por esse filho a mesma devoção que tem pela avó dele. Vai amar esse filho!

— Acha realmente que essa balela é verdade?

— É verdade! — Os olhos dela saltavam das órbitas, as bochechas brilhavam, vermelhas. — Você é que só pensa em solucionar mais um caso, ficar famosa e cheia de medalhas!

O ser humano é podre e egoísta, prefere o problema que já conhece a enfrentar o desconhecido com honra. Janete não tinha coragem de se livrar do marido criminoso, mas tinha coragem de me entregar para ele me torturar. Em seu egocentrismo insano, era uma mulher disposta a tudo para manter a vidinha torpe de sempre.

— Então, Janete, deixa eu ver se entendi... Daqui pra frente, Brandão vai ficar feliz com um bebê chorando toda hora, com você esquentando mamadeiras e trocando fraldas sem tempo pra nada. E os gastos do mês só aumentando, claro...

— Fica quieta, merda!

— Quantas vidas sua felicidade ainda vai custar?

Ela me encarou, engolindo o choro. Se recusava a cair no meu papo, e minha desvantagem só crescia. Na cabeceira, Janete alcançou a faca de cozinha deixada por ali. Segurou-a sem firmeza, os dedos trêmulos abraçando o cabo.

— Só a sua, Verônica — ela disse, encostando a lâmina no meu pescoço.

Hesitou, respirou. Tive que ter força para continuar argumentando. Qualquer frase errada e eu sangraria até a morte. Sem mexer um músculo, me defendi como pude:

— Se você fizer isso, minha equipe invade na mesma hora.

Janete refletiu por alguns segundos antes de deixar a faca de lado e apalpar todo o meu corpo. Encontrou o celular no bolso da calça e o atirou contra a parede. Estampei um sorriso estilo Mona Lisa enquanto observava meu telefone no chão.

— Você é tão assassina quanto seu marido. Só que é mais mesquinha e incompetente. A escuta não fica no celular, Janete.

Ela se abalou com a firmeza do meu discurso. Chacoalhei a cabeça para que prestasse atenção nos meus brincos. Se Janete acreditasse, por algum tempo que fosse, que aqueles brincos eram como os que dei para ela usar, eu tinha mesmo um plano. A infeliz acompanhou meu olhar e finalmente entendeu a mensagem: sem dizer nada, tirou os brincos das minhas orelhas e começou a verificá-los de perto.

— Privada! — sussurrei rápido, antes que ela examinasse demais a simples bijuteria.

No susto, ela correu até o banheiro e se livrou dos brincos, acionando a descarga. Voltou ao quarto ainda com a expressão perdida.

— Agora sim, vamos conversar só nós duas — falei. — A gente não tem muito tempo. Daqui a pouco, eles vão entrar de uma vez e sua conversa será com os meus superiores.

— Na sua carta… — ela disse cabisbaixa, quase rendida. — Você escreveu que tem a solução final… O que queria dizer?

Eu tinha recuperado o gancho e só precisava ser cuidadosa para escapar viva dali.

— Se você quer matar alguém, mata o Brandão. Eu te ajudo.

A proposta funcionou como um tiro certeiro no peito de Janete. Ela saiu agitada do quarto e eu fiquei desesperada, certa de que ela estava ligando para o marido e contando o que tinha feito com a certeza de que obteria o perdão dele. Para ela, aquele filho era uma imunidade.

Minutos depois, ela voltou ao quarto, as mãos enrolando o avental já bem amassado. Sentou-se ao meu lado na cama. Soluçava baixinho.

— Se eu mato ele, também acabo na cadeia — disse, quase murmurando.

— Tem uma maneira de você se livrar dele e nunca ser descoberta — respondi. — Vamos agir só nós duas. Vou arrumar estricnina pra você. Basta um pouquinho na comida dele e seu pesadelo termina, você vai poder ser a mãe que sempre sonhou.

— Vão descobrir que ele foi envenenado e vou acabar atrás das grades.

— Tenho um contato no IML. O médico-legista vai atestar morte natural. Ninguém nunca vai saber, Janete — falei, com uma segurança que ainda não sentia.

Com aquele material de Gregório filmado, eu podia chantageá-lo para conseguir um laudo necroscópico falso. Solucionar um caso com a ajuda do outro, isso sim! Saída magistral, xeque-mate.

— Eu vou saber que matei o pai do meu filho! A culpa que vou sentir... O que faço com ela?

— Coloca na mesma gaveta que colocou a culpa de ter ajudado a matar tantas mulheres. A Paloma merece isso... Você não é nenhum lobo mau, Janete.

Ela empalideceu. Era a confirmação de que eu havia mesmo escutado a fuga das duas e o brutal assassinato de Paloma. Janete voltou a pegar a faca e desisti de vez. Nenhuma equipe policial viria, nenhuma salvação divina: era o meu fim.

Para minha surpresa, ela começou a cortar o tecido das amarras que me prendiam. Esfreguei energicamente os pulsos e tornozelos para que a circulação voltasse. Eu queria acabar com Janete e alegar legítima defesa. Que delícia seria esbofetear aquela sacana sem parar. Mas eu não sabia ser tão filha da puta assim. Além disso, meu plano era perfeito. Me levantei da cama e peguei o celular: a tela tinha trincado na parte superior, mas ainda dava para usar enquanto não desse para comprar outro. Guardei no bolso.

—Trago o veneno até amanhã, no máximo — falei, antes de bater a porta do quarto.

Saí de lá com as pernas bambas. Entrei depressa no carro e me mandei, enquanto a adrenalina ainda se espalhava pelo corpo. Tive a impressão de cruzar com o Corsa de Brandão no primeiro semáforo e suspirei aliviada. Com Janete já tinha sido por bem pouco. Trêmula, peguei o celular, dividida entre mandar mensagem primeiro para Nelson ou para Paulo. Melhor meu marido. Escrevi que já estava indo para casa, mas logo entrou uma resposta dele avisando que tivera um imprevisto, ficaria no Rio e só voltaria para São Paulo no primeiro voo do dia seguinte. Ótimo, eu não precisaria inventar explicações para ele.

Segui direto para o IML. Com meu distintivo, não foi difícil encontrar Gregório no plantão, em uma salinha típica de escritório antigo, com um computador velho e muitos arquivos físicos. Eu me sentia um caco, estava feia, malcuidada, com olheiras e caindo de sono, mas não liguei para nada disso. Bati na porta e entrei sem pedir licença. Sua expressão de surpresa trouxe de volta meu bom humor.

— Vera? Sua bandida cara de pau! Cadê minhas coisas? Vou chamar a polícia — ele disse, segurando o meu braço. Alcançou um celular novinho em folha no bolso do avental.

—Você se acha demais, a impunidade em pessoa, não é, Gregório Duarte? — respondi, com um sorriso. — Eu *sou* a polícia, seu canalha. Sei tudo sobre você...

Ele abaixou o celular, me encarando cheio de dúvidas.

— O que foi, boy magia, perdeu a voz? Necrófilo nojento!

— Quem é você? Me deixa em paz!

— Acho que você não vai mais me denunciar, né?

Era delicioso ver o rato se debater na ratoeira. Gregório virou as costas, tentando me deixar falando sozinha. Nem me dei ao trabalho de seguir atrás dele. Selecionei o exato momento na gravação em que ele penetrava a defunta e coloquei o vídeo para tocar no meu celular:

— Vamos ver um filme?

Estendi a tela trincada. Ao se virar, sua transformação foi instantânea. Ele avançou como um bicho, tentando pegar o aparelho da minha mão. Levei o braço para as costas, tirando o aparelho do seu alcance, nossa boca a poucos centímetros uma da outra.

— Só te entrego isso se você me escutar… — murmurei, sedutora. Gregório levou as mãos à cabeça, enxugou o suor que brotava na testa:

— O que mais você quer de mim?

— Queria arrancar fora seu pau seboso, mas vou me contentar com um pouco de estricnina pura. Te dou meia hora pra me arrumar.

— Ou o quê? Vai me denunciar? Vai contar que me drogou e me roubou também?

— Talvez. Quer mesmo correr o risco?

— Como você quer que eu arrume esse veneno aqui no IML?

— Tenho certeza de que você vai pensar em alguma coisa.

— Acha que é assim? Mais fácil conseguir estricnina em qualquer embalagem de veneno de rato!

— Dá muito trabalho pra usar a quantidade certa. Você é esperto, Gregório, quem sabe tira de uma apreensão para análise ou de uma amostra qualquer? Se eu não tiver o que quero rápido, bonitão, vou jogar esse vídeo nas redes sociais e deixar que o povo faça justiça. Sinceramente, não sei se você sai vivo…

Além disso, sua honra e sua carreira de médico vão por água abaixo. Eu garanto.

Pela postura dele — ombros encolhidos, olhar nervoso e pés agitados —, vi que Gregório estava a um passo de dizer "sim".

— Pelo amor de Deus, você quer estricnina pra quê? Que garantia eu tenho de que você não vai me ferrar?

— A vida não tem garantias, bonitão. É pegar ou largar. Ah, e antes que você pense em alguma coisa inteligente, é bom saber que não estou sozinha nessa história, que tenho outras cópias desse vídeo e todo aquele blá-blá-blá que você pode imaginar. Então, qual é a sua resposta?

Uma hora depois, saí do IML com um frasco de estricnina no bolso. Até o sono tinha ido embora. Vitória total, essa era a verdade. Sete horas da noite, parei em um telefone público e disquei o número de Janete. Se Brandão atendesse, eu desligaria. Dei sorte.

— Consegui o material — falei. — Me encontra na lanchonete da Tina em uma hora.

Aliviada, devolvi o fone ao gancho. Finalmente, depois do susto, tudo se encaminhava para um final feliz. Marta Campos estava vingada, eu havia renascido e Janete também acabaria resolvendo sua vida. Estacionei perto da lanchonete, onde ela me esperava, aflita:

— Brandão deve chegar em casa a qualquer momento.

— Ótimo. Já pode fazer hoje mesmo.

Sem demora, coloquei o veneno nas mãos dela. Janete encarou o frasco.

— Não sei se vou ter coragem, Verônica.

Dei mais um passo na direção dela e coloquei a mão sobre sua barriga ainda discreta, como quem escuta o bebê chutando.

— Pensa que você está agindo em legítima defesa. A mãe do seu filho é você.

— E ele é o pai!

— Brandão é um monstro — respondi, séria. — Não tem jeito, é você ou ele. Matar ou morrer. A escolha é só sua, Janete.

Fui embora sem olhar para trás.

27.

Janete entra em casa com cuidado. Suas pernas tremem, uma espécie de choque elétrico formiga a sua barriga, mas ela se contém, levanta a cabeça, com uma atitude assertiva que raramente usa. Sentado no sofá, Brandão assiste ao noticiário enquanto bebe um copo de uísque. Quando a vê, estampa um sorriso perigoso:

— Passarinhando por aí, passarinha?

— Quem me dera. — Ela disfarça. — Minha pressão caiu e eu fui na farmácia checar… Agora já tá tudo bem.

Ela passa a palma da mão na testa, fazendo a melhor cara de vítima que consegue. Brandão vem beijá-la, envolve-a com os braços peludos e a língua passeia pelo ouvido dela, arrancando-lhe arrepios.

— Cadê minha janta? — ele sussurra, deixando o lábio encostar em seu lóbulo.

— Vou cuidar disso agora. Me dá uns vinte minutos.

Ela sai do abraço e segue para a cozinha a passos largos. Seu coração pulsa como nunca, é um misto de vazio e medo que ela enfrenta sem demonstrar. Abre a geladeira, retirando com cuidado os ingredientes já preparados — pimentão e cebola picados, carne moída, pasta de feijão, extrato de tomate. Enquanto refoga tudo na ordem certa, adicionando Tabasco e cominho, um pouco de sal e açúcar, volta a pensar nos últimos meses de sua vida. Precisa tomar a decisão certa.

Mexe a carne na panela com a mão direita, a mão esquerda no bolso aperta o frasco que recebeu de Verônica. Uma policial ajudando a matar... *A minha vida está mesmo muito errada*, pensa. *Olha onde fui me meter*. O silêncio sufoca a cozinha, apesar de escutar ao longe a voz da mulher do tempo alertando sobre a frente fria que chega à Grande São Paulo.

O relógio na parede da cozinha faz andar os ponteiros. Enquanto aguarda a carne chegar ao ponto, Janete pega o frasco de veneno e o coloca diante dos olhos. Parece tão inofensivo. Se tudo der certo, em pouco tempo terá a paz que almeja, uma vida normal com o filho.

Coloca o frasco entre os potinhos de tempero sobre a bancada até tomar a coragem definitiva. Pimenta-caiena, chili, jalapeño, coentro, estricnina... Acha graça em imaginar esta receita sendo ensinada na televisão. *Um chili mexicano de matar!* Ela sorri.

— Está rindo do quê, passarinha?

Assusta-se ao ver Brandão enfiando a cabeça por sobre seus ombros para provar a comida. Pensa rápido:

— Tava pensando no nosso filho, na nossa felicidade.

— E esse chili aí, sai ou não sai? Tá cheirando bem...

Janete concorda, torcendo para que ele não repare nos recipientes ao lado da panela. O frasco de estricnina é diferente dos outros, um pouco mais fino e comprido. Além disso, é o único que não tem a identificação escrita em um adesivo. Se ele descobrir, está perdida.

— Vai pra mesa que eu já levo.

— Ok, *mamãe*. Tô com fome.

Brandão dá um beijo estalado em seu pescoço nu e some na direção da sala. Ela suspira, guardando rapidamente o frasco de volta no bolso. Aquela interferência a perturbou, perdeu a confiança do melhor rumo a tomar. Assistir ao marido torturando as moças era bem diferente de matar com as próprias mãos. Sua decisão, sua responsabilidade... Tirar uma vida perante Deus, envenenar o pai do próprio filho, o homem que ela ama e odeia. Não terá direito a perdão. Mesmo que ninguém descubra, *ela* não vai se perdoar.

Enquanto o molho vermelho borbulha e ganha suculência na panela, ela reflete. Coloca os pratos e os talheres na mesa, olha para a Nossa Senhora da Cabeça sobre o altar e implora ajuda. Claro que a santa não vai concordar que Janete cometa assassinato. Depois de tudo o que viveu, perdeu muito da fé. *Matar ou morrer*, Verônica disse. *A escolha é só sua, Janete*.

Alisa a criança em seu ventre e entra na cozinha, determinada. Coloca um pouco de cada pimenta na panela, acrescenta a pasta de feijão e abre o frasco de estricnina. Um pó branco, sem cheiro. Tanto tempero e pimenta vão servir para disfarçar o gosto. É hora de se livrar de todo mal, amém. Janete começa a inclinar o frasco sobre a panela com molho, mas, um segundo antes de deixar cair o primeiro grão de veneno, pensa na criança que carrega no ventre.

Então se recosta na bancada da cozinha, emocionada. Tem uma vida gritando dentro dela, um sinal da Nossa Senhora de que não, definitivamente não pode matar o pai do próprio filho. Não assim, sem dar uma chance a ele de provar que se tornou um homem de bem. Enquanto as palavras de Verônica dizem que qualquer mudança é impossível, seu coração afirma o contrário. Brandão tem o direito de ser pai, tem o direito de ser feliz depois de tanta desgraça em sua vida.

Ela fecha o frasco com a esperança de que nunca mais vai abri-lo. Pega o queijo prato na geladeira, corta em fatias finas e cobre o suculento chili. Chega à mesa onde o marido já espera segurando os talheres. Serve um prato para ele e fica satisfeita por vê-lo comer com tanta vontade.

— Está gostoso, Vida?

— Tá, sim. O que você colocou aqui? Está apimentado, mas delicioso. No ponto!

— Queria dar uma variada. Sabia que você ia achar bom.

Brandão devora o prato em poucos minutos e repete a porção. Se tivesse coragem, teria sido fácil matá-lo, mas ela não quer pensar naquilo. É assunto do passado. Verônica não pode forçá-la a cometer um crime e, se voltar a importuná-la, ela pode jogar contra a policial a proposta indecente que teve que escutar (e que quase colocou em prática). De quebra, tem o veneno em mãos para comprovar tudo.

Enquanto ele raspa o segundo prato, Janete vai até a cozinha preparar o pêssego em calda, com uma régia porção de requeijão como cobertura. É a sobremesa preferida dele. Sente enjoo com o cheiro muito doce, mas ao mesmo tempo está feliz com a certeza de que tomou a melhor decisão. Coloca o doce na frente do marido e aproveita para recolher a louça suja sobre a bandeja.

— Essa noite você caprichou, passarinha... — ele diz, dando dois tapas leves na bunda dela. — Meu humor tá tão bom que a gente bem podia tentar conseguir uma nova empregada hoje, hein?

Janete congela. O tempo para e a foice da morte adeja sobre sua cabeça.

— Que isso, Vida, vamos ficar juntinhos no quarto... — ela diz, mas não aguenta. Mesmo sem querer, desaba em um choro convulsivo. Apoia os cotovelos na mesa e esconde a cabeça entre os braços. — Por favor...

— Não fica assim, essa noite merece um final especial! Já faz tempo que a gente não se diverte, vai!

Ela ergue o rosto, estudando os olhos frios do marido.

— Brandão, você me prometeu…

— Não prometi nada! Você jurou que não iria me julgar, que me ama do jeito que eu sou! — Ele a enlaça nos braços, cheio de carinho. Dá beijinhos na testa dela e até parece emocionado. Sussurra: — Você provou que me entende, que é a minha parceira de alma, passarinha. Te contei coisas que jamais revelei pra ninguém.

— Meu Deus, você entendeu tudo errado!

— Como assim? Me enganei em confiar em você?

Ele continua a abraçá-la, mas as mãos vacilam, apertando levemente o pescoço de Janete, que escancara a boca tentando capturar o ar. Enquanto sufoca de pavor, ela pensa no falecido pai. Ele tinha razão: na vida, cada um entende o que quer ou o que é capaz. Antes que desmaie, Janete se rende:

— Claro, Vida, claro que te entendo. É só que imaginei outros planos pra hoje…

Brandão concorda, pensativo. Abre um sorriso de criança que acaba de ganhar um picolé:

— Então, você se anima? Hoje é perfeito! Amanhã ainda posso descansar antes de pegar pesado no fim de semana. Vai se arrumar!

Ela rasteja até o quarto, sem dignidade. É burra, ingênua, precipitada. Perdeu a chance de acabar com aquela história enquanto era tempo. Sua hesitação vai custar mais uma vida, de qualquer jeito. Diante do guarda-roupa, escolhe o que vestir na noite sem fim que se anuncia. Chora, trocando a calça jeans e desdobrando a blusa de cor escura. Agora entende a diferença: é melhor matar um culpado a matar uma inocente. Já que a morte a acompanha de todo jeito, só tinha que decidir com quem preferia sujar as mãos. *Ainda posso salvar uma mulher*, ela pensa, enquanto retira o frasco de estricnina da calça e passa para dentro do sutiã.

Entra no carro em silêncio. *Tudo vai ficar bem*, repete para si mesma, como em um mantra e, assim, consegue ficar calma, mesmo quando coopta mais uma moça na rodoviária. Cícera é o nome dela. Janete cumpre mecanicamente a amarga rotina, mas, desta vez, sente uma frieza irredutível. De olhos vendados, refaz os passos do seu plano: no momento em que Brandão sair para buscar Cícera no porta-malas, vai envenenar o café que ele acabou de preparar. Enquanto o marido visitar a avó na casa, ela vai soltar Cícera e as duas vão escapar juntas. É possível que a avó também beba o café e morra, mas que se dane. Todos são farinha do mesmo saco.

Pelo que Verônica disse, o veneno leva quinze minutos para começar a fazer efeito e, quando vai para a casa da avó, Brandão sempre demora mais do que isso para voltar, ela tem certeza. A ação da estricnina deixará o marido bastante ocupado, morrendo com aquela velha de um só braço; os dois inquietos, convulsionando lado a lado, em espasmos tenebrosos até a respiração parar. Não sente pena nem remorso. Brandão pediu por isso, então vai ter.

Ao descer do carro, ele segura o braço dela:

— Hoje, vou te deixar sem a venda. Você já viu minha gaiola, estamos juntos nessa.

Como se caminhasse para o altar, ele a conduz até a boca do alçapão, aberta sob o céu estrelado. Juntos, descem a escada, e Janete se senta na velha poltrona aveludada de cor vermelha. Aproveita para prestar atenção na bancada onde está o fogão com a cafeteira e calcula que não precisará nem de um minuto para fazer o que precisa.

— A Caixa, passarinha!

Obediente, Janete inclina a coluna para erguer a Caixa. Quando sua cabeça enfrenta a escuridão e escuta os dois *clics* dos fechos laterais, ela abre um sorriso de vingança. Está fazendo isto pela última vez. Brandão é idiota de nunca amarrá-la, de acreditar que ela continua a ser a Janete submissa de meses atrás. Vai se dar mal por isso. Enquanto conta os minutos para que o pesadelo chegue ao final, escuta o café borbulhar na cafeteira e os passos do marido subindo a escada. Ao ranger do alçapão, ela sabe que é hora de agir. Precisa ser rápida. *Clic, clic*, tira a Caixa e deixa sobre a poltrona. Os dedos tensos passeiam pelo sutiã em busca do frasco e logo o encontram. Ela abre o recipiente e despeja todo o conteúdo na cafeteira. Em menos de vinte segundos está sentada de volta com a Caixa em volta da cabeça. *Clic, clic*.

O alívio é tão grande que ela não sabe quanto tempo leva para Brandão chegar. Tem a impressão de que ele demora, mas talvez seja só sua ansiedade querendo atrapalhar. Ouve o marido descer as escadas com Cícera nos braços. Ela chora, implora pela vida e nem o grito das correntes é capaz de vencer a potência da voz do seu desespero.

Inabalável, Brandão cumpre o ritual: prende a coitada no alto, pega a cafeteira e sai do bunker, batendo o alçapão com força.

Janete espera mais dez minutos para poder agir em segurança. *Clic, clic*, retira a Caixa da cabeça. Cícera está voando no alto, presa ao teto pelos anzóis e pelas correntes, como um pássaro sacrificado. Janete ergue as mãos em sinal apaziguador, diz para a mulher ter paciência, garante que vai soltá-la dali, mas Cícera prossegue chorando e gemendo baixinho. Janete coloca a mesa em posição, corre até a origem do feixe de correntes e desce a moça do teto. Avança destemida, apesar do formigamento que devora seu corpo. Nesse momento, o marido já deve estar morto.

Já soltou a maioria dos anzóis fincados ao corpo de Cícera quando escuta um estrondo absurdo acima da sua cabeça. Brandão irrompe no bunker, fora de si. Exala ódio por cada um dos poros. Janete arregala os olhos, até tenta fugir, mas em cinco passos, ele a alcança, puxando-a pelos cabelos curtos, quase arrancando o pouco que cresceu. Ela tenta dizer qualquer coisa, pedir desculpa, mas o marido nem escuta: estapeia o seu rosto, chuta a sua barriga, urra de indignação.

Ela enverga a coluna, dobrando-se ao meio, tentando ganhar impulso para se livrar das garras do monstro, mas, em poucos segundos, é arrastada pelo chão batido e jogada de volta à poltrona como uma boneca de pano velha. É assim também que se sente: velha e usada. Seus ossos ardem, sua cabeça gira, e ela nem tenta reagir. Enquanto apanha, só quer entender o que deu errado. A conclusão é irritante de tão óbvia: Brandão faz o café apenas para a avó. Ela presumiu que ele bebesse junto com a velha, mas presumiu errado. A mulher deve ter morrido, mas ele está ali, muito vivo e revoltado.

Emudecida pelo horror, Janete deixa que o marido prenda com as algemas seus punhos e tornozelos aos braços e pernas da poltrona. Quando Brandão a toca, ela sente a pele dele fria, gelada como o metal que a mantém grudada no lugar. Ele se afasta, descontando toda a raiva tresloucada no corpo de Cícera. Volta a fincar os ganchos de qualquer jeito nas costas da coitada e puxa as correntes, erguendo-a no ar com a brutalidade de quem manuseia uma peça de carne. Ao ganhar impulso, gira Cícera no trilho do teto a toda velocidade, em um voo circular e mortal. A pobre mulher urra, vomitando sangue por todos os poros. Janete se recusa a assistir ao show de tortura. Fecha os olhos. A Caixa era melhor — sua imaginação jamais poderia alcançar o que Brandão faz com aquelas moças.

Cícera grita até perder o ar, mas Janete ainda escuta os trechos do "Acalanto para Helena" que Brandão entoa conforme se acalma, e percebe o exato instante em que a moça morre: o silêncio brutal devora todo o espaço, em contraste com os gritos de pavor segundos antes. É doloroso, mas Janete nem tem tempo de sofrer, porque Brandão larga as correntes e vai até a mesa, onde pega uma caneta Pilot preta. Com os olhos injetados, mas sem dizer nada, marca um único ponto escuro no queixo de Janete. Ao entender o significado daquela marcação, ela urina na própria calça, cheia de pavor.

O líquido quente desce pelas pernas trêmulas ao mesmo tempo que Brandão coloca a Caixa de qualquer jeito na cabeça de Janete. Presa à escuridão, ela reza um pai-nosso e uma ave-maria. Sente um fluido viscoso escorrer pela Caixa e por seus cabelos, espalhando-se por todo o corpo até os pés descalços. Um cheiro inequívoco de querosene. Implora a Deus que seja rápido e tem vontade de alisar a barriga — *bendito é o fruto do vosso ventre* —, mas as algemas a impedem. Não pode nem se despedir do filho.

Tudo acontece muito depressa: ela escuta o rolar da pedra, a faísca do isqueiro e, no instante seguinte, as chamas já engolem suas roupas e queimam sua pele. As lágrimas secam tão rápido que não conseguem molhar o rosto. Começa a sufocar com a fumaça e, já quase perdendo a consciência, ainda sente o cheiro de carne queimada. Antes de morrer com a Caixa ardendo na cabeça, Janete tem um último pensamento: chegou ao inferno.

28.

Não precisei pensar muito para chamar aquele dia de "quinta-feira sombria". Era no mínimo estranho voltar para o "lar, doce lar" depois de tudo o que havia acontecido e me dar conta de que eu ainda tinha as preocupações de uma mãe/esposa comum para enfrentar, a começar pela bagunça na sala, com os brinquedos da Lila espalhados pelo chão. Na mesma hora, um estalo: *as crianças... Fodeu!*

O Rafa e a Lila estavam na dona Bela, minha sogra, havia não sei quantos dias e, como Paulo aumentara a estadia no Rio, eu havia prometido buscá-los, mas a promessa acabou se perdendo no meio de tantos compromissos. Minha cabeça voltou a latejar. Me sentei no sofá diante da televisão desligada e, enquanto tirava os sapatos e fazia uma massagem nos pés, telefonei para a dona Bela usando o viva voz do celular. Ela atendeu tão rápido que até gaguejei.

— Do... dona Bela, desculpe, o Paulo me mandou mensagem e esqueci de avisar pra senhora. Ele só volta amanhã e eu ainda tô no trabalho...

— Vocês acham que eu não tenho vida? — ela me interrompeu. — Que estou à disposição pro que vocês quiserem? Profissão avó?

— Dona Bela, não fica nervosa, por favor.

— Também tenho minhas saídas, meus compromissos, Verônica. Tô velha, mas não tô morta.

— Amanhã de manhã seu filho chega e tudo volta ao normal.

— Normal? — A velha bufou, colocando para fora sua habitual antipatia. — Você é uma péssima mãe, isso sim. E, pro seu azar, meu emprego não é cuidar dos seus filhos! No sábado, nós vamos ter uma conversa séria.

— Sábado? — perguntei, sem entender.

— Sábado de manhã é o campeonato do Rafa. Você esqueceu, não é?

— Claro que não — menti, engolindo em seco. Eu estava mesmo ficando louca. Essas classificatórias de natação eram a coisa mais importante do mundo para o meu filho. — Preciso desligar, dona Bela. Obrigada por quebrar mais esse galho.

— É uma questão de respeito — ela disse, sem a menor vontade de dar a conversa por encerrada. — Vocês não me respeitam, me tratam como se eu tivesse a obrigação…

Sem prestar atenção, deixei que ela falasse mal de mim e da educação das crianças por pelo menos cinco minutos, mas continuei bem humilde, porque precisava dela, não tinha como escapar. Quando consegui desligar, meu reflexo na tela escura da televisão me trouxe a angústia típica de quem sabe que pisou feio na bola e não tem mais desculpas para dar, nem para si mesma. O corpo e a mente começavam a reclamar dos excessos.

Apesar de não ver a hora de desmaiar na cama, tomei um banho. Enquanto a água quente escorria pelas minhas costas e o vidro do boxe embaçava, consegui colocar as coisas em foco. Depois de quase morrer nas mãos de Janete, eu precisava reequilibrar a balança da vida e valorizar o que importava de verdade. Pensei em Paulo e senti um aperto no coração: um marido de ouro, fiel e companheiro, pai dos meus filhos... Eu não podia seguir negligenciando o nosso relacionamento. Por mais que eu não me sentisse uma traidora — nunca traí de verdade, sempre foi apenas sexo casual —, tomei uma decisão: Nelson estava fora da jogada. Era uma fantasia adolescente gostosa, mas começava a ameaçar demais a realidade. Meus filhos não mereciam isso, Paulo não merecia isso, meu casamento não merecia isso. Dali em diante, prometi a mim mesma que seria mais carinhosa, compreensiva e presente.

Vesti a camisola, já calculando os passos da retomada triunfal: acordar cedo na manhã seguinte, colocar uma roupa sexy e fazer uma surpresa para Paulo no aeroporto. Talvez ele estranhasse tanta iniciativa, mas não recusaria minha proposta de matar a manhã de serviço em uma paradinha em um motel da Marginal antes de pegar as crianças na mãe dele. Ia ser divertido. Deitada na cama, verifiquei pela internet o horário de chegada dos primeiros voos da ponte aérea e armei o despertador. Acho que nunca dormi tão depressa na vida.

A manhã de sexta em São Paulo estava especialmente congelante, o que não facilitava nada a ideia de vestir algo provocante para o maridão, mas dei meu jeito: um vestido curto e um sobretudo com cinto que marcava bem o corpo. Cheguei cedo ao portão de desembarque do aeroporto de Congonhas. Passei o dedo nos dentes para tirar qualquer eventual mancha do batom vermelho e coloquei um Halls preto na boca.

Apoiei os cotovelos no corrimão diante da porta de correr, que abria e fechava conforme os passageiros saíam. Ao meu lado, familiares alegres se abraçavam em reencontros e um sujeito segurava plaquinhas com os nomes "Joana Alvarenga" e "Mr. Howard Gray". Ansiosa, pensei ter visto a silhueta de Paulo perto da esteira à espera da mala, mas era engano. Olhei para o relógio: a maioria dos passageiros do primeiro voo da manhã já havia chegado e Paulo não aparecera. Zanzei de um lado para o outro, como um cão ansioso pelo potinho de ração. Comecei a escrever uma mensagem para ele quando vi um casal trocando beijinhos e dando risadas enquanto caminhava para a saída. Algo ali me soou familiar, mas a porta fechou antes que eu pudesse ter certeza.

Paulo? Não podia ser. Ele não estava com o Mário? Aguardei impaciente que outra leva de passageiros passasse e me escondi na lateral, longe do campo de visão do desembarque. As batidas do meu coração estavam tão incontroláveis que parecia que eu iria infartar. Quando as portas se abriram de novo... Era ele, com toda a certeza, abraçado a uma loira alta, mais magra do que eu. Minhas pernas tremeram ao vê-la passar as mãos pelas costas do meu marido com uma intimidade espantosa. À medida que eles chegaram mais perto, reconheci a vagabunda: Carla. Ela trabalhava com Paulo havia anos, e eu nunca tinha desconfiado de nada, nem dela, nem de qualquer outra!

Alucinado, meu cérebro buscava trechos de conversa, eventuais insinuações, memórias de qualquer pista que pudesse me levar a ter deduzido aquele absurdo antes. A que horas Paulo me traía? Sempre pontual, cumpridor de agendas e horários... Quando ele conseguia comer a vadia, na hora do almoço? Soquei minha cabeça enquanto repetia para mim mesma: *burra*, *burra*, *burra*!

Sem perder tempo, me escondi atrás de uma coluna, enquanto os dois saíam de mãos dadas, cada um levando sua bagagem. Foi preciso muito autocontrole para não dar um flagra de cinema, partir pra cima daquela piranha, enchê-la de porrada e quebrar os dentes do desgraçado. Mas eu não queria agir por impulso. Ainda trêmula, segui o sorridente casal descendo a passarela na direção dos táxis.

Enquanto eles entravam na fila dos táxis comuns, me dirigi para a fila quase vazia dos táxis executivos. Fui deixando alguns passageiros tomarem meu lugar, sincronizando os passos com os de Paulo e daquela desgraçada. Eles conversavam olho no olho, ele passava a mão no rosto dela, do jeito afetuoso que um dia usou comigo. Era claramente uma despedida difícil após um encontro gostoso, cheio de amor. Deram um último selinho e pegaram táxis separados. Resolvi ficar na cola de Carla. Precisava descobrir tudo sobre a safada que estava desestruturando minha família na surdina.

Minhas entranhas se reviravam e um gosto de vômito se instalara na minha boca, mesmo depois da bala Halls. Seguimos pela avenida Rubem Berta, tomando à direita na Indianópolis. No Jabaquara, o táxi dela parou diante de um sobrado simples, com um quintalzinho na frente de uma varanda acanhada. Carla desceu do carro e deu um gritinho feliz, enquanto uma criança de uns quatro anos cruzava a grama para alcançá-la. A babá que cuidava do menino veio logo atrás.

Enquanto ela abraçava o filho e o girava no ar, senti meu corpo esfriar e tive a sensação de que desmaiaria. O impensável acontecia diante dos meus olhos: o menino era uma cópia do Rafa quando pequeno. O mesmo rosto redondo, o mesmo nariz fino com sardas, os mesmos olhos repuxados que Paulo herdara de dona Bela. Meu marido tinha outra família. Outra vida, outra casa, outra mulher. Por isso, ele me tratava tão bem e era tão condescendente. Não era amor o que ele sentia por mim, era só culpa.

O motorista de táxi chegou a perguntar se eu estava passando bem, mas, antes de tentar responder a qualquer coisa, abri a porta e devolvi meu café da manhã na calçada. Ele esperou resignado, nem reclamou que respingasse no tapete. Sentindo o amargor que travava minha garganta, limpei a boca com o antebraço e disse ao motorista para ir embora dali.

— Pra onde?

Passei o endereço do asilo e voltei a me encolher no banco traseiro, sem chorar. Uma vida de mentiras... Eles estavam juntos havia anos, o garoto era a prova viva disso. Quantas vezes Paulo tinha falado mal de mim para ela? Sem dúvida, eles riam da minha cara, se divertiam com os meus problemas, ele mostrava nossas fotos e eu quase podia ouvir os comentários ácidos que a vaca fazia sobre a "primeira-dama".

Consegui conter a torrente de choro até chegar ao colo do meu pai. Me aninhei ali como uma criança despedaçada, com vontade de sumir. Que bom que ele não tinha consciência para entender aquela desgraça toda. Cega, completamente cega. Puta vergonha — não vi em casa o que estava cansada de ver todo dia na rua! Será que alguém mais sabia? Passei a tarde ali, agarrada ao corpo ossudo e enrugado do meu pai, sem me mover mais do que alguns centímetros. Devagar, a raiva foi tomando o lugar da tristeza. Os soluços diminuíram, o intervalo entre eles cresceu e minha respiração foi voltando ao normal. Lavei o rosto sem pressa, verificando as manchas vermelhas ao redor dos olhos, o nariz inchado feito o de um palhaço. Uma palhaça, uma iludida nas mãos de Paulo, essa era a verdade. Já anoitecia. Me ajeitei como pude, dei um beijo de despedida no meu pai e saí para tentar recuperar o que ainda restava. Nunca senti nada pior do que aquela autocomiseração. No celular, havia cinco ligações perdidas de Paulo. *Foda-se*, pensei, enquanto chamava um Uber. O aplicativo apitou, informando a previsão de chegada do carro em seis minutos. Devolvi o celular ao bolso no instante em que senti uma cutucada no ombro. Quando olhei, mal pude acreditar. Com calça jeans, camisa social rosa e um sorriso de babaca no rosto, Gregório estava a centímetros de mim.

— Dia cheio, hein, princesa?

Engoli em seco, tão incrédula que nem reagi. Tentei enxugar as lágrimas de modo patético. Ele segurou meus braços com brutalidade, seus dedos de unhas roídas afundando na minha pele:

— Acha que só você consegue o que quer, Verônica? Estou te seguindo desde ontem, vi a cara da piranha pra quem você entregou a estricnina. Seja lá o que estiver armando, vou estragar! Você é uma policial de merda, uma farsa.

— Larga o meu braço! Faz qualquer coisa comigo e você acaba linchado em praça pública, seu necrófilo nojento, não vai ter buraco que te esconda.

— Não tem problema. Também posso fritar você, sua suicida-filha-de-pai-corrupto. Já sei de todo o esquema, tive a madrugada pra pesquisar. Seu chefe vai ficar bem fodido conhecendo suas investigações ilegais e tendo que explicar o delegado Júlio Torres vivinho da silva.

Carvana não sabia do estado vegetativo do meu pai.

— Acho que você pesquisou pouco. Devia ter mais medo do meu pai do que de mim. Ele fez delação premiada, está zerado com a lei, o que não é o seu caso.

Por um instante, Gregório hesitou. Sua ameaça se esvaziava. Ainda assim, ele rebateu, empertigado:

— Cuidado, princesa, quando você tira tudo de uma pessoa, ela não tem mais nada a perder. Você me denuncia nas redes sociais e eu te detono antes da sua postagem alcançar cem curtidas.

Deu vontade de cuspir na cara dele, mas sustentei o olhar:

— Vou precisar de mais um favor seu, provavelmente nos

próximos dias. Assim que fizer o que eu mandar, sem perguntas, te entrego seu videozinho nojento e te libero. Palavra de honra.

— Honra é o caralho! Quer um conselho, princesa? Trata de ser rápida. Não esquece que eu também posso acabar com a sua vidinha perfeita em um passe de mágica. Cai fora, vadia!

29.

O espelho do elevador do prédio refletia uma Verônica em cacos, de olhos empapuçados, ombros curvados e cabelos ressecados, como se o lamaçal de notícias tivesse sugado toda a minha energia vital. Impressionante como a vida sempre pode piorar. Depois de tudo virar do avesso, aquele casanova perturbado achava mesmo que tinha o direito de me ameaçar? No fundo, o desgraçado não fazia ideia de onde estava se metendo, mas eu sim: o mundo de tráfico de drogas e corrupção institucional prendia o rabo de muita gente, era bem capaz de ele sair machucado se tentasse mexer nesse vespeiro e denunciasse que o meu pai estava vivo. De todo modo, não era problema meu — Gregório que descobrisse sozinho o peso da minha caixa de Pandora.

Coloquei a chave na fechadura, encarando a porta de casa ainda fechada. Eu me sentia esvaziada, o peito pressionado por uma bigorna. Não fazia ideia de como seguir com a minha "vidinha perfeita". Respirei fundo e girei a maçaneta, de olhos fechados. Como não escutei nenhuma reação, soube que a sala estava vazia e entrei, estranhamente aliviada. Larguei minha bolsa de mil quilos na primeira poltrona e, apenas por hábito, olhei o celular: nenhuma ligação nova, nem de Carvana, nem de Nelson, nem de Paulo.

Como presos a chumbo, meus pés se arrastaram pelo corredor até o quarto das crianças. Elas dormiam na semiescuridão, sono pesado; inocentes engolfados pela porcaria humana dos adultos. A sunga, a touca e o roupão de banho do Rafa já estavam dobrados sobre a cadeira, prontos para o grande dia seguinte. Na sua idade, os objetivos são mesmo a curto prazo, mas a gente não dá valor. Me aproximei para beijar a testa deles, mas recuei a centímetros de distância. Eu não era uma mãe convencional, não endeusava meus filhos acima de tudo nem morria de carência por eles. Por algum motivo, não me senti no direito de beijá-los naquela noite. Era como se o casamento e a maternidade tivessem morrido juntos.

Esparramado na nossa cama, Paulo zapeava pelos canais de TV a cabo, com metade do corpo escondido sob o lençol. Se levantou de um pulo ao me ver, abrindo os braços cheio de carinho:

— Tchu, que saudade! Tava te esperando pra gente matar aquele vinho!

Em matéria de *matar*, não era exatamente no vinho que eu estava pensando. Abri um sorriso de cansaço e recusei os lábios projetados para me beijar:

— Hoje não, estou exausta.

Mal consegui olhar na cara dele. Corri ao banheiro, trancando a porta e fui tirando a roupa. Incansável, Paulo deu dois soquinhos leves, antes de dizer, sensualmente:

— Me deixa entrar.

Nem me dei ao trabalho de responder. Tirei o resto da maquiagem desbotada que ainda cobria o meu rosto e liguei a água fervendo. Fui para debaixo do chuveiro rezando para que minha alma também fosse lavada. Era até bom que a pele ardesse, causando certa dor física para fazer companhia à emocional. O vapor criava uma fumaça que me impedia de encarar o espelho e, com isso, a voz insistente de Paulo através da porta era só um espectro distante.

— Tudo bem, Verô? — ele perguntou quando saí do banheiro enrolada na toalha, minutos depois. — Você tá esquisita... Aconteceu alguma coisa fora do normal?

Aconteceu, Paulo, aconteceu que você coloca esse seu pau ensebado naquela vaca loura da Carla há anos e eu aqui corna mansa sem saber de nada, eu tinha vontade de dizer, mas só falei:

— Nada, querido. Tá tudo bem.

Não era hora de confrontá-lo, nem que eu quisesse. A combinação de decepção e raiva costuma ser péssima na hora de tomar decisões. Paulo me conhecia bem o suficiente para não engolir aquela mentirada básica:

— Conversa comigo, Verô.

— Só tô cansada, Paulo — falei. Não conseguia mais chamá-lo de *Tigrão*. — Tem tanta coisa acontecendo. Trânsito, vítimas desaparecidas, reunião amanhã e domingo com a equipe na delegacia. O de sempre, nada pessoal.

— Você vai trabalhar no fim de semana? E o campeonato do Rafa?

— Não perco por nada as classificatórias do meu filho, fica tranquilo. Mas depois tenho que correr pra delegacia. Os fins de semana têm sido assim, não é?

Com o rabo do olho, observei a reação dele: ele abriu um meio sorriso, dando de ombros e inclinando a cabeça levemente para a esquerda.

— Também tenho uma reunião chata no domingo — o safado disse. — E talvez tenha que passar a semana que vem no Rio pra fechar com um cliente. Pelo menos não é só o seu trabalho que está caótico, Verô.

Sem dúvida, ele ia "trabalhar" muito com Carla na semana seguinte.

Enquanto caminhava de volta ao banheiro, já vestindo camisola, vislumbrei um flash de cena em que eu corria enlouquecida até o quarto das crianças, pegava no estojo a tesoura sem pontas que eles usavam para fazer os trabalhos de escola e cortava fora o pinto do Paulo. Era um fetiche sórdido vê-lo urrar de dor e sangrar até a morte sobre a colcha de linho que a dona Bela tinha comprado no nosso último aniversário de casamento. Devo ter sorrido com essa ideia, porque Paulo me perguntou:

— Rindo do quê, Verô?

— Só imaginação.

No banheiro, abri a portinha do armário de remédios e gotejei o Rivotril direto na língua.

— Que horas a gente sai de casa amanhã? — perguntei.

— A competição começa às dez.

— Me acorda, tá bom?

Me enrolei na coberta, de costas para ele, e fechei os olhos pensando brevemente em Janete. Como era dormir toda noite ao lado de um assassino em série? Por algum motivo, naquele instante, Paulo me parecia mais cruel e perigoso do que qualquer serial killer. Era um traidor cínico, isso sim. Achei que nem conseguiria pregar os olhos, mas, antes mesmo que ele começasse a roncar feito um porco, eu já estava fora de órbita, mergulhada em um sonho impossível em que tudo era lindo, perfeito e harmonioso.

Como é de conhecimento de qualquer mulher com problemas em casa, Rivotril é perfeito para dormir, mas péssimo para acordar no dia seguinte. Enquanto crescia a balbúrdia das crianças se arrumando para o evento, minha cabeça continuava mergulhada na neblina. Lentamente vesti jeans, blusa preta e uma ankle boot vermelha velha de guerra. Olhei pela janela. Havia muitas nuvens no céu, tinha cara de que ia chover forte em São Paulo. Por precaução, enrolei um cachecol vermelho-sangue em volta do pescoço. Era só o que me faltava, ficar doente.

Quando cheguei à sala, me aproximei do Rafa para tentar passar confiança para ele. Segurei suas mãos gélidas e o encarei com a expressão firme. Dava para ver o nervosismo nos olhinhos dele. Paulo tentou falar qualquer coisa engraçadinha, mas ignorei, mantendo a conexão visual com meu filho. Comigo aquele canalha não tinha mais jogo. Eu já nem me importava que ele percebesse que havia algo de muito errado no nosso casamento.

— Vamos logo — falei, caminhando até a mesinha ao lado do sofá para pegar a chave do carro.

A mensagem era clara: *Desta vez, eu dirijo, querido. Se você me contrariar, sou capaz de te morder*. Paulo não ousou contrariar. Se esses maridos têm alguma qualidade é saber ficar quietos quando a gente está com a macaca.

A viagem de carro correu em perfeito silêncio — cada um envolto nas próprias tensões. No galpão onde ficava a piscina fechada do clube, encontramos a balbúrdia que acompanha todo evento de natação: meninos e meninas se aquecendo e alongando, mães segurando roupões e acessórios, pais nos bancos de madeira discutindo os últimos tempos alcançados pelos filhos, um cheiro de cloro enjoativo dominando tudo.

Para mim, presenciar aqueles momentos era como assistir a um filme lituano — cenas estrangeiras, vagamente familiares, que se desenrolavam diante de mim sem que eu entendesse nada. Eu me sentia descolada das pessoas, das emoções e das conversas. Durante toda a competição, mantive o celular na mão direita fechada. Era uma conexão com o mundo real: checar a tela a cada minuto para confirmar que Janete não havia ligado. Já era sábado. Sem dúvida, não faltou oportunidade para ela fazer o combinado. Mas... nada.

Para me acalmar, concluí que ela resolvera envenenar Brandão apenas no almoço de domingo, lógica razoável para a família tradicional brasileira: *Aqui está, meu amor, seu arrozinho com feijão, bife e batatas fritas. Acontece que, em vez de sal, eu coloquei estricnina nas batatas, ok? Come bastante enquanto assiste ao* Domingão do Faustão. *Come até ficar empanturrado...* Achei graça em imaginar Brandão sufocando com o veneno, a garganta emitindo um apito numa busca sôfrega por ar, as unhas arranhando o tampo da mesa, tentando se sustentar em qualquer coisa. Pena que eu não poderia presenciar este momento — bem mais emocionante do que oito crianças de sunga enfileiradas para competir por uma medalha de plástico.

A morte lenta e dolorosa de Brandão era privilégio exclusivo de Janete. Eu só entraria depois, para chantagear Gregório a emitir um laudo de morte por causas naturais. O fato de ele ter descoberto a verdade sobre meu pai não alterava em nada os planos — Gregório tinha muito mais a perder do que eu; sem dúvida, me obedeceria.

O tiro da primeira largada estourou, me trazendo, assustada, de volta à realidade. Estiquei a coluna, retomando a postura, e me concentrei nos nadadores que estavam na piscina. Ainda não era o grupo do Rafa, mas a turma do nado costas. Aproveitei para passar os olhos pelas pessoas sentadas nas arquibancadas ao redor da piscina. Se a vaca da Carla estivesse ali vendo o meu filho, talvez eu acabasse usando mesmo a pistola.

A primeira competição tinha acabado de terminar quando dona Bela chegou toda afetada, segurando com as duas mãos a bolsinha Michael Kors combinando com o sapato. Sem dizer nada, se sentou ao meu lado e deu uma tossidinha para provocar.

— Bom dia pra senhora também, dona Bela!

Ela retrucou qualquer coisa, fazendo o tipo ofendida, mas eu não tinha mais saco para aquele jogo. Foi o Rafa que salvou a situação, desviando rapidamente do caminho até a beira da piscina para vir me dar um beijo:

— Mãe, me dá boa sorte. É agora!

Beijei o alto da testa do meu menino.

— Capricha, filhão! Vai com tudo que você é capaz!

Ele saiu correndo e se aprumou para a largada, enquanto eu admirava como ele tinha crescido, já era um homenzinho. Em uma piscina de vinte e cinco metros, a prova de nado peito dura pouco mais de um minuto. O tiro soou e Rafa mergulhou na piscina, ao lado dos colegas. Próximo à água, Paulo gritava orientações de paizão a cada vez que o Rafa colocava a cabeça para fora d'água. Agitada ao meu lado, dona Bela dava gritinhos de satisfação.

Rígida, apertando uma mão contra a outra, fixei os olhos na competição e só liberei toda a adrenalina quando o Rafa encostou na chegada em primeiro lugar, uma braçada na frente da segunda criança. Gritei a plenos pulmões, livrando minha alma do esgoto acumulado. Talvez eu tenha até passado um pouco do ponto, porque dona Bela e alguns pais me encaravam embaraçados com a situação.

Rafa subiu ao pódio orgulhoso do seu feito e, como eu o conhecia bem, percebi que segurava o choro — era assim que Paulo, de forma ridiculamente machista, o havia ensinado a agir nesses casos. Mais tarde, enquanto almoçávamos ali perto em uma hamburgueria recém-inaugurada, Rafa se gabou do tempo que conseguira na prova individual e no revezamento medley.

— Parabéns, meu filho — eu disse, e logo voltei a devorar meu hambúrguer com bacon e queijo gouda, que estava uma delícia. Em períodos de caos completo, não havia dieta que me impedisse de ser feliz (ou ao menos de deixar meu estômago feliz).

— O que aconteceu, Verô? Você tá tão quieta — dona Bela provocou, pescando batatas rústicas em sua bandeja. — O gato comeu sua língua?

— Talvez a gata — respondi de boca cheia.

Paulo olhou para a mãe, achando que eu me referia à dona Bela. Era melhor ficar calada mesmo. Terminei o hambúrguer, fazendo uma bolinha com o guardanapo, e me levantei antes da sobremesa.

— Gente, me desculpa, mas tenho uma reunião. Rafa, meu bebê... — falei, bagunçando o cabelo dele — você é o meu orgulho!

— Não sou bebê, mãe...

Peguei a bolsa e deixei uma nota de cem em cima da mesa.

— Deixa que eu pago, Verô — Paulo disse.

Não me fiz de difícil. Coloquei a nota de cem de volta na carteira, já pensando que, de certo modo, começava ali nossa separação de bens. Mais do que nunca, eu precisava economizar.

Entrei no Honda e dirigi a esmo, sem saber o que fazer pelo resto do dia. Passei diante de um posto com a gasolina barata e, como o tanque estava quase no fim, decidi abastecer. O frentista que veio me atender era daqueles que a gente não acredita que existem: a pele morena, os braços musculosos de academia, sujos de graxa, saindo pelo macacão do uniforme. Quando se debruçou na janela para perguntar quanto era para colocar, quase me devorou com os olhos verdões incrustados no rosto de traços rústicos — o típico bruto que não serve para casar, mas que é ótimo para trocar o óleo.

Heloísa, uma amiga das antigas, casada com um empresário de uma rede de supermercados, era especialista nesses homens: em geral, jovens da periferia, prestadores de serviço, de corpo gostoso, sem modos, desletrados, mas com pegada forte, abafando sem dó na costela, os reis da foda mágica sem compromisso e sem ônus. Helô não resistia diante de um guardador de carros, um entregador ou um segurança de loja, traçava todos eles e ainda tinha criado uma classificação de acordo com as bebidas alcoólicas. Lembro, por exemplo, que o boy Orloff é aquele que depois de algumas doses quer voltar pra casa, enquanto o boy frutas vermelhas é aquele que é muito doce e acaba ficando enjoativo.

Eu não sabia qual tipo deles era o frentista, mas sabia exatamente o que queria fazer com ele. Afinal, por que não? A culpa já não me pesava mais. Depois de uma rápida troca de olhares, pedi para calibrar os pneus e perguntei pela chave do banheiro feminino. Ele entendeu o recado: em poucos minutos, minhas costas subiam e desciam pelos azulejos velhos e gelados daquele lugar meio nojento, o frentista arfando sem parar e eu tentando me concentrar para alcançar o orgasmo. O bom do sexo puramente físico é que não requer prática nem habilidade. Pela primeira vez em muitos dias, eu sentia prazer de verdade.

Quando terminamos, me ajeitei, bem bela, recatada e do lar, e paguei o serviço com uma gorjeta generosa. Não sei se estava na classificação da Helô, mas o frentista, sem dúvida, era um boy long neck: a embalagem não era lá essas coisas, mas o resto...

Como sobrava tempo, segui para a delegacia. O prédio estava meio vazio, só com os policiais de plantão pelos corredores estreitos, iluminados pela luz fria. Quase ninguém no meu andar, de modo que me dei ao luxo de entrar na sala do Carvana e tirar uma soneca pelo restante da tarde. Só acordei por volta das oito da noite, com uma mensagem de Paulo apitando no celular: *Verô, emergência na empresa. Talvez eu volte hoje pro Rio. Te aviso. Bjs.* Sabe o que é pior? Nem me importei com aquela mentira deslavada. É o que o meu pai sempre dizia: pior do que alguém que reclama de você é alguém que desiste de você. Eu havia desistido do Paulo. Aproveitei para checar as ligações perdidas e mensagens do celular pela milésima vez. Nem sinal de Janete. *Que o domingo traga boas-novas*, pensei, mas nem a força do pensamento conseguiria salvar aquele fim de semana.

Paulo estava fora, Rafa tinha ido dormir na casa de um amigo da natação e Lila, na casa de uma amiga. Enquanto a guerra contra Brandão não voltasse a estourar, eu sabia que era hora de começar a me armar para outra: a guerra familiar. Levantaria nossos extratos bancários dos últimos anos, os comprovantes das despesas de casa, os contracheques recebidos da empresa onde Paulo trabalhava, além de tirar algumas fotos dele com a amante para convencer o juiz de família de que eu era vítima daquele canalha. Quando pedisse o divórcio, eu não tinha a menor dúvida de que Paulo se transformaria em um monstro e sairia apagando seus rastros por aí. Na hora de mexer com dinheiro é que a gente conhece a pessoa, essa é a verdade.

A manhã de domingo foi ocupada separando essa documentação e pesquisando na internet a jurisprudência recente para casos de divórcio e partilha de bens. Contratar advogado custa uma fortuna e estava fora de cogitação naquele momento. Além disso, para o meu azar, percebi que não havia muito pelo que brigar. Paulo tinha até um bom dinheiro na nossa conta conjunta, mas nosso apartamento, por exemplo, estava no nome dele, era bem de família, herança do falecido pai, e não entraria em uma divisão judicial. Quando cada um fosse para um lado, eu sairia com uma mão na frente e outra atrás. Talvez rolasse uma boa pensão para as crianças, pelo menos.

Terminadas as minhas análises, comecei a pensar em uma estratégia para tirar fotos dele com Carla. Talvez eu precisasse viajar para o Rio e flagrar os momentos mais comprometedores dos pombinhos. Só Deus sabe quando eu conseguiria tempo e dinheiro para empreender uma perseguição dessas. Por volta das quatro da tarde, busquei as crianças e respondi as mensagens dele avisando que continuaria no Rio durante a semana com um *Ok, querido*.

Passei o restante do domingo de pijama no sofá, me entupindo de sorvete napolitano e zapeando por filmes e séries na Netflix — eu perdia mais tempo procurando o que assistir do que efetivamente *assistindo*. O sexto sentido das crianças fez com que elas ficassem quietas no quarto, mergulhadas no computador ou no videogame, e não me enchessem a paciência. A madrugada de domingo trouxe com força a carga de depressão. Foi só ouvir a abertura do *Fantástico* e me deu uma vontade danada de chorar. No fundo, a gente não era nada, nossa vida não era nada. Tudo o que eu havia construído era poeira. O que me diferenciava de Janete?

Na mesma hora, concluí que eu precisava tomar uma atitude. Aquele silêncio prolongado dela começava a ganhar contornos ameaçadores demais. O relógio indicava onze da noite, mas eu sabia que Nelson estaria acordado. Liguei e ele logo atendeu.

— Nerdson, amor, você consegue verificar a escala do batalhão do Brandão? Preciso saber se amanhã ele está de serviço...

— Por quê? — Percebi logo a excitação na voz dele. — Novidades?

— Nenhuma. Na verdade, esse é o problema.

— Verô, Verô... Você já falou com o Carvana? Contou tudo pra ele?

— Não passa de amanhã, juro — menti na caradura. — Consegue essa informação pra mim, *please*?

Em minutos, eu tinha minha resposta.

Apesar do tempo ruim no fim de semana, a segunda-feira amanheceu ensolarada. Saí cedo, vestindo outra versão da roupa de sempre, só variando a escolha do sapato certo, e peguei o contrafluxo até o Parque do Carmo. Dei duas voltas no quarteirão de Brandão e Janete. Olhar para a casinha deles no meio de um conjunto de residências humildes tinha um novo impacto para mim. Em pouco tempo, eu havia vivido tantas coisas ali.

Busquei nas janelas algum sinal de vida: nada. O carro de Brandão também não estava na vaga, o que era um bom indicativo. Estacionei meu Honda longe, pronto para uma rota de saída rápida, e andei na direção da casa. Só por reflexo, olhei por sobre o ombro, mas não havia ninguém atrás de mim — apenas umas crianças jogando bola na rua a dois quarteirões dali.

Quando me aproximei da cerca, tive a sensação de estar sendo observada, mas devia ser só impressão. Talvez fosse a velha vizinha fofoqueira. Naquele momento, me ocorreu que eu deveria ter avisado a Nelson que passaria na casa de Janete antes de seguir para a delegacia. Era importante ter alguém informado sobre o meu paradeiro para o caso de alguma coisa acontecer. Tarde demais. Eu já estava na área externa da casa, a tristeza se dissipava e a adrenalina se instalara de vez. Não dava para voltar atrás.

Na entrada da casa, encontrei dois sacos de lixo pretos. Peguei ambos e os levei até os fundos para poder examinar com mais cuidado. Desfiz os nós, já esperando aquele cheiro horroroso de comida estragada e sujeira, mas o cheiro não veio. Para minha surpresa, nos dois sacos só havia papel picado e peças de roupa feminina, nada de restos de alimento. Onde eles estavam fazendo as refeições? Logo reconheci uma blusa florida de Janete, rasgada em trapos. Meu desespero aumentou e revolvi os papéis, não demorando a encontrar o que, de modo inconfessável, eu sabia que encontraria: as palavras cruzadas dela. Janete nunca jogaria aquilo fora. O peso moral das revistinhas me atingiu em cheio: algo de errado havia acontecido. Por um instante, cheguei a rezar para que ela tivesse desistido de matar o marido e houvesse fugido. Talvez estivesse na sua terra natal, ao lado da família.

Era isso ou... *ela estava morta*. Senti minha boca secar, a cabeça ficar tonta, mas não me deixei abalar. Era apenas suposição, certo? Devolvi tudo com cuidado, seguindo para a porta dos fundos, já com a prática do arrombamento. Ao dar os primeiros passos pelo interior da casa, iluminada apenas pelos raios de sol que venciam as cortinas nas janelas, percebi que não havia sinal de alguém morando ali. Nem louça suja na pia, nem pratos no escorredor; geladeira vazia, máquina de lavar vazia, nada no varal. Sobre a mesa da sala, apenas os bibelôs decorativos. Era como uma casa pronta para alugar.

Pior, era como um mausoléu abandonado. Passei dois dedos sobre a mesa de centro e encontrei uma camada de poeira do fim de semana. Estranho demais. Janete tinha mania de limpeza e jamais deixaria a casa ficar naquele estado. Sobressaltada, segui para o quarto do casal. Meus olhos involuntariamente se enchiam de lágrimas e eu os limpava com o antebraço enquanto abria os armários e as gavetas da cômoda. Apenas roupas masculinas, objetos de Brandão. No banheiro, na penteadeira, nada. Nenhum rastro de Janete.

Me sentei na privada, tonta, e chacoalhei a cabeça. Parecia alucinação. Brandão tinha varrido Janete da vida dele. Ela era como um fantasma. Se eu contasse tudo para o Carvana, como iria provar que ela era real? Lavei o rosto na pia, tentando me manter calma e pensar racionalmente. Corri até a cabeceira de Janete, mas na sua gaveta da mesa de cabeceira jazia apenas a pequena chave. *Merda, merda, merda*... Como alguém apaga uma pessoa com tanta facilidade?

Como uma voz sussurrando no meu ouvido, tive a ideia de experimentar a chave na gaveta trancada de Brandão. Os móveis eram iguais, então funcionou. Tomei cuidado redobrado para não mudar nada de lugar e remexi no envelope roxo. Os bilhetes de amor não estavam mais lá, só restavam a foto desbotada e... a carteira de identidade de Janete! Tremi toda ao encontrar aquele RG. Foi inevitável comparar a foto três por quatro plastificada com a outra fotografia, já sem tanta certeza de que eram a mesma pessoa. Alguma coisa estava fora de lugar, mas eu não percebia o quê. Nelson talvez pudesse me ajudar naquilo.

Guardei os documentos na bolsa, sem me importar que Brandão sentisse a falta deles. Era guerra declarada. Já voltava a fechar a gaveta quando meus olhos se demoraram um pouco mais na munição da .380. Desta vez, uma novidade: ao lado da munição, estava a pistola — uma arma fria, possivelmente roubada anos antes em outro estado. Por impulso, levei a arma e um punhado de cartuchos novos comigo também. Saí da casa pela porta dos fundos, confirmando que não havia deixado nada para trás. Com a bolsa a tiracolo, segurei um saco de lixo em cada mão e os joguei sobre o banco do carona do Honda.

Cheguei à delegacia por volta de uma da tarde, forjando uma naturalidade de quem chegou cedo. Carvana saíra para almoço e, sobre a minha mesa, dezenas de pedidos anotados em papeizinhos — o velho não se dava mesmo bem com e-mails. Até comecei a cumprir as ordens mais urgentes, mas logo desisti: não tinha a menor cabeça para aquilo. Abri o Facebook, tentando encontrar pessoas em Jales, a cidade de Janete, que tivessem o seu sobrenome de solteira. Entrei em contato com três delas, informando por inbox que eu era da polícia e precisava de informações. Duas pareceram desconfiadas e se recusaram a passar algum contato, mas a última, chamada Jane, aceitou conversar comigo.

Inventei uma história mentirosa para justificar que precisava falar com Janete, e Jane me explicou que era prima dela, mas que não sabia de seu paradeiro. Acabou me passando o número de Janice, irmã de Janete. Refiz a ligação, contando a mesma história, mas não deu em nada. Janice não ouvia falar de Janete havia anos, a irmã tinha abandonado a família, foi o desgosto da mãe, tudo por um namorado que elas não aprovaram.

— Quem é você? — ela perguntou, depois de se lamentar. — Amiga dela? Aconteceu alguma coisa? Ah, meu Deus, sempre soube que essa história não ia acabar bem...

Com educação, escapei como pude das perguntas de Janice e fiquei encarando o telefone. Eu não podia chegar de mãos vazias para o Carvana e contar a história inteira. As sacolas de lixo no meu carro talvez ajudassem a provar alguma coisa, mas a verdade é que o velho não me escutaria a menos que eu tivesse algo sólido e definitivo para mostrar. De repente, tive uma ideia. Agora ou nunca, última tentativa. *Coragem, Verô, coragem*, falei para mim mesma. Digitei os números já conhecidos da casa de Janete. Desliguei antes de a ligação completar. Meu coração dava saltos dentro do peito. Ensaiei uma boa mentira antes de ligar de novo. Um toque. Mais um.

— Alô! — Brandão atendeu, com jeito mal-humorado.

— Boa noite, eu poderia falar com a Janete, por favor?

Um sorriso tenso me escapou da boca e comecei a tamborilar com as unhas sobre o tampo da mesa. Brandão levou alguns segundos para responder, como se estivesse pensando.

— Aqui não tem ninguém com esse nome.

— Como assim? Ela é cliente da nossa padaria, esqueceu o guarda-chuva no balcão. Este é o telefone que temos no cadastro. Eu só queria avisar que...

— Já falei que nessa casa não mora ninguém com esse nome! — insistiu, batendo o telefone na minha cara. Um beco sem saída.

Peguei o RG de Janete e a fotografia na bolsa e levei até a mesa de Nelson.

— Você tá com cara de quem comeu e não gostou. Qual é a treta? — perguntou ele, girando a cadeira e saindo da frente do computador. Me agachei ao lado dele e falei baixinho:

— Janete sumiu de vez. Fui na casa deles e não encontrei nada.

— Isso tá cheirando mal. Você acha que ela tá morta?

— Prefiro ter esperança — respondi, com um sorriso triste.

— Já falou com o Carvana?

— Ele está na rua. Comecei a preparar um relatório, o velho vai querer tudo documentado, você sabe como é.

Nelson me encarou com a expressão de uma diretora escolar prestes a confrontar o aluno bagunceiro:

— Verô, Verô... Você me prometeu que não passava de hoje.

— Vou cumprir a promessa, pode deixar. Mas preciso da sua ajuda em um detalhe... — Coloquei as duas fotos lado a lado sobre a mesa dele. — Nessas fotos... É a mesma pessoa?

Nelson não levou nem cinco segundos para responder:

— Claro que não, Verô. São bem parecidas, mas esta aqui tem uma pinta no queixo.

Olhei mais uma vez, sem acreditar. Tão óbvio! Nunca fui boa em jogos de sete erros. Quem era a mulher da fotografia, então? Agradeci a ajuda e voltei para a minha mesa, arrasada, cheia de culpa por não ter percebido a diferença por conta própria. A verdade era que eu havia falhado muitas vezes: com Janete, ao deixar a gaveta de Brandão aberta na primeira vez e ao perder seu rastro no caminho para o bunker; com Marta Campos, ao deixar que Gregório me seguisse e descobrisse coisas que me comprometiam. Eu era um fracasso como policial. Me faltava talento, inteligência, raciocínio rápido. Nunca chegaria a ser uma boa detetive. Eu me sentia deslocada, e foi só então que comecei a pensar que talvez minha verdadeira vocação fosse outra. Naquele instante, eu ainda não sabia qual era, mas, felizmente, não demorei a descobrir.

30.

Meus pés não alcançam o chão, ele pensa, enquanto grita no escuro. Já está rouco. Implora que a avó o tire dali, mas os gritos morrem dentro da fedida caixa de passarinho ao redor de sua cabeça. O cheiro forte de cocô animal e de madeira o deixam zonzo — ele sempre tem a sensação de que vai desmaiar a qualquer momento. Por que ela o castiga tanto? Não entende. Faz tudo o que ela manda, inclusive limpar diariamente todas as caixas de curió, desde a madeira por fora até o forro de espuma por dentro. Dificílimo deixar do jeito que ela gosta. A avó é exigente, usa as caixas para ensinar os bichinhos a cantar: eles ficam lá por um bom tempo, isolados na sombra, escutando "os mais velhos" até aprenderem.

Hoje, mais uma vez, ele voltou da rodoviária sem a mãe. Desde que aquela traidora partiu para São Paulo prometendo voltar, a avó o obriga a esperá-la todos os dias. Espremido em um banco de plástico, ele vê as pessoas chegarem e partirem nos ônibus que percorrem esse Brasilzão desconhecido. Tem oito anos, mas vai sozinho. Busca em cada rosto de mulher a imagem que só recorda graças a uma única fotografia: a mãe de pele morena, cabelos escuros, olhos verdes e bem marcados e lábios finos, sensuais. Há ainda a pinta no queixo. É sempre para o queixo que ele olha primeiro. Cada vez que não vê a pinta, sente raiva. Sabe o que vem a seguir.

Através de cordas, a avó de um só braço o pendura no gancho de rede preso à parede do porão. Para piorar, coloca aquela caixa na cabeça dele para que ele pense, reflita. Os curiós nas outras caixas fazem companhia, seus parceiros de pena e castigo. Passa horas ali, pendurado, como se pudesse voar. Pouco a pouco, a revolta cresce. Odeia sua mãe e chega a imaginá-la morta de diversas maneiras. Sabe que a culpa não é da avó — a pobre velha o ama, é a única pessoa que ele tem no mundo. Cansado de gritar, assobia um canto triste, junto dos pássaros, e só quando a entonação sai perfeita é que a avó o retira da caixa. *Meus pés não alcançam o chão*, ele pensa de novo. Desta vez, por algum motivo, não consegue assoviar. Espreme os lábios forçando um bico, algumas notas chegam a sair, mas desafina, o que só o deixa mais desesperado. Sua pele começa a rasgar na altura dos punhos, seus pulmões imploram por um pouco de ar e ele sente um gosto de sangue na boca depois de tanto forçar o assovio. Não tem noção exata de quando recebe a primeira bicada. Nem a segunda, tampouco a terceira. É como se todos os curiós o atacassem ao mesmo tempo, desferindo golpes contra seu corpo, principalmente na altura do peito arfante e das coxas. Ele urra de dor, mas a avó não vem. Os curiós continuam, ferozes, irritados pelo seu assovio imperfeito. A ponta dos bicos são afiadas e não encontram resistência: rompem a pele, petiscam a carne viva, os passarinhos começam a devorá-lo pendurado com a caixa na cabeça. Brandão acorda ofegante, enroscado no lençol empapado de suor.

A febre toma conta de seu corpo. Passa as mãos ásperas pelos braços e pelas pernas para garantir que era só um pesadelo. Ainda sentado e se recuperando do susto, gira a cabeça e se encara no espelho: a criança agora é um homem. Um homem em trapos.

Através da janela, o Sol desce. Tonto, ele se levanta, esfregando os olhos. Sem tomar banho ou comer, veste uma roupa depressa e pega o Corsa. Dirige sem respeitar os sinais de trânsito, as pessoas buzinam, o ofendem, ele quase bate o carro, mas o mundo lá fora é outra coisa, não importa. Só freia ao chegar à rodoviária do Tietê. Sai do veículo em passos trôpegos, como um bêbado, apesar de não ter bebido nada. Na placa de informações, um ônibus que acaba de chegar do Norte.

Corre até a baia correta e cruza os braços, enxuga o suor no rosto, estudando as mulheres que descem. Espera dez, vinte minutos. As pessoas encontram os familiares, o ônibus vai embora e outros chegam, desta vez do Sul do país. Onde está Janete?

— Janeteeee! — ele grita.

Os passantes segurando malas o encaram de um jeito estranho. O que estão olhando? Ele gira o corpo e corre entre as baias de ônibus estacionados gritando o nome da esposa. Bate nos balcões, cutuca mulheres de pele morena e chuta uma lixeira de tanta indignação. Onde está ela? Um segurança se aproxima, segura-o pelo braço e diz qualquer coisa. Antes que termine a frase, Brandão dá um soco no sujeito e volta a correr. Mais seguranças vêm atrás dele, de modo que ele precisa entrar no meio de uma multidão que caminha na direção da estação de metrô e, depois, se encolher ao lado de uma lixeira imunda de cor laranja.

Ali, recostado na parede, enquanto pernas apressadas passam diante de seus olhos, as brumas oníricas começam a escorrer e os fatos reais se ordenam no pensamento. O que foi que ele fez? Vê os cabelos de Janete virarem fogo, ouve os gritos que saem do corpo em chamas e rememora um prazer difuso: os braços dela sendo consumidos pelo calor até pretejarem como carvão. Como pode ter sido tão burro? Perdeu o controle de si mesmo.

Janete o traiu, levou o que lhe era mais precioso, aquela infeliz. Ele não teve outra opção. Ela merecia aquele fim, mas ele não. Merecia ficar com a avó, cuidar dela até os cento e tantos anos, merecia punir as mulheres malditas abandonadoras de família que sempre descem as escadas dos ônibus daquela rodoviária porca. Agora, quem vai conversar com elas? Quem vai dividir a caixa que ele construiu no subsolo para que coubessem os dois dentro? Brandão passa as mãos pela careca e um jovem negro se aproxima para perguntar se está tudo bem. Claro que não está tudo bem, você não vê? A avó dele está morta; Janete, com quem dividia suas fantasias, está morta. Não tem mais ninguém.

— Por que ela fez isso comigo? — Brandão pergunta para o homem.

Tem vontade de socá-lo como fez com o segurança, mas o homem percebe e se afasta. Janete era a esposa perfeita, dedicada, que respeitava e se divertia com as aventuras deles. Como ela tinha mudado tanto em tão pouco tempo? Um breve pensamento lhe ocorre: ela nunca faria isso, não sozinha. Alguém arrumou o veneno, alguém a encheu de coragem. Sacode a cabeça, buscando por seguranças nas proximidades. Como não encontra, volta para o carro e segue para casa.

Desarruma a sala inteira, furioso, determinado a descobrir a raiz daquela traição. Mesmo sem nenhum rastro, acredita que a resposta está ali. Vasculha a mesa de cabeceira, os móveis da cozinha e o armário do quarto. Debaixo da cama, algo lhe chama a atenção: o guarda-chuva de Janete, de cor prateada. Não haviam ligado da padaria? Sua cabeça lateja enquanto corre para o telefone. Nos registros do bina, procura o número da ligação recebida na noite anterior. E liga de volta para aquele número.

— Delegacia de Homicídios, boa noite.

É uma voz de mulher. Surpreso, ele disfarça a voz:

— Por favor, com quem falo?

— Verônica Torres, em que posso ajudar?

Brandão desliga, como se a ligação tivesse caído. *Já ajudou, meu bem*. No computador, digita "Verônica Torres" e "DHPP São Paulo" no Google e logo consegue mais informações. Anota tudo em um papel antes de fazer algumas ligações do celular. Veste o uniforme, verifica a munição e sai de casa pensando que, antes de matar, existem diversas torturas que pode fazer com quem colocou sua passarinha contra ele.

31.

Continuei até tarde na delegacia trabalhando com Carvana, preenchendo relatórios, catalogando boletins de ocorrência, respondendo a e-mails esquecidos. Não bastasse a sensação horrível de ser a pior policial do mundo, a mãe mais ausente e a esposa mais burra, o velho tinha resolvido arrancar o meu couro.

— Você anda relapsa, Verô — ele disse, quando entrei na sua sala pela centésima vez para entregar mais papelada. — A situação tá insustentável.

Com a roupa empapada e a alma moída, nem me dei ao trabalho de responder. Meus cabelos estavam tão oleosos que, mesmo presos em um rabo de cavalo, grudavam na nuca só para incomodar. Sentado na cadeira, com os botões da camisa abertos, deixando que os grisalhos do peito se enroscassem, projetados na direção do queixo, o sacana me olhou de cima a baixo, como quem encara um delinquente.

— O que aconteceu com você, Verô?

— Tô com uns problemas sérios lá em casa, Doc. Acho até que vou pedir divórcio.

Mesmo tendo alguma simpatia por ele, eu ainda não estava preparada para contar a verdade para ninguém. Quanto menos pessoas soubessem que eu tinha sido traída, melhor. Carvana sorriu, assoprando a fumaça do charuto fedido na minha direção. Pronto, além de imunda, agora eu fedia a tabaco.

— Problemas caseiros não podem prejudicar o trabalho, Verô. Tá na hora de repensar sua carreira na polícia — ele falou, frio e cínico como um político eleito. — Você sabe que eu faria de tudo pelo seu pai. Quer dizer, sabe que eu *fiz* de tudo pelo seu pai. E por você também. Mas parece que o velho Júlio nunca mais sai dessa, né? Vai continuar lá, naquele asilo, babando até o fim dos dias, sem contar nada a ninguém.

— O que isso tem a ver com a minha carreira?

— Eu preciso justificar a sua presença para os meus superiores. Fica difícil quando...

Para a minha sorte, o toque do telefone de mesa do Carvana interrompeu seu discursinho patético. Ele gostava de botar a banca e me apavorar, mas se tremia todo quando algum figurão telefonava. Pela sua expressão, logo vi que era coisa séria. Quando a ligação terminou, ele se levantou depressa, fechando a camisa, ajeitando a gravata para que eu desse o nó enquanto ele vestia o paletó.

— Preciso ir. A gente conversa depois. Chega bem cedo amanhã, ok?

— Quem era no telefone? Tá tudo bem, Doc?

Carvana bateu a porta sem dizer nada. Às vezes, me arrependo de não ter corrido atrás para exigir a resposta.

Nunca acreditei em horóscopo — apesar de, confesso, ter a mania de perguntar o signo das pessoas e extrair conclusões a partir disso. Assim que acordei, ainda cheia de sono, preparei o lanche das crianças como quem carrega pedras. Sobre a mesa do café, um jornal do dia anterior aberto na página do horóscopo. Passei os olhos: *SORRIA, a segunda-feira será o melhor dia da sua semana*. Se aquilo estivesse certo, o restante seria mesmo uma grande merda. Sem dúvida, até domingo, eu cometeria suicídio.

Vesti uma roupa preta e as minhas pulseiras da sorte no braço esquerdo. Precisaria de muita esperteza e paciência para conversar com o Carvana. Olhei para o relógio: atrasada, pra variar. Mal tive tempo de fazer uma maquiagem decente — me contentei com o básico, levei as crianças à escola e corri até a delegacia, torcendo para que o velho ainda não tivesse chegado.

— Bom dia, Verônica — alguém disse, assim que saí do elevador. Minha atenção foi imediatamente dragada pela movimentação intensa de colegas no andar. Gente gritando ao telefone, um corre-corre danado, com clima tão pesado que nem era preciso ser uma grande investigadora para ter certeza: algo muito ruim havia acontecido. Escrutinei a delegacia, buscando por Nelson no meio daquele caos. Dei dez passos largos até ele e toquei seu ombro.

— Meu Deus, que zona é essa, Nerdson?

Ele virou o rosto e me encarou como quem vê um fantasma.

— Puta merda, Verô, não acredito! — Ele se levantou, me dando um abraço trêmulo. — Tô te ligando feito louco! Você não atende mais o celular?

Tirei o aparelho do bolso e verifiquei a tela. Trinta ligações perdidas.

— Desculpa, tava no silencioso.

— O Carvana desapareceu — ele disse, sem perder tempo.

— Como assim, desapareceu?

— Ontem de noite, pouco antes das onze, ele saiu da delegacia e ligou pra esposa avisando que teria uma reunião emergencial com o alto comando da Polícia Militar. Segundo ela, o Carvana parecia preocupado.

— E aí?

— Acontece que ele não voltou pra casa, não atende o celular e parou de responder mensagens pouco depois da meia-noite. Na PM, ninguém sabe informar nada. Eles afirmam que não ligaram pra cá ontem chamando pra nenhuma reunião. Você sabe de alguma coisa?

— Não, eu... Por que eu deveria saber?

— Você não é a secretária dele? A esposa já ligou umas cem vezes, está histérica. Quer falar contigo.

— Claro, vou ligar pra ela. Antes, só me deixa checar a agenda e os e-mails do velho.

Cheguei à minha mesa e o meu estômago havia se transformado em uma bola de concreto, como quem acaba de digerir tijolos. Bebi um copo d'água, tentando pensar com calma. Então, me lembrei da ligação que interrompera nossa conversa na noite anterior. Era uma voz de homem. Corri ao telefone da mesa dele e, com as mãos trêmulas, verifiquei o bina com as ligações recebidas. Fiquei tonta e tive a forte sensação de que vomitaria. Puta merda, era o número da casa de Janete.

Me tranquei no banheiro masculino (o feminino estava ocupado) e, com as mãos apoiadas na borda da pia, coloquei tudo para fora. Me encarei no espelho, tremendo dos pés à cabeça. Nunca o pesadelo havia chegado tão perto. Era tangível, era real. Sem dúvida, Brandão desconfiou que Janete tinha recebido ajuda externa, mas ele não me levou em conta; secretárias são todas invisíveis.

Carvana corria risco de morte. Enquanto a gente conversava, ele havia recebido a ligação para a reunião de emergência, a isca mortal, sem que eu tivesse desconfiado de nada. Mais uma falha como policial, mais uma vida nas minhas mãos. Se algo acontecesse com ele, eu nunca me perdoaria. Mesmo sendo um velho de guerra, a situação era cruel: Brandão era um policial experiente, assassino impiedoso, e a vítima não suspeitava de nada. Se ao menos eu tivesse contado sobre Janete... Minha culpa, minha total culpa!

Abri o caderno de notas, repassando tudo o que eu sabia sobre o caso. As informações me fuzilavam como tiros de uma AK-47. Folheei meus arquivos, ignorando a algazarra que se espalhava pelos corredores da delegacia. Meu Deus, como fui tão idiota de pensar que podia dar conta de dois casos daquele porte? Marta Campos não tinha conseguido sua justiça, Janete possivelmente estava morta e agora Carvana sofria nas mãos do assassino filho da puta. Meu coração queria sair pela boca e pulsar sobre a mesa, ao lado do computador velho. *Pensa, Verô, pensa rápido, caralho*... Minha vista se enchia de pontos pretos e tentei olhar para o horizonte, recuperando a sobriedade.

Em meio a um grupinho, Nelson digitava nervoso, mas concentrado. Se esse escândalo estourasse de vez, com todos os detalhes, era o fim da nossa carreira. Eu havia feito muitas coisas ilegais, era até capaz de acabar na cadeia. Não dava para envolver mais ninguém, sobretudo o Nelson, que tinha me ajudado tanto. Melhor afundar sozinha.

Na última gaveta, peguei uma sacola dobrável e pus dentro tudo o que me podia ser útil: munição, binóculo, anotações, pendrive, duas barras de cereal e o carregador de celular. Tomei o cuidado de pegar o elevador sem que ninguém percebesse. Não foi tão difícil. O caos era tanto que consegui ficar ainda mais invisível.

Entrei no carro e localizei o endereço de Janete no Waze. Pressionei o "IR" e liguei o rádio. Alguns noticiários já comentavam o desaparecimento de um delegado veterano da Delegacia de Homicídios de São Paulo. Essa imprensa é mesmo uma desgraça, se alimentando de notícias de crime e da tragédia alheia. Urubus com diploma em jornalismo, era praticamente impossível esconder qualquer coisa deles. Sempre vazava, e éramos obrigados a trabalhar sob pressão de todos os lados. Bando de gente sem assunto, repetindo as mesmas críticas.

Respirei fundo várias vezes, enquanto avançava sinais e desviava de carros lentos. Um motorista ruim de roda avançou o cruzamento, me dando uma fechada. Afundei a mão na buzina, freando a tempo de preservar a lataria do Honda. O desgraçado seguiu viagem, mas eu me sentia tão zonza que preferi dar um tempo em um posto de gasolina. Para continuar a investigar e salvar Carvana, eu precisava chegar viva aos lugares. Liguei o pisca-alerta, afastei os cabelos para longe dos olhos, tentando fazer um coque rápido, mas minhas mãos tremiam e os fios da cabeleira se emaranhavam ao cinto de segurança. *Fica calma, Verô, fica calma, caralho*... Inútil.

Ainda uma pilha de nervos, resolvi seguir meu rumo. Apoiei o braço no encosto, olhando para trás para engatar a marcha a ré. Naquele momento, enxerguei. No banco traseiro atrás do motorista estavam os dois sacos de lixo que eu havia encontrado na casa de Brandão. Sem dúvida, o PM tinha levado Carvana para o sítio e, na casa do Parque do Carmo, eu só encontraria informações inúteis. Voltei a ligar o pisca-alerta e, como um selvagem faminto devorando um último naco de carne, enfiei as mãos nas sacolas. Não sei exatamente o que me fez chafurdá-las em um posto de gasolina na avenida Radial Leste, mas algo me dizia que aquela era a coisa certa a se fazer.

Comecei pelos pedaços de papel picado, juntando-os sobre o painel do carro como quem monta um quebra-cabeça. Encontrei uma receita médica, uns recibos de compras, dois panfletos desses que recebemos na rua, nada relevante. Muitos retalhos não pareciam fazer sentido algum. *Merda!* Comecei a checar os livrinhos de palavras cruzadas de Janete. Variadas edições, coleções completas, todas preenchidas a caneta azul. Em casa, ela tinha tempo livre de sobra, esperando o marido chegar para jantar. Será que havia anotado alguma coisa nas contracapas? Eu levaria pelo menos três horas para checar uma por uma. Meus olhos se encheram de lágrimas e fui engolida por uma horrível sensação de impotência. No meio da montanha de lixo e das revistas espalhadas pelos bancos do carro, pensei em desistir. Lembrar da pobre Janete e sua vida mesquinha só piorou tudo. No fundo, ela estava certa: a responsabilidade por toda aquela tragédia era minha. Se eu tivesse ficado quieta no meu lugar, se não tivesse me metido a investigadora quando, na verdade, era apenas uma escrivã invisível, nada disso teria acontecido.

Com o carro desligado, pisei fundo no acelerador. Talvez o suicídio fosse a melhor opção. Acelerar o Honda a cento e cinquenta quilômetros por hora e bater de frente no muro mais próximo. Paulo seguiria sua vida com a amante, a delegacia continuaria a funcionar como sempre e as crianças, por mais que sofressem um pouco, logo se acostumariam com a minha ausência. Eu tinha perdido minha mãe e sabia muito bem que o tempo cura tudo. Girei a chave na ignição, elaborando os passos para a morte. Sem falhas desta vez.

Enquanto o motor ronronava, busquei o rolo de papel higiênico que tenho sempre no porta-luvas e enxuguei as lágrimas. Por algum motivo idiota, voltei a guardar de qualquer jeito as cruzadinhas — difíceis, fáceis e desafios — dentro dos sacos de lixo, enquanto pensava contra qual muro poderia jogar o carro. Então, algo chamou minha atenção: havia uma revista diferente das demais. *Criptograma Geografia*, dizia a capa. Peguei a edição e olhei o verso: "Criptograma é um texto cifrado que obedece a um código com lógica particular para decifrar uma mensagem". Folheei as páginas, de palavra-chave em palavra-chave, com a pressa de quem chega ao fim de um livro. Algumas em branco, muitas preenchidas pela metade, mas sem significado: *Monte Fuji*, *inconstitucionalidade*, *planície*.

Por fim, cheguei à página central, que, para minha surpresa, estava toda preenchida. Em destaque, na diagonal: localbunker. Um arrepio potente percorreu meu corpo, como uma descarga elétrica. Tive uma inconveniente vontade de rir, mas me contive, concentrada ao máximo. Janete era esperta: se algo desse errado, ela sabia que eu mexeria na gaveta dela em busca de pistas. Claro que ela não contava que Brandão jogaria as revistas no lixo, mas... Estava tudo ali, em letra de forma bem desenhada. Quem não soubesse o que buscar, jamais perceberia. Para mim, fazia perfeito sentido: era o caminho até o sítio.

L	I	N	H	A	T	R	E	M											
P	**O**	R	T	E	I	R	A												
		C	A	S	C	A	L	H	O										
		M	**A**	T	A	-	B	U	R	R	O								
	E	X	P	**L**	O	S	A	O	P	E	D	R	A						
					B	U	G	I	O	S									
					M	**U**	G	I	D	O	S								
					S	I	**N**	O	I	G	R	E	J	A					
			L	O	N	G	E	**K**	A	B	A	N	A						
	E	S	T	R	A	D	A	T	**E**	R	R	A							
	S	U	B	E	S	Q	2	D	I	**R**	3	E	S	Q	4	D	I	R	1

Um misto de alívio e tristeza me subia pela garganta. Obrigada, Janete. Agora eu vou encontrar você. Dei uma fungada, limpando o nariz com a manga da blusa. Não era hora de chorar. Deixei o criptograma ao meu lado e modifiquei o destino no aplicativo. Serra da Cantareira: *ir agora*! Sem perder tempo, conectei o celular no viva voz do carro e liguei para o Gregório.

— O que você ainda quer comigo, vagabunda?

— Sabe aquele favor? Tá chegando a hora.

— Não vou fazer nada por você.

— Já falei que te entrego todo o material se quebrar essa pra mim. Você não vai ser burro de negar, vai?

Ele suspirou do outro lado da linha, sinal de que eu tinha caminho livre para avançar:

— Te explico em detalhes mais tarde.

Desliguei sem despedidas. O peixe continuava preso ao anzol, o que me dava um pouco mais de tempo. Eu me sentia a própria equilibrista na corda bamba a seis mil pés de altura, com vento forte na perpendicular. Virei o carro no primeiro retorno e segui viagem para a Cantareira, enquanto avaliava incessantemente as possibilidades do que iria enfrentar. Uma raiva surda subia as paredes da minha alma. Eu não teria piedade.

Tomei a estrada de terra no mesmo ponto do dia fatídico em que seguia o carro de Brandão. Avancei um pouco mais, segurando o criptograma junto ao volante, como um *Guia Quatro Rodas*. O dia estava claro, com um sol forte brilhando no céu sem nuvens. Tanta beleza não combinava em nada com o meu estado de espírito. Ao redor, apenas descampados, arbustos e árvores, vez ou outra áreas protegidas por cercas e porteiras. Tentei a primeira subida à esquerda. E logo virei à esquerda de novo, mas acabei em uma estradinha sem saída. Não ia ser tão fácil. Janete ficava sempre vendada, contou as vezes que o carro dobrou à direita ou à esquerda, mas não viu quantas ruas se passaram entre uma curva e outra. Era como um labirinto impossível.

Dei meia-volta e comecei outra vez do ponto de partida. Apenas com aquelas direções, eu não chegaria a lugar nenhum. Dirigi dois quilômetros em busca de alguém para me ajudar, mas tive que passar por três cavalos e uma criação de porcos até encontrar um ser humano caminhando a pé na beira da estrada. Diminuí a velocidade para não jogar poeira em cima do sujeito e baixei o vidro, dando uma breve buzinada:

— Por favor, senhor, onde fica a linha do trem?

— A senhora sobe mais um pouco e pega à esquerda. Tem uma placa do sítio Carinhoso.

— Certo, obrigada.

Esquerda. Devia ser a primeira parte do caminho. esq2. Seguindo a orientação, dirigi mais uns quilômetros e cruzei os trilhos, pegando a bifurcação para a direita. Logo o forte cheiro de capim-santo, alto nos dois lados da via estreita, invadiu minhas narinas. Tentei me colocar no lugar de Janete e pensar o que consideraria uma curva se estivesse de olhos vendados.

Contornei outra vez à direita, subindo e subindo, até que a vegetação começou a me parecer familiar. Parei o carro, olhando ao redor. Um descampado angustiante, totalmente deserto, com uma reentrância de terra lamacenta e... uma árvore torta! Era isso! Eu tinha voltado ao mesmo local onde parei o carro na noite em que Paloma fora assassinada, só que agora era dia e eu conseguia enxergar tudo. Dali eu tinha escutado os tiros, então não podia estar muito longe.

Encostei o carro e desci, sentindo minhas botas afundarem na lama como da primeira vez. Dei alguns passos com dificuldade até me acostumar. Regulei o binóculo, tomada por uma sensação de eficiência que contrariava o desgosto de minutos atrás, e iniciei um exame completo, quase pericial, apurando os ouvidos também. Dava para escutar vacas e bugios, mas os sons vinham de todos os lados e não me ajudariam a encontrar o caminho. Li de novo as instruções, implorando que as palavras me dissessem qualquer coisa nova.

Girei o corpo em trezentos e sessenta graus, mantendo o binóculo firme, perscrutando toda a área até onde a vista alcançava. Um pouco mais a oeste, percebi uma pequena igreja, com aparência de abandonada, escondida entre as árvores. Faltavam apenas quinze minutos para o meio-dia. Se Janete ouviu o sino, eu ouviria também. Minha angústia se expandia pelo corpo, mas começava a ser sufocada pela excitação da caçada. Entrei no carro e dirigi por um caminho que parecia levar até a igrejinha. Conforme me aproximava, percebi que o lugar era, na verdade, uma capela tímida, com pintura desbotada e um sino surpreendentemente bem conservado. Esperando dar meio-dia, entrei na capelinha vazia. Seu interior também era malcuidado, com imagens de Jesus Cristo na via-sacra e estátuas toscas de alguns santos. Me ajoelhei mais perto do altar e fechei os olhos em uma oração rápida. Rezei por mim mesma dessa vez, porque, para quem passou a vida atrás de uma escrivaninha e um telefone, meu anjo da guarda já devia ter ficado maluco. Segundos depois, fui despertada pelo potente ressoar do sino, que me deu mais força.

Me ergui e caminhei pela lateral esquerda, passeando o binóculo por aquele ângulo também. Não muito longe, avistei uma área com paredões de pedra. Era a pedreira? Eu não ouvia explosão alguma, mas os funcionários poderiam estar no horário de almoço. Corri a vista mais um pouco para a direita e localizei uma estrada vicinal de cascalho. *Cascalho!* Só podia ser ali.

Voltei ao carro, verificando a Glock .380 já municiada que furtara da gaveta de Brandão — uma arma incrivelmente boa, muito usada por bandidos e também por policiais (mas nesse caso clandestinamente, já que uma regra imbecil e bastante polêmica dita que, em serviço, só podemos usar pistolas Taurus). Soltei o pente e o engatei de novo. Eu tinha catorze munições no carregador e mais uma na câmara do cano da arma. Com os dedos frios e o corpo elétrico, enchi o carregador reserva com os últimos projéteis. A cada um que eu enfiava, ficava mais difícil empurrar o próximo. Guardei o carregador no cinto. Trinta tiros para garantir a minha vida e um binóculo a tiracolo para ver o assassino antes que ele me visse. *Boa sorte, Verô.*

Segui para a estrada de cascalho. Era a mesma vista que eu encontrara nos últimos quarenta minutos. Dava um vazio imenso me embrenhar por aqueles caminhos sem saber direito como voltar. Àquela altura, meu celular já apresentava um "sem serviço" ameaçador. Tentei memorizar cada manobra, mas, depois de olhar para outra árvore torta idêntica à que eu vira dez minutos antes, acabei desistindo. Tomei uma curva para a direita e quase não vi o mata-burro em uma passagem meio escondida, inclinada uns quarenta e cinco graus da estrada. Manobrei o carro, sacolejando no terreno irregular, e passei em cima do mata-burro, fechando os olhos por meio segundo, tentando me sentir na pele de Janete. Poucos metros adiante, encontrei um local discreto para deixar o Honda. Escondi as chaves no pneu traseiro e empunhei a Glock.

Em menos de cinco minutos de caminhada, me deparei com uma porteira trancada com cadeado. Tinha que ser ali. Percorri o perímetro pelo meio do mato até encontrar uma brecha no arame, já enferrujado e atacado pelos animais da região. Me agachei para passar pelo espaço apertado. Com as pernas afastadas para ganhar estabilidade, subi uma pequena encosta repleta de folhas secas, que faziam muito barulho, até chegar ao limite onde começava o descampado. Escondida na sombra de uma árvore, esquadrinhei a área com a ajuda das lentes potentes do binóculo. O campo de arbustos se estendia até a linha do horizonte. Contrariando a paisagem idílica, havia um carro no meio da vegetação.

Avancei para a esquerda, em um declive que parecia dar em outro canto onde eu poderia enxergar melhor. Chequei o modelo: era o Corsa preto de Brandão! Quase soltei um grito de entusiasmo. Respirei fundo, o coração querendo sair pela boca, enquanto ansiosamente girava as lentes pelo terreno irregular em busca de algo que parecesse um alçapão.

Alguns metros adiante, havia uma construção baixa, retangular, de madeira, com duas alças projetadas para fora, como o puxador de um porão. Claro, a Caixa... A Caixa que Janete descreveu! Minhas pernas fraquejaram quando arrisquei os passos seguintes. Precisei me apoiar em uma árvore. *Calma, Verô!*, pensei, *Chegou a hora!* Engatilhei a pistola e estiquei os braços, esperando a tremedeira passar. Fixei o pensamento em um mantra de concentração aprendido havia muito tempo nas aulas de tiro e, quando funcionou, caminhei agachada. Minhas costas doíam, mas não seria aquela dorzinha que ia me impedir. Em dois minutos, cheguei ao alçapão.

De joelhos sobre uma das abas de metal, tentei puxar a alça da outra. Era pesada. Deixei a arma de lado, enxugando o suor com o antebraço, e dobrei as pernas para ganhar impulso. Minhas roupas estavam imundas de terra e, sem dúvida, eu parecia uma maltrapilha de cabelos arrepiados e pele oleosa. A aparência animalesca que eu percebia em mim mesma ajudou a angariar fôlego para a terceira tentativa de erguer as abas do alçapão.

Consegui. No mesmo instante, minhas narinas arderam até a garganta e, como em um reflexo do organismo, as lágrimas começaram a rolar pelo rosto. Depois de tantos anos na polícia, eu já tinha me deparado com muitos horrores: mulheres e crianças estupradas, tiros e facadas nas regiões mais improváveis, mas tenho certeza de que nenhum local de crime jamais me preparou para o que encontrei dentro daquela Caixa. Antes mesmo de entrar, o odor pútrido não deixava nenhuma dúvida: decomposição cadavérica. Quem já sentiu algo assim jamais esquece.

Conforme descia pé ante pé a escada de caracol, fiquei tonta, inebriada por outro cheiro forte. Era carne queimada, um odor insuportável que descia pelo esôfago e revolvia as entranhas. Eu não podia desmaiar agora. Me apoiei no corrimão de metal frio, coberto por uma escura camada de cinzas. Sem dúvida, Janete havia se apoiado muitas vezes naquele corrimão. Um facho de luz do dia iluminava parcamente o teto do bunker, onde um trilho circular de aço corria, erguendo correntes e ganchos no ar. Espremi os olhos, tentando enxergar alguma silhueta na área mais profunda, mas só havia escuridão.

Me arrependi de ter deixado o celular no carro. Apesar de não ter sinal de telefone, eu poderia usar o aparelho como lanterna. Agora eu estava cega, arriscando milímetro a milímetro ao tatear o nada. Se Brandão estivesse lá embaixo, eu seria um alvo fácil, patético até. De arma em punho, tentei ignorar o cheiro enjoativo e cheguei ao fim da escada. Busquei na parede de pedra algum interruptor, ainda que parecesse improvável haver energia elétrica em um lugar como aquele. Uma coisa úmida e gosmenta caiu no meu braço, mas não dava para identificar o que era.

Três passos adiante, encontrei um lampião encostado à parede, com uma caixa de fósforos apoiada na parte de cima. Eu não conseguiria acender o lampião sem largar a arma. Olhei em volta mais uma vez. O silêncio era ensurdecedor, não parecia mesmo ter ninguém ali, e só me restava arriscar. Guardei a arma na cintura e levantei o vidro depressa, acendendo o fósforo com medo do que a chama revelaria. Segurei o lampião com a mão esquerda, empunhando a arma outra vez. Ergui o ponto de luz para a área mais escura e, em um ato reflexo, vomitei.

Um corpo decomposto estava pendurado no teto, preso ao trilho circular, com correntes ligadas em roldanas e ganchos fincados na carne vermelha e preta. A pobre mulher liquefazia naquela estufa, gotejando sobre o chão frio. Continuei a caminhar com a arma mirando o vazio. Era como passear pelos escombros de um incêndio: objetos plásticos e correntes de ferro derretidas, vidros quebrados que estalavam conforme eu caminhava. No ar, a presença forte de monóxido de carbono afetava os sentidos.

Cheguei a uma parede com diversas ferramentas espalhadas e papéis chamuscados que revelavam partes de desenhos bem parecidos com os que Janete havia me entregado. No centro do trilho circular, uma aglomeração de candeeiros rústicos, todos estourados, com resquícios do fogo intenso que os havia consumido. A lamparina apagou e tive que acender um novo fósforo.

Só então eu vi: no centro do bunker, um corpo totalmente enegrecido e pequeno sentado no que parecia ser uma poltrona, com os braços e as pernas presos por algemas ainda intactas. Reconheci pelos trapos de roupas: era Janete, carbonizada, morta por minha causa. Sua cabeça tinha um formato incomum e não demorei a encontrar um fecho de metal próximo ao pescoço que confirmava que o filho da puta a tinha incinerado com a Caixa na cabeça. Suas mãos, com textura de carvão, tentavam envolver o ventre como um último aconchego ao bebê cremado vivo.

Sem ar, caí do lado da poltrona. Larguei a arma e chorei. Chorei por Janete, por mim, pela coitada erguida no teto como uma alegoria de péssimo gosto. Chorei por Paulo e pelas crianças, chorei por meu casamento e por Nelson, chorei pelo meu pai, por Carvana, pelo meu fracasso e pela minha covardia. Não chorei as dores do mundo, mas minhas dores já eram suficientes para me inundar por completo. Nem sei quanto tempo fiquei ali, enquanto a raiva crescia a cada soluço, congelando a angústia e alimentando um sentimento novo, guardado a muito custo no fundo da minha alma. Quando saí do bunker, eu já havia decidido o que fazer.

Anoitecia. Empunhando a arma o mais firme que conseguia, não precisei andar muito para enxergar o casebre mal ajambrado, com paredes de pau a pique, como Janete havia descrito. Me aproximei agachada, esquecida de qualquer dor. No terraço, dois lampiões ainda apagados balançavam nas vigas do teto em frente à porta e algumas caixas vazias jaziam espalhadas a esmo. Eram dezenas de gaiolas e caixas de madeira empilhadas que cobriam as janelas e impediam uma visão melhor do interior da casa. Sem dúvidas, Brandão se distraía lá dentro e eu não tinha o direito de errar.

As caixas estavam cheias de passarinhos, com penas espalhadas por todos os cantos e um cheiro forte de fezes de animais. Aquela passarada cantando e piando sem parar, não dava para imaginar alguém vivendo com aquele barulho o dia inteiro, essa era a verdade. No canto, um tear de madeira montado, mas vazio. Contornei a casa pela lateral esquerda, até encontrar a primeira janela que me permitia bisbilhotar: um cômodo simples, com uma mesa pequena onde descansava outro lampião e dois banquinhos de palha. Nada de televisão ou telefone. Nada de livros. Nenhum enfeite. Apenas um cocar de penas coloridas pendurado em uma das paredes. O chão de terra batida parecia estar lá havia mil anos.

Sem fazer barulho, desviei das caixas para chegar à outra

janela, que dava para uma cozinha simples, com uma bacia e um fogão a lenha. Testei a porta, hesitante: aberta! Girei a maçaneta, que emitiu um leve pio de enferrujada, e entrei. Passei pela cozinha deserta e, em três passos, cheguei ao cômodo já visto através da janela lateral. Era ainda menor do que eu tinha imaginado, com uma rede pendurada e, do outro lado, metros de cordas enroladas e uma pilha dobrada de tecidos artesanais, bastante coloridos e com desenhos geométricos. No armário, alguns parcos produtos de limpeza e um galão de querosene, indispensável naquele lugar sem energia elétrica.

O casebre era abafado, escuro e muito, muito humilde. O suor escorria pelas minhas costas, e minhas pernas não se firmavam como deveriam: a imagem do corpo contorcido de Janete, sem nenhuma dignidade, havia se fixado na minha mente e não seria esquecida tão cedo. Fechei e abri os olhos, como se assim fosse enxergar melhor. Outras duas portas fechadas me desafiavam ao próximo passo. Escolhi a da esquerda, sei lá por qual motivo. Segurei a maçaneta, projetando meu corpo, pronta para uma abordagem rápida, sem enganos. Abri a porta e...

Nada. Meu peito arfava. O cômodo vazio me recebia com uma calmaria que não combinava em nada com meu coração, pulsando ao máximo. Era torcer para eu não ter um infarto a qualquer momento. Já saía para tentar explorar o resto do lugar quando escutei um barulho seco vindo da área externa, na lateral oposta à que eu estava. Fiquei parada, em alerta, para confirmar se o som se repetiria.

Parecia o barulho cadenciado de uma pá furando a terra. Me aproximei da janela, devagar, pé ante pé. Vi a silhueta de Brandão de relance, manuseando uma espécie de escavador. Ele caminhava para debaixo de uma árvore e, no galho acima, outro lampião aceso balançava. Brandão vestia uma roupa camuflada e o lusco-fusco embaralhava minha visão ainda mais. Eu não conseguia ver direito o que ele fazia. Possivelmente, Carvana estava preso em algum lugar perto dali, amordaçado, e o filho da puta iria enterrá-lo vivo a qualquer momento. Saí depressa da casa, contornando pelos fundos para me aproximar. Escondida atrás de uma pilha de caixas, analisei melhor a situação.

Nada de Carvana. Brandão fazia um buraco na terra com o escavador em uma área dentro de um círculo de pedras. Pensei que ele preparava uma cova, mas o espaço era estreito demais, bastante profundo na vertical, como se ele fosse plantar algo. Trabalhava ajoelhado, de perfil para mim, sério, apesar da luz vinda de cima que fazia sua careca impecável reluzir.

Fiquei observando, pensando na melhor maneira de surpreendê-lo. Antes de tentar qualquer coisa, eu precisava encontrar Carvana. Brandão largou o escavador de lado, foi até a outra lateral da casa, em um ângulo que não me permitia nenhuma visão, e logo voltou trazendo o que parecia ser um corpo jogado como um saco em suas costas. E então se posicionou na frente do buraco e tirou o homem dos ombros, enfiando-o ali pelos pés. No movimento, o corpo inerte resvalou no lampião, que iniciou um balanço lúgubre. De repente, a luz alcançou os olhos esbugalhados do cadáver, que me encararam. Aturdida, dei dois passos para trás. Era o Carvana. Morto.

No calor do momento, saí do esconderijo, finquei os pés na terra, estiquei os braços e mirei na antecoxa esquerda de Brandão. Ao pressionar o gatilho, senti o coice da pistola, mas não saí do lugar. O desgraçado foi pego de surpresa e gritou, contorcendo-se no chão, enquanto tentava estancar o sangue e aplacar a dor. Me aproximei com cautela e atirei de novo, dessa vez no joelho direito. Ouvi o barulho dos ossos se esmigalhando e, enquanto Brandão urrava, revistei o corpo dele e encontrei uma pistola no cós da calça. Joguei longe. Empunhando a arma com as duas mãos a uma distância segura, disse:

— Se vira bem devagar, desgraçado.

Ele ergueu as mãos cheias de sangue, rendido. Dei um passo na hora certa, antevendo que ele tentaria me derrubar. Mesmo ferido, Brandão era um bicho selvagem e perigoso.

— Filho da puta!

— Calma, vamos com calma, eu posso explicar — ele começou, me encarando nos olhos. — Também sou policial e... Aaaaah!

Dei um tiro no meio da sua barriga, que passou a jorrar sangue sem parar. Ele me encarou repleto de pavor antes de desmaiar, segundos depois. O passo seguinte já devia estar desenhado na minha alma, porque eu soube exatamente o que fazer. Um corpo inerte pesa muito, mas a adrenalina faz a gente tirar forças sem saber de onde.

Busquei a corda e o galão que havia visto dentro da casa, e então arrastei Brandão até a árvore onde reluzia o lampião. Recostei-o no tronco e dei voltas e mais voltas com a corda, amarrando o corpo troncudo do melhor jeito que podia. No terraço, peguei uma das caixas de passarinho vazia e deixei-a ao lado dele. Eu sabia que alguém forte como ele levaria muito tempo para morrer com um tiro no abdome e que sua consciência voltaria a qualquer momento. Esperei, paciente.

Branco como um papel, ele voltou a entreabrir os olhos. Perdendo muito sangue, tentava entender o que estava acontecendo. Começou a balbuciar qualquer defesa sôfrega que não me interessava. Despejei todo o galão de querosene sobre ele, da cabeça aos pés, sem nenhuma economia.

— Isso é pela Janete — eu disse, muito calma.

Brandão só teve tempo de erguer levemente as sobrancelhas antes que eu ajeitasse sua cabeça dentro da caixa de passarinho.

Ouvi murmúrios abafados e longos, mas não me detive. Risquei um fósforo e, de uma distância segura, pus fogo naquele lixo humano. As labaredas subiram rapidamente, com uma força brutal, enquanto os gritos dele eram engolidos pelo estalar das faíscas. Naquele instante, eu realmente entendi o significado de triunfo e plenitude.

Abandonando o espetáculo, corri até o corpo de Carvana, metade para dentro, metade para fora do buraco. Não havia a menor dúvida de que o velho estava morto, com uma mancha enorme de sangue no peito. Fiz um carinho no seu rosto gelado:

— Desculpa, Doc. Eu nunca quis te ferir.

Era o último dia do fim da minha vida. Ainda agachada, olhei para Brandão, que já se transformava em um pedaço amorfo de carne e sangue.

Clic. Caso encerrado.

GAZ

Polícia encontra sítio macabro na serra da Cantareira

Por Plínio R. Spinoza

Cemitério clandestino

Na última segunda-feira, após informações repassadas pelo Disque Denúncia, uma equipe da Polícia Militar chegou a um sítio na região da serra da Cantareira, localizado na zona norte de São Paulo, e encontrou cerca de doze corpos enterrados. Exumados no que parecia ser um cemitério clandestino com covas cobertas por pedras, os cadáveres estavam enrolados em redes artesanais e, segundo uma fonte ouvida pelo jornal, quase todos tinham o braço esquerdo decepado. Com o auxílio de uma equipe do Corpo de Bombeiros e de cães farejadores treinados para localização de corpos e ossadas, a polícia prossegue a busca por novas vítimas. Uma equipe da polícia técnico-científica da capital também foi acionada e permanece no local.

Segundo a delegada Anita Berlinger, responsável pelo caso, a linha de investigação se concentra na possibilidade de um assassino em série em ação, pelos aspectos ritualísticos detectados no local do crime e pelo número elevado de vítimas. Os investiga res suspeitam que os dáveres sejam de pess desaparecidas nos últi anos e, por isso, uma d lhada pesquisa nos regis de ocorrências desse tip foi iniciada. Serão nece rios exames de DNA pa identificação dos corp familiares relacionados verão ser acionados pa reconhecimento de rou e pertences, como apa lhos celulares, joias, reló e bijuterias.

Entre as vítimas já id tificadas está o deleg titular do Departame de Homicídios e Prote

ETA

DA MANHÃ

Pessoa (DHPP), Wilson
rvana, assassinado com
tiro no peito e outro na
ca. O capitão da Polícia
litar do 8º Batalhão de
ícia Militar Metropoli-
o (BPMM), Tatuapé, Cláu-
Antunes Brandão, foi
ntificado por uma pla-
ta de metal no pescoço.
corpo estava carboni-
lo e testes de DNA serão
tuados para confirma-
de sua identidade. As
s autoridades estavam
aparecidas fazia pouco
s de trinta dias, em um
mais intrigantes mis-
os policiais ocorridos
se ano na capital pau-
a. Segundo a polícia, a
ncipal hipótese é de que
sassino os tenha elimi-
o para evitar a própria
tura. A secretária do
egado titular Wilson
vana, Verônica Torres,
tinua desaparecida.

investigação sobre o
ne que envolve os três
ciais prossegue em segredo de Justiça e nenhum envolvido quis se manifestar sobre o caso. Os corpos recolhidos seguiram para o setor de identificação do Instituto Médico Legal de São Paulo.

Do local

Na mesma área do cemitério clandestino, a polícia investiga uma espécie de bunker (cativeiro), onde foram localizados mais dois corpos, um deles carbonizado. Durante as buscas, foram apreendidos diversos desenhos chamuscados de mulheres amarradas e seviciadas, que foram encaminhados ao Instituto de Criminalística para exames periciais.

A casa principal da propriedade na serra da Cantareira também foi isolada para posterior perícia. No seu interior, a polícia encontrou mais de cinquenta curiós mortos por falta de alimentação em caixas para treino de canto e gaiolas. Depois da análise das evidências coletadas no local, peritos da polícia técnico-científica esperam reconstruir a dinâmica dos crimes por meio de exames de balística, de DNA, necropsias e de outras perícias complementares. A polícia pediu que a subprefeitura do Jaçanã (Tremembé) envie um caminhão e uma retroescavadeira para a retirada dos entulhos.

Até o fechamento dessa edição, não havia sido encontrado o registro da área nem localizado o proprietário do local.

GAZ

Identificada mais uma vítima do suposto seria killer da caixa

Por Plínio R. Spinoza

Mais de uma semana depois de iniciadas as investigações sobre os assassinatos cometidos pelo suposto serial killer da caixa, na serra da Cantareira, foram identificados ontem os restos mortais da policial Verônica Torres, secretária do delegado titular do DHPP, Wilson Carvana. Ele também foi encontrado morto no local. O corpo da policial estava algemado a uma poltrona, totalmente carbonizado, dentro do bunker subterrâneo localizado no terreno do sítio, a cinquenta metros da casa principal. O carro da vítima foi encontrado abandonado nas proximidades do sítio.

A polícia prossegue nas investigações para determinar o envolvimento do delegado civil Wilson Carvana, da sua secretária Verônica Torres e do capitão da PM Cláudio Antunes Brandão, que teve sua identidade confirmada por testes de DNA esta semana, na caça do suposto assassino em série, que continua à solta. Também não se sabe ainda a relação entre a morte dos três policiais (dois civis e um militar) e os catorze corpos

de mulheres encontra
no que parece ser um
mitério indígena. A pol
não confirma se os cor
dos policiais foram m
lados, ou se apenas alg
deles foram localiza
com o braço esquerdo
cepado.

Para Paulo Monteir
Lima, marido da poli
brutalmente assassinada
uma surpresa a constata
da gravidez da esposa.
está inconformado co
perda e exigiu empenh
elucidação dos crin
Além do marido, Verô
Torres deixa dois filhos
será enterrada amanhã

ETA

DA MANHÃ

nitério do Araçá, sob
ıras militares, já que
rreu à serviço do Esta-
O Secretário de Segu-
ça Pública, Carlos Al-
to Pinholli, afirmou
, para a Polícia Civil de
Paulo, é uma questão
honra identificar e
nder o assassino.

ras vítimas
ntificadas

)uas outras ossadas
ım identificadas na
ıana passada: Cícera
es de Souza, 21, e Pa-
a da Silva Rocha, 23.
bas deixaram São Luís
Maranhão em busca
emprego na capital
lista. Suas famílias es-
ım sem informações
le que as jovens pega-
um ônibus da compa-
Expresso RN no final
no passado e recebe-
a notícia com grande
que.

Na última sexta-feira, a polícia encerrou as escavações no local, tendo encontrado restos mortais de dezessete mulheres e uma série de braços enterrados alinhados na frente da casa principal do sítio. As ossadas ainda não identificadas permanecem no departamento de antropologia forense do Instituto Médico Legal de São Paulo. Segundo o médico-legista Gregório Duarte, responsável pelo caso, a identificação da policial Verônica Torres só foi possível por meio da comparação da arcada dentária do corpo carbonizado com seus registros odontológicos cedidos pela família. Em alguns casos, no entanto, deverá ser utilizada a técnica de reconstituição facial em 3-D para que as vítimas sejam reconhecidas por familiares ou amigos.

A delegada Anita Berlinger, responsável pelas investigações, pede para quem tiver alguma informação sobre o caso entrar em contato através do Disque Denúncia. A delegada também solicita que pessoas com algum familiar desaparecido com características similares forneçam material genético para exame de DNA, facilitando assim o trabalho de identificação no IML. As investigações continuam a todo vapor.

Epílogo

Não é só cortando os pulsos que você consegue sumir para sempre. Com o rosto estampado em diversos jornais, tive pouco tempo para me transformar em outra. Tingi de preto meu cabelão e fiz uma escova progressiva. Coloquei facetas branquinhas e perfeitas nos dentes, acertando para sempre o pequeno vão que tanto marcava meu sorriso. Fiz bronzeamento artificial e, animada com tudo, acabei perdendo os quilos que sobravam. Mudei também meu guarda-roupa: vestidinhos quase retrôs, cintura marcada, botão na gola, um babado aqui, outro ali. Uma balzaquiana clássica e comportada.

Assim que conseguisse um pouco mais de dinheiro, estava decidida a arriscar uma cirurgia plástica no Rio de Janeiro para ter o rosto dos meus sonhos. Por enquanto, me contentava com o pouco que a grana furtada na casa de Gregório me permitia. Eu não podia correr o risco de movimentar minha conta bancária ou de usar algum cartão de crédito. Tudo ainda era muito recente.

Enquanto o hipócrita do Paulo exigia justiça nos jornais ao mesmo tempo em que fodia a amante, enquanto meus filhos se recuperavam do choque emocional, minha única saída foi ficar quieta, escondida. Como a calmaria que precede o bote, eu precisava esperar que a poeira baixasse. Vivi os meses seguintes de maneira modesta, pulando de pocilga em pocilga no centro de São Paulo, onde não exigiam nenhuma documentação.

No início do ano, finalmente consegui uma quitinete no décimo primeiro andar do edifício Copan, ícone de geometria sinuosa de São Paulo, com cerca de cinco mil moradores. Só no meu bloco eram 448 quitinetes — o lugar perfeito para passar despercebida. Ali, conviviam em misteriosa harmonia ricos descolados em apartamentos de luxo e pobres em muquifos decadentes; comerciantes, professores, herdeiros milionários, aposentados e garotas de programa, em um mix de classes sociais com direito até a igreja evangélica. De certo modo, eu me sentia em casa naquela Torre de Babel.

No fim do mês, convidei Gregório para um encontro. Desde meu golpe de mestra, eu vinha mantendo contato com ele através de celulares descartáveis, mas havia chegado a hora de cumprir o prometido. Vestindo saia florida, camisa branca e um mocassim bege, além das minhas inseparáveis pulseiras (a única mania que não consegui perder), eu o esperava com os cotovelos apoiados no batente da janela, enquanto bebericava um café morno. Observava os arranha-céus, as pessoas do tamanho de formiguinhas lá embaixo, a poluição no ar que me lembrava do conforto de viver em uma cidade grande, acordada vinte e quatro horas por dia.

Como a porta estava encostada, Gregório entrou na sala sem bater, perscrutando o ambiente com os olhos assustados. Me virei para ele, tomando mais um gole do café. Ele se espantou ao me ver tão diferente, mas *ele* também estava bastante mudado, essa era a verdade. Tinha perdido o ar jovial, o porte de príncipe. Sua aparência havia se tornado escamosa, com bolsões de pele sob os olhos e os lábios crispados em sinal de desagrado. Seus últimos meses não tinham sido fáceis. A ameaça constante de ter o vídeo dele divulgado na internet transando com uma mulher morta era uma sombra que eu tinha feito questão de alimentar. Era minha lenta tortura em memória de Marta Campos.

— Então foi aqui que você se enfiou... — ele disse, com desprezo.

— Amanhã já tô em outro lugar. Vivo mudando.

— Medo que eu conte pra alguém do seu cafofo?

— Talvez. Ter medo é importante, Gregório. Aceita um café?

Ele sorriu, tenso:

— Já caí na sua conversa uma vez. Não vou cair de novo. Cadê o meu vídeo?

Se ele não queria papo, eu também não insistiria. Estendi para ele o aparelho de celular.

— Tá tudo aí. Juro que não guardei nenhuma cópia.

— Seu atestado de óbito — ele disse, me entregando a contrapartida. — Verônica Torres está oficialmente morta. A sua vida devia estar mesmo uma merda pra você preferir isso aqui a ficar com a sua família.

Dei de ombros. *Eu me matei, mas me matei de maneira inteligente*, pensei em falar. Minha nova história estava só começando e, em poucos meses, eu tinha aprendido muitas coisas. A verdadeira vantagem de ser invisível não é minimizar os danos, mas jogar o jogo da vida com as próprias regras.

— Então é isso — ele falou, enquanto se afastava de mim. — Até nunca mais.

Me aproximei para fechar a porta e, do cabideiro preso a ela, retirei o lenço mágico que eu havia estrategicamente guardado, embebido em clorofórmio. Antes que Gregório passasse pelo vão, eu o surpreendi com o sedativo. Na mesma hora, seu corpo perdeu sustentação. Ele soltou o celular e vacilou. Segurando-o pelo cinto da calça jeans, consegui empurrá-lo contra a parede, o tecido encharcado ainda sobre o nariz dele. Gregório se manteve de pé, mesmo bambo e atordoado, a consciência se esvaindo, enquanto eu o levava com dificuldade até a janela aberta da quitinete, com o *skyline* de São Paulo diante de mim. Seu corpo molenga se projetou para fora, por cima do parapeito. Uma brisa fria batia contra o meu rosto, me incitando a continuar. Como um espantalho, ele só precisava de um empurrãozinho. Pena que estivesse desacordado. Queria tanto vê-lo implorando para viver.

Sem perder tempo, girei suas pernas no ar e a gravidade fez o resto do serviço. Nem olhei para fora. Fechei a janela e alisei minha saia, agora um pouco amarrotada. Saí pela porta da quitinete para nunca mais voltar. Desci as escadas e as rampas sem pressa, mantendo a cabeça baixa para evitar qualquer câmera de segurança. Quando cheguei à entrada, Afonso, o "prefeito" do Copan, estava verificando a correspondência.

— Bom dia — falei.

— Bom dia, Janete.

Segui pela avenida Ipiranga com um sorriso discreto, como se nada daquilo me dissesse respeito. Eu me sentia plena, com a serenidade de quem descobriu a própria vocação. Brandão com a Caixa na cabeça, Gregório despencando de onze andares. Comigo em ação, sem dúvida, o mundo seria um lugar melhor. Eu tinha nascido para matar, e não pararia tão cedo.

1ª EDIÇÃO [2022] 6 reimpressões

ESTA OBRA FOI COMPOSTA EM ELECTRA POR VANESSA LIMA
E IMPRESSA EM OFSETE PELA GRÁFICA BARTIRA SOBRE PAPEL PÓLEN
DA SUZANO S.A. PARA A EDITORA SCHWARCZ EM DEZEMBRO DE 2024

A marca FSC® é a garantia de que a madeira utilizada na fabricação do papel deste livro provém de florestas que foram gerenciadas de maneira ambientalmente correta, socialmente justa e economicamente viável, além de outras fontes de origem controlada.